D0777402

La fille qui cherchait son chien
(et trouva l'amour)

MEG DONOHUE

La fille
qui cherchait son chien
(et trouva l'amour)

Roman

MOSAÏC

Titre original :
DOG CRAZY

Traduction de l'américain par JEANNE DESCHAMP

Publié avec l'aimable autorisation de HarperCollins Publishers, LLC,
New York, U.S.A

MOSAÏC, une maison d'édition de la société HARLEQUIN
83-85, boulevard Vincent Auriol, 75646 PARIS CEDEX 13
Tél. : 01 42 16 63 63
www.editions-mosaic.fr
ISBN 978-2-2802-8252-9 — ISSN 2261-4540

Pour ma famille, en comptant les chiens,
King Oberon avant tout autre.

Parce que les chiens sont pleins de joie, notre propre joie s'en trouve exaltée. C'est un cadeau considérable.

Mary OLIVER, *Dog Songs*

Si tu ouvres ce livre, il est hautement vraisemblable que ton cœur soit triste.

John W. JAMES et Russell FRIEDMAN,
The Grief Recovery Handbook

1

Une.
Deux.
Trois.

Je respire trois fois à fond avant d'ouvrir la porte à mon rendez-vous de 16 heures…

C'est Leanne. Elle est transformée… Elle a discipliné en carré souple sa tignasse certes attendrissante mais hirsute et troqué son jogging désassorti contre un joli pull col boule porté sur un pantalon de ville, et elle est même maquillée.

Evidemment, je ne suis pas *vraiment* surprise par la transformation de Leanne ni par ce que ce changement signifie. Je suis psy, non ? Je sais bien que dès la toute première séance on travaille à aller mieux et à se séparer un jour de son thérapeute. Mais Leanne vient me voir chaque semaine depuis trois mois — depuis l'ouverture de mon cabinet, en fait. Alors, même si je suis contente qu'elle ait recouvré sa joie de vivre, je sais déjà qu'elle va me manquer. En dépit de son deuil, elle s'est montrée tellement charmante… Ses émotions sont communicatives ; elle pleure, elle rit encore plus, et sa belle dose d'humour est comme une pincée de piment.

Peut-être me suis-je réjouie plus que je ne l'aurais dû à la perspective de ses visites ?

Pas des *visites* non. Des séances. En moi, la thérapeute s'oblige à rectifier.

Visite ou séance, dans un cas comme dans l'autre, ce sera la dernière ; l'évidence me saute aux yeux. Leanne rayonne, prise de nouveau dans le grand courant de la vraie vie qui l'entraîne loin de moi.

— Vous avez l'air en forme, dis-je en souriant.

J'ai du mal à parler tant j'ai la gorge nouée. En arrière-plan, des nappes mouvantes de brouillard glissent à vive allure entre les structures de la Sutro Tower — l'immense antenne de transmission rouge et blanc qui s'étire très haut au-dessus de la ville. A l'est, le ciel est d'azur ; à l'ouest, vidé de toute couleur, il est aussi attirant que de l'eau de vaisselle sale. Suivre les aléas de la météo de San Francisco est un combat perdu d'avance pour moi. Autant ne pas y prêter davantage attention et me dépêcher de fermer ma porte.

Nous nous conformons à notre rituel : Leanne prend sa place habituelle sur le canapé gris dans mon salon, qui fait également office de cabinet, pendant que je lui prépare une tasse de thé English breakfast. Je sais exactement comment elle le boit : bien sucré, avec un petit nuage de crème que j'ai pris l'habitude de me faire livrer avec le reste de mes courses hebdomadaires depuis qu'elle m'en a demandé au début de notre première séance.

Je reviens dans le séjour avec mon plateau.

— Je vois que vous vous êtes fait couper les cheveux, Leanne ?

La lumière de milieu d'après-midi filtre à travers les voilages blancs diaphanes que j'ai accrochés en m'installant ici il y a quatre mois. L'effet est exactement celui que j'avais recherché : c'est intime, protégé, paisible sans être solennel.

— Non, juste un brushing, m'explique Leanne aimablement. J'avais oublié à quel point je me sentais mieux après un passage chez le coiffeur. Ça me booste le moral.

— A croire qu'il y a des points communs entre brasser de l'air et faire une thérapie...

Leanne éclate de rire — un rire merveilleux, plein d'audace et de vie. Fini les cernes qui ombraient ses yeux bleus. Le sommeil retrouvé et le maquillage les ont gommés.

— Oh ! Maggie, dit-elle. Vous avez si bien su m'aider à garder mon sens de l'humour au milieu de tout ça.

J'en ai mal au ventre. Quand les patients se mettent à vous faire des compliments, c'est signe qu'ils sont sur le point de vous quitter.

Quelques jours après avoir fait piquer Sealy, son russkiy toy de onze ans, Leanne a fait une recherche sur Internet : *chien... mort... culpabilité...* C'est comme ça qu'elle est tombée sur mon site tout neuf.

Oui, je suis psy.

Mais psy pour les personnes qui ont perdu leur compagnon à quatre pattes.

En venant la première fois en séance, elle a posé devant moi une photo de Sealy. Je ne savais pas que les russkiy toys étaient d'aussi jolis petits chiens à poil court avec de petites oreilles triangulaires en pointe à poil long et souple. Sealy avait l'air vive et toute mignonne, avec sa truffe pointue et ses deux touffes de poil clair.

C'est là que je me suis dit : *Debbie Gibson !* Oui, j'ai un talent : celui d'identifier les sosies célèbres des chiens. Exemple : mon propre chien, Toby, un croisé de retriever, aurait pu être l'enfant de l'amour d'Elizabeth Taylor (noir et ondulé, façon Hollywood à l'ancienne) et de l'acteur Bruce Willis (cou épais, regard pétillant) — même si, dans ses dernières années, il avait plutôt tendance à développer une forte ressemblance avec le vieil acteur britannique Ian McKellen (la barbe grise).

Toujours à l'occasion de cette première séance, j'ai appris que c'était Darren, le mari de Leanne, qui lui avait offert

Sealy pour la consoler, après le départ de leur plus jeune enfant. Syndrome du nid vide. Sealy bondissait sur le dossier du canapé chaque fois que Leanne regardait la télévision, et s'enroulait autour de son cou, façon col de fourrure. De temps en temps, elle fourrait le museau dans ses cheveux pour la renifler. En voiture, Sealy avait une préférence pour la banquette arrière (« La voiture de miss Sealy est avancée »). Quand on ouvrait une boîte de conserve, dans la cuisine, elle exécutait un numéro de claquettes irrésistible — tout y était, même le sourire dingo, gueule grande ouverte. Et elle boudait sous la table pendant une bonne heure si la boîte contenait autre chose que de la pâtée pour chien.

Sealy tolérait que Leanne la porte dans ses bras, mais Leanne exclusivement (« Elle avait sa dignité »). Et ainsi, pendant onze ans de sa vie, Leanne avait vécu accompagnée partout où elle allait du cliquetis des griffes de Sealy qui la talonnait. Une joyeuse musique de fond.

A la mort de Sealy, Leanne avait été incapable de quitter sa chambre pendant deux jours… Un détail qu'elle m'avait confié, tout embarrassée. Je lui avais assuré que sa réaction n'était pas inhabituelle ; qu'elle n'était pas seule.

— L'amour, c'est l'amour, lui avais-je dit, comme je l'explique à chacun de mes patients, honteux d'être bouleversés par la mort d'un chien.

Elle m'avait adressé un sourire reconnaissant, et je lui avais souri en retour.

A présent, j'ouvre mon carnet.

— Alors ? Comment s'est passée votre semaine ?

— Bien, merci.

Trente années se sont écoulées depuis qu'elle a quitté la Caroline, mais elle conserve toujours son doux accent du Sud, dont les rondeurs rappellent celles de son visage.

— J'ai jardiné, jardiné, jardiné. Arraché les géraniums desséchés dans les pots sur la terrasse et planté des prêles du Japon très classe.

— Qu'est-ce qui a inspiré ce changement ?

Elle boit une gorgée de thé, réfléchit.

— La période de l'année, je suppose. Le printemps est en route, malgré ce sale temps.

Elle fixe le fond de sa tasse, et un pli se forme entre ses sourcils.

— J'ai du mal à croire que je suis venue vous voir… que Sealy est partie depuis trois mois… Cela reste tellement…

Elle n'achève pas sa phrase.

— Trois mois, c'est insignifiant à côté de treize…

Je me hâte de rectifier en secouant vivement la tête.

— … de *onze* années de camaraderie.

Le regard de Leanne s'attarde sur les certificats et les diplômes encadrés que j'ai accrochés au mur. Ma licence de psycho et mon master en psychologie clinique — décernés l'un et l'autre par l'université de Pennsylvanie —, mon attestation de membre de l'Ordre national des psychothérapeutes certifiés et de la Société américaine d'assistance psychologique, mon diplôme de thérapeute spécialisée dans le deuil animalier… Ce mur renvoie mes patients à la raison pour laquelle nous faisons désormais partie de la vie l'un de l'autre. Même chose pour moi. Mais j'attends d'être seule chez moi pour le regarder. Ces diplômes me rassurent : oui, je sais ce que je fais. Oui, je suis une pro.

Même si, depuis quelque temps, la vérité, c'est que je ne vais pas très bien…

Le regard de Leanne vient de nouveau rencontrer le mien.

— L'autre grande nouvelle de la semaine, dit-elle, c'est que j'ai enfin été capable de revoir *Titanic*.

Je baisse les yeux sur mes notes.

— Nom d'un chien ! s'écrie-t-elle. Enfin… si on peut dire. Je ne vous ai jamais raconté, pour *Titanic* ?

— Je ne crois pas.

Le visage de Leanne s'éclaire. Elle adore raconter. Grâce à Bert, le chien danois avec qui elle a grandi. Cette bête supportait ses monologues et ses jeux de déguisement à rallonge avec l'impavidité stoïque d'un garde de la reine d'Angleterre photographié par un touriste ivre.

Leanne se cale dans son fauteuil.

— Eh bien, le soir où Darren est arrivé à la maison avec Sealy, nous avons regardé *Titanic*. Ou, plus exactement, je suivais le film pendant que Darren ronflait comme les orgues de la cathédrale. Notre nouveau chiot a dormi aussi pendant tout le film, roulé sur mes genoux, comme une minuscule petite boule. Je me souviens d'avoir caressé ses oreilles toutes douces en songeant que c'était de la folie de l'aimer déjà autant, à me dire que j'étais si heureuse d'avoir une nouvelle présence vivante dans la maison.

Elle s'interrompt, hausse les épaules.

— Enfin… Tout ça, vous le savez déjà. Les enfants me manquaient beaucoup.

— Oui, en effet. Et qui ne craquerait pas pour un chiot qui dort ?

Leanne sourit.

— A qui le dites-vous… Donc elle a dormi sur moi pendant tout le film jusqu'au générique. Et là, Céline Dion a commencé à chanter *My Heart Will Go On.* Vous connaissez, je suppose ?

Absolument. D'ailleurs, j'entonne la chanson avec des trémolos épouvantables. « Prèèèès ou looooin… où que tu sooooois… » Leanne éclate de rire et me supplie d'arrêter.

— Je crois que c'est bien la bonne chanson, mais c'est difficile d'en être sûre.

Je souris.

— Et que s'est-il passé ?

— Eh bien, du moment où elle a entendu la voix de Céline, Sealy, qui dormait du sommeil du juste jusque-là, a *bondi* sur ses toutes petites pattes, levé le museau au plafond et hurlé à la lune.

— Donc Sealy est le diminutif de Céline !

J'avais toujours cru que son prénom venait de *seal*, le phoque, à cause de ses moustaches noires.

Leanne acquiesce d'un signe de tête.

— De toute sa vie, pendant les onze années qui ont suivi, je ne l'ai jamais entendue hurler comme cela à la lune. Sauf quand Céline Dion chantait.

— Vous croyez que c'était signe de plaisir ou de souffrance ?

Leanne pouffa dans sa main.

— Je pense qu'elle trouvait que Céline Dion hurlait divinement. Ça l'émouvait beaucoup.

— Vous n'avez jamais essayé de lui faire écouter d'autres chanteuses ? Elle avait peut-être une passion pour les divas ?

— Non, non, pas du tout, protesta Leanne sans cesser de rire. C'était Céline et personne d'autre.

Je hoche la tête et laisse un silence s'installer.

— Quel cadeau elle vous a fait…

Elle me jette un regard interrogateur. Je précise :

— Ces souvenirs. Vous les garderez toujours en vous.

Les yeux de Leanne se voilent. Je vois qu'une autre anecdote lui revient. Alors je me prépare à l'écouter, heureuse qu'il y ait encore à dire, prête à entendre.

Certaines personnes pensent qu'une séance de thérapie consiste à se vautrer dans la boue en s'apitoyant sur soi-même.

Mais pas du tout.

En fait, très souvent, j'entends des récits joyeux. Naturellement, il y a des larmes mais pas seulement, car les chiens adoucissent la solitude, ils apprennent aux humains à aimer… En plus, les personnes qui adorent les chiens ont un cœur grand comme ça et un sens de l'humour incroyable. Quelques-unes des histoires les plus drôles que j'aie jamais entendues me viennent de mes patients. Tous mes patients sont différents, mais au cœur de leurs récits se blottit toujours cette même et simple vérité : les chiens nous rendent meilleurs.

En tant que thérapeute, j'écoute tous les témoignages, gais et tristes. Tous parlent de la vie : les êtres humains rient, pleurent, mettent sur le tapis tout ce qui remonte. Souvent, je découvre avec eux que la perte d'un animal de compagnie ravive des blessures. Des émotions sournoises. Qui vivent en eux depuis des années et des années comme un oursin.

Mais voilà que la séance de Leanne touche à sa fin.

Le moment est venu pour moi de la raccompagner jusqu'au portail. Autrement dit : de rassembler mon courage pour m'obliger à *sortir* de chez moi.

A cette seule perspective, une appréhension désormais familière grandit en moi. Mon cœur se met à battre le tambour. Mes mains deviennent moites. Je les cache dans les poches de ma veste.

Un pas, deux pas. La panique enfle à chaque pas dans l'allée qui mène à la rue. Un minuscule oiseau noir qui menace de déployer ses ailes.

Enfin, m'y voilà. J'ouvre le portail. Leanne passe sur le trottoir puis se retourne pour me prendre dans ses bras avec toute la spontanéité qui la caractérise. Elle est déjà dehors, et moi encore plantée sur la dernière dalle de l'allée.

Pourvu qu'elle n'entende pas les battements affolés de mon cœur ! J'essaie de me concentrer sur quelque chose — le palmier de l'autre côté de la rue. Au même moment, d'un coup, le vent se renforce et les arbres gémissent, leurs ombres difformes et noires se muent en animaux blessés et frappent le trottoir.

Je ferme les yeux. Réprime un frisson.

Ou peut-être que je ne réprime pas grand-chose car, au moment où j'ouvre les yeux, Leanne s'écarte de moi et affiche un air soucieux.

— Dites, Maggie, tout va bien ? demande-t-elle en me tenant par les épaules.

— Bien sûr !

Ma voix rend un son un peu haletant. J'ai l'impression que le ciel s'obscurcit. Si je reste plus longtemps dehors et debout, je ne vais pas tenir le coup. Je prends les mains de Leanne entre les miennes, les serre pour lui dire adieu. Ses ongles tout juste manucurés s'enfoncent dans mes paumes.

— Bonne chance, Leanne.

Elle sourit, mais je vois bien que je n'ai pas réussi à la rassurer sur mon compte. Alors, je m'ordonne de prendre sur moi. Je m'oblige à rester campée là pendant qu'elle cherche ses clés de voiture dans son sac, puis le temps qu'elle manœuvre sa vieille Mercedes verte d'avant en arrière. Et ça dure, ça dure. C'est officiel : les talents d'un conducteur sont inversement proportionnels aux dimensions de son véhicule !

Enfin, elle réussit à dégager sa voiture de sa place de stationnement. Elle donne un coup de klaxon et me fait un petit « coucou » au passage. En retour, j'affiche un sourire sur mon visage et agite mes deux mains (tremblantes) au-dessus de ma tête. Je dois ressembler à un agent de piste en train de diriger une manœuvre d'avion. Ou peut-être à une danseuse de bhangra ?

Enfin, sa voiture disparaît au coin de la rue.

Et moi, je me carapate à toute allure dans mon abri.

Mais ce n'est pas fini. Me réfugier dans mon appartement ne suffit pas. Il faut aussi que je file directement à la salle de bains pour me débarrasser des microbes.

Je frotte et frotte mes mains au savon sous l'eau chaude du robinet. Je sais, je sais, Leanne respire la santé — mais à première vue seulement. En matière de germes et de virus, il est de notoriété publique que la vérité ne sort du bois que lorsque le mal est déjà fait, non ?

L'eau me brûle. Ma peau rougit. Courage, je tiens bon. J'ai une astuce pour résister : chanter « Joyeux aaaanniversaire ». C'est conseillé par le site web du Centre pour le contrôle et la prévention des maladies, le CDC. La première fois que j'ai consulté leur site, j'ai immédiatement craint pour la santé de ma mère : est-ce qu'elle connaissait le CDC, au moins ? Est-ce qu'elle faisait bien ce qu'il fallait ? J'ai bien failli me ruer sur le téléphone pour lui poser la question (elle vit à Philadelphie). Mais je me suis dominée. N'empêche que je pense à elle chaque fois que je mets les mains sous l'eau brûlante et que je regarde ma peau changer de couleur.

Je ferme le robinet et j'écoute ma respiration se calmer.

Quatre-vingt-dix-huit.

Au-dessus du lavabo, le miroir me renvoie mon reflet. Je suis plus pâle que lorsque j'ai emménagé ici. En revanche, mes sourcils restent inchangés : expressifs, bien dessinés. Je parle de mes sourcils parce que ma meilleure amie, Lourdes, me dit que j'ai des sourcils *qui inspirent confiance*. Elle les appelle mon gagne-pain. Qui sait ? Elle a peut-être raison. Même le plus réticent des patients finit toujours par me révéler ses secrets.

— Quatre-vingt-dix-huit, dis-je à voix haute, cette fois.

C'est un nombre intéressant, non ? Le côté lunaire du quatre-vingt-dix. Le huit, comme une porte qui claque.

Je prononce une seconde fois ce même nombre. Demain, un autre prendra sa place, et il me paraît important de ne pas perdre le compte.

— Quatre-vingt-dix-huit.

Bon sang… Cela fait quatre-vingt-dix-huit jours que je n'ai plus mis le pied au-delà du portail qui donne sur la rue.

2

C'est la faute à Google.

Je plaisante, bien sûr. Je suis thérapeute, je sais que je ne peux pas faire porter le chapeau au web. Mais quand on est paniquée à la seule idée de sortir de chez soi, comme moi, il faut bien reconnaître qu'Internet résout tous les problèmes. World Wide Web vous prend dans ses bras accueillants. Ou, plutôt, on y tombe. Les courses alimentaires, les livres ? Commandés en ligne, livrés à domicile. Les vitamines, les compléments nutritionnels, l'alcool ? *Idem.* Internet est mon dealer aux yeux d'aigle. Il encourage mes faiblesses avec sa subtilité faussement désinvolte. « Inutile de sortir, ronronne Amazon lorsque je me trouve à court de savon antibactérien pour les mains. Dès demain matin, tu auras ta dose devant ta porte. »

Mon amie Lourdes a sa version de l'histoire de ma vie : elle se raconte que c'est elle qui m'a arrachée à Philadelphie il y a quatre mois, et à la dernière de ces relations amoureuses pourries pour lesquelles j'ai un don. Elle m'a aussi sauvée des griffes d'un boulot satisfaisant mais qui ne me comblait pas. Je laisse Lourdes croire qu'elle a fait la révolution dans mon existence — après tout, ce n'est pas faux : si elle n'avait pas eu un appartement à louer au rez-de-chaussée de sa maison de San Francisco, je ne serais pas ici. Rien ne sert de casser ses illusions. Mais, pour être honnête, le véritable catalyseur de mon déménagement, c'est Toby.

Une fois mon diplôme de psy en poche, j'avais trouvé un poste dans le service de soutien psychologique aux endeuillés, à l'hôpital de Philadelphie. J'y ai exercé sept ans. Quand j'avais du temps libre, je me suis mise au bénévolat. J'apportais mon aide aux personnes qui ne se remettaient pas d'avoir perdu leur chien. C'est là que j'ai connu une espèce de « révélation », le genre qui fait la fierté de notre Oprah nationale : de toute évidence, j'étais faite pour ce job-là. J'avais les compétences et je me sentais à ma place. La bonne place.

Pourquoi ? Parce que j'aime les gens et les chiens.

Les chiens, je les ai toujours aimés. Vous connaissez tous des personnes incapables de croiser un bébé dans la rue sans s'arrêter pour roucouler ? Eh bien, il m'arrive la même chose avec les chiens. Et les chiots, me direz-vous ? Pareil, puissance mille. Par exemple, je suis convaincue que caresser un chiot porte bonheur. Il y en a qui touchent le ventre d'un bouddha, moi, je papouille les bébés chiens. Il y en a qui adoptent un numéro fétiche, moi, je crois au chiot porte-chance. C'est plus logique, je trouve. Est-ce qu'un nombre évoque la puissance de l'amour inconditionnel ? Non. Est-ce qu'un chiffre incarne la loyauté, la joie de vivre ou la bonté ou l'amitié ou… Bon, bref : j'aime les chiens.

Malgré ma conviction désormais établie que j'étais faite pour travailler avec des gens comme moi — autrement dit, des gens qui aiment les bêtes —, j'ai conservé mon poste à l'hôpital. Parce que je me sentais une responsabilité envers mes patients, parce que c'était un emploi stable, bien rémunéré et que j'avais instauré une petite routine confortable. Pour moi, le changement ne va pas de soi. N'importe quel changement (comme tous les bons thérapeutes, je me raconte que c'est à cause de mes parents). Avec cela, le deuil animalier n'est pas exactement le genre de créneau rémunérateur. Mon idée est donc restée rangée au rayon des rêves utopiques pendant pas mal de temps…

Mon amoureux de l'époque ne m'encourageait pas non plus à changer de carrière, il faut dire. Est-ce qu'il aimait les animaux ? Il était resté évasif sur ce point. Mais tout de même, quand je lui parlais de mon chien, il me semblait parfois voir sa coupe de cheveux tellement soignée se hérisser d'un bon demi-centimètre. Oui, c'était comme s'il se hérissait au sens littéral du terme — un peu à la manière d'un animal en présence d'un danger. Comme beaucoup d'hommes beaux et parfaitement coiffés, John souffrait de carence affective. Je crois qu'il n'a jamais aimé l'idée de partager la vedette, ou même simplement mon affection, avec un chien. Donc on peut dire que j'avais perçu dès le début que nous étions parfaitement désassortis, John et moi. Mais une fois que j'embrasse une cause — ou un homme —, j'ai du mal à lâcher. J'ai donc entrepris de considérer l'égocentrisme flagrant de John comme une attendrissante excentricité.

Un peu comme lorsque mon grand-père paternel est mort et que je me suis surprise à son enterrement à évoquer avec affection les rots tonitruants qu'il avait coutume de lâcher sans retenue.

Et puis, en dépit de tout, les choses ne se passaient pas si mal entre John et moi.

Jusqu'à ce que tout bascule. C'est arrivé le soir du « Grand et terrible incident de la Poêlée 2013 ».

Cinq mois plus tôt, John avait pris l'habitude d'entrer chez moi avec sa clé pour me préparer à dîner les soirs où je travaillais tard. Mon ex, dois-je dire à son honneur, était un brillant cuisinier, et je trouvais son initiative vraiment sympa.

En théorie. En pratique, primo, il mettait ma cuisine sens dessus dessous ; secundo, Toby assurait le fond sonore. Car John l'enfermait dans ma chambre en attendant que je rentre…

— Ton chien me regardait de travers pendant que je cuisinais.

Tout en vidant ses tagliatelles *al dente* dans une passoire posée dans l'évier, ce fut l'explication que me fournit John, enveloppé d'un nuage de vapeur, lorsque je lui demandai *pourquoi* il avait exilé Toby.

Je n'avais jamais aimé la façon dont il parlait de Toby en l'appelant « *ton* chien ». D'accord, tout le monde ne peut pas partager ma tendresse pour les animaux ; et puis, n'était-ce pas sain de ma part d'avoir choisi un homme qui ne soit pas ma copie conforme dans la vie ? John plaisantait certainement en affirmant que mon chien l'avait scruté d'un œil torve. Mon Toby louchait très légèrement, mais son regard exprimait rarement autre chose que confiance et bonne humeur.

Sauf que non : John n'avait pas plaisanté.

En tout cas, j'avais cessé de le trouver drôle.

Je le compris la deuxième fois que, de retour chez moi, j'entendis Toby aboyer dans la chambre.

John a fait mine d'être déconcerté par ma colère mais, sous ses airs innocents, je perçus une forme d'insensibilité, de dureté même. Il me lançait un ultimatum : il voulait que je me range dans son camp, que je le choisisse, que je lui prouve que je l'aimais plus que mon chien. Il fallait vraiment qu'il manque d'estime de soi… En tant que thérapeute, j'avais plutôt de la peine pour lui mais, en tant que petite amie, c'était une autre affaire ! Je prenais de plus en plus clairement conscience que je sortais avec un connard fini.

Je me suis efforcée de garder mon calme, d'expliquer à John l'état dans lequel se trouvait un chien enfermé. A part la lycéenne qui passait dans l'après-midi pour le promener, il ne voyait personne.

— Dans la journée, il est seul ; quand tu arrives, il est dans tes pattes parce qu'il s'attend à une petite balade ou, au minimum, à un peu d'attention. Alors, il ne comprend pas.

Le pauvre… Cela me brisait le cœur d'imaginer mon chien enfermé. De penser à la déception et peut-être même à l'anxiété qu'il avait dû ressentir en voyant la porte s'ouvrir pour livrer passage à John plutôt qu'à moi. Toby avait quatorze ans, bon sang, c'était un vieux chien, il ne méritait pas qu'on le maltraite.

Avant Toby, j'avais déjà eu deux chiens — une belle épagneule bouillonnante d'énergie baptisée Bella et un berger blanc suisse très digne répondant au nom de Star. Ces chiens, je les avais aimés, vraiment aimés, mais avec Toby j'avais noué un lien très spécial. Je l'avais moi-même choisi dans un refuge lorsque j'avais dix-neuf ans. D'après la fiche attachée à sa cage, c'était un retriever croisé à poil plat, il pesait trente-deux kilos et il avait environ un an. L'idée d'adopter un chien qui avait dépassé l'âge d'un chiot n'était pas pour me déplaire — un chien qui avait déjà un bout de passé derrière lui. Cela n'était que justice après tout ; lui non plus ne savait pas dans quelle aventure il se lançait en m'adoptant, moi. Toby avait l'air fort et solide, ses longs poils noirs ondulés sur les jarrets lui donnaient un style « pattes d'ef », et l'éclat enjoué et intelligent de ses yeux chocolat m'attira aussitôt.

Lorsque j'ouvris son box, il bondit vers moi et je me sentis portée par une merveilleuse impression. J'étais… légère. Je me souviens d'avoir ri, et mon rire s'était mêlé aux aboiements des chiens. Il ne manquait plus au tableau qu'une bande-son déchaînée qui aurait enflé en émouvant crescendo ! Telle était la dimension que l'événement avait prise pour moi. J'avais *choisi* Toby ; il m'avait *choisie*, moi. Mon émerveillement est resté intact toute sa vie.

Voilà donc comment Toby est devenu mon compagnon de chaque instant pendant cette période si particulière de mon existence, entre vingt et trente ans. Je cherchais à m'orienter dans l'inconnu du monde adulte, j'avais quitté le nid familial et je me frayais une voie entre les petits copains, les études, puis mon travail gratifiant mais exigeant de thérapeute. Toby était fidèlement présent, en ami hilare et affectueux qui m'aidait à garder le moral en toutes circonstances — par exemple quand les petits copains me larguaient.

J'ai une théorie qui veut que, pour chaque phase particulière de notre vie, on tombe sur le bon chien, celui qui nous correspond. Bella et Star furent mes chiens de l'enfance — réconfortants, peu exigeants et doux. Toby, lui, a été le chien parfait pour m'aider à sortir de ma coquille et à devenir moi-même. Il a fourni l'humour, la générosité et une amitié indéfectible. Grâce à lui, je ne me suis jamais repliée trop profondément en moi-même.

Nous nous comprenions.

Je n'avais jamais vraiment expliqué à John ce que Toby représentait pour moi mais, franchement, cela s'imposait-il? C'était *mon* appartement, mes règles de fonctionnement, mon chien. Je fis savoir à John en termes clairs que je ne voulais plus qu'il enferme Toby.

Si bien que lorsque j'arrivai chez moi, accueillie par des fumets de maïs poêlé et, pour la troisième fois, des aboiements désespérés, mon agacement tourna à la rage. Je me précipitai dans le couloir, gratifiant John d'un regard mauvais en passant devant la cuisine.

Toby cessa d'aboyer dès l'instant où j'ouvris la porte de la chambre. Cela peut paraître étrange de dire d'un chien qu'il a de la présence, pourtant, c'était le cas de Toby — fougueux, sociable, débordant d'une espièglerie sympathique. Comment pouvait-on le détester? Il avait une grosse et belle tête, un regard luisant d'intelligence malgré son âge de vieux chien et une fourrure noire toute douce. En ce moment, avec ses babines retroussées, il affichait une mimique comique et un peu déjantée qui me fit rire même si je bouillais de colère contre John. Il inclina la tête, comme vexé que je m'esclaffe ainsi ou, plus vraisemblablement, d'avoir été enfermé dans la chambre, puis il secoua sa fourrure d'un air digne. Alors, j'attrapai sa laisse et me dirigeai vers la porte sans adresser un seul mot à John. Il pouvait bien cuisiner à la perfection tous les mini-épis de maïs à la sauce teriyaki du monde, cela ne compensait pas ses conneries.

A un pâté de maisons à peine de chez moi, mon téléphone portable sonna.

— Ça y est ! m'annonça Lourdes en guise de salutation. On a terminé.

Lourdes avait un plan pour moi depuis des mois. Son mari Leo et elle finissaient d'aménager le logement au rez-de-chaussée de leur maison, et s'apprêtaient à le mettre en location. Pourquoi ne pas me le louer, à moi ? Cela faisait un petit moment que mon amie essayait de m'attirer à San Francisco. « Tous les vieux babas cool du coin, accros à leur animal de compagnie, se précipiteront pour venir te consulter avec la frénésie d'un bobo se ruant sur le dernier *coffee-shop* bio à la mode. » Lourdes n'avait jamais beaucoup apprécié John et, depuis que Leo et elle étaient entrés dans la dernière ligne droite pour leurs travaux, elle redoublait d'énergie afin de me déloger de Philadelphie.

Pendant que je l'écoutais, je baissai les yeux sur Toby. Son arrière-train était un peu plus raide et son allure un peu plus lente qu'avant, mais il restait allègre comme jamais. Nous venions d'atteindre le coin de la rue, et il tourna la tête pour m'interroger du regard. « De quel côté, maintenant ? On y va, hein ? » Déjà, il avait oublié le châtiment imposé par John et il avait hâte d'aller de l'avant. Voilà ce que je trouve merveilleux chez les chiens : ils regardent toujours vers l'avenir.

Soudain, les questions m'assaillirent : *Qu'est-ce que je fous avec un type comme John ? Comment se fait-il que je travaille encore dans cet hôpital ? J'ai trente-deux ans, bon sang, et je n'ai jamais vécu ailleurs qu'à Philadelphie !* En plus, j'occupais le même appartement, à un jet de pierre de chez mes parents, depuis dix ans. Bref, je faisais du surplace, enfermée dans ma routine depuis trop longtemps, à attendre — mais quoi, au juste ?

Au téléphone, Lourdes déploya son argument de vente de la dernière chance : les WC avec chasse d'eau double touche.

— Tu as deux boutons, un pour le pipi et l'autre…

Je l'interrompis en riant :

— Lourdes, je le prends.

— Quoi ? Tu ne meurs pas de curiosité d'en apprendre plus sur cette chasse d'eau ? L'info décisive qui te permettra de trancher enfin dans un sens ou dans l'autre !

Elle s'interrompit pour crier :

— *Ferme cette putain de porte !* Je rêve ou je viens de t'entendre dire que tu le prenais ?

Le hurlement d'excitation de Lourdes fut si perçant que Toby s'immobilisa net, pointa vers le ciel une oreille poivre et sel et émit trois jappements sonores.

Quatre mois plus tard, me voici à San Francisco en train de frapper chez Lourdes. Si un jour vous traversez une petite passe d'agoraphobie, je vous recommande vivement de vous cloîtrer à l'étage au-dessous de l'appartement de votre meilleure amie. Ou au rez-de-chaussée de sa maison. En parfaite sécurité dans le périmètre circonscrit par une clôture qui sépare la propriété du trottoir et de la ville.

Au moment où Lourdes m'ouvre sa porte, son caniche royal abricot, Giselle, fait un grand bond vers moi et vient se coincer entre mes jambes. Je ris et reprends mon équilibre en m'appuyant au chambranle.

Lourdes secoue la tête en regardant sa chienne.

— Bon, eh bien, voilà… ça devait arriver. Les filles ont réussi à la convaincre qu'elle était un poney.

Je m'accroupis à la hauteur de Giselle et lisse les poils frisés entre ses oreilles. Giselle est dégingandée, joyeuse et maligne, et j'imagine que si elle parlait elle aurait la voix de Julia Child, la première chef cuisinière américaine dont ma mère regardait inlassablement les émissions à la TV pendant toute mon enfance. La chienne veut me papouiller pour me saluer, et je détourne la tête.

Lourdes assiste avec amusement à notre petit échange.

— Je te sers un coup de vin, Maggie ?

— J'ai cru que tu ne me le proposerais jamais.

À la table de cuisine, les deux filles de Lourdes, Portia et Gabby, dessinent sur un rouleau de papier kraft blanc maintenu déroulé par deux porte-crayons en plastique et deux terrariums sphériques de verre remplis de terreau et de succulentes. Les plantes sont des boutures des rangées de massifs surélevés que Lourdes a elle-même construits dans le jardin à l'arrière.

Si j'aime mon appartement du rez-de-chaussée pour son calme, j'apprécie la maison de Lourdes et Leo pour l'énergie qui y bruit sans relâche, pour les rythmes jazzy de leur joyeuse vie de famille. C'est un pâle bout de maison qui, tout l'hiver durant, semble en danger de voir ses angles effacés par la pluie et le brouillard. Visible à un moment, elle s'estompe le suivant. En façade, elle ressemble à une petite maison victorienne classique, mais Lourdes et Leo ont repris l'intérieur de fond en comble il y a deux ans. Je ne sais pas de quoi avait l'air la maison avant, mais sûrement pas à ce qu'elle est maintenant, avec ses espaces ouverts, ses sols en béton ciré et une paroi entière de verre qu'on peut replier comme un accordéon lorsque le temps le permet. Le mur de verre est fermé aujourd'hui. Au loin, on voit le brouillard s'agripper aux hauteurs sombres et abruptes de Sutro Forest, et un filet de couchant orangé filtre sur les bords. La vue est vertigineuse... et, moi que le vide angoisse, soudain j'ai la tête qui tourne.

Je m'éloigne de la baie et lance à la cantonade :

— Salut, les filles.

— Coucou, Mags ! crie Gabby.

Elle a trois ans et vient de faire sa première visite chez le coiffeur ; son visage rond et angélique est à présent encadré d'une coupe au bol d'un noir de jais — coiffure affectionnée par les tueurs en série.

— Tcho, Maggie, lance Portia qui a sept ans.

Lourdes débouche une bouteille de vin et sort deux verres. Voilà dix ans déjà qu'elle et moi avons terminé nos études. Entre-temps, Lourdes est passée par le mariage, les enfants et a monté une entreprise d'aménagement paysagé. Mais à mes yeux elle n'a pas changé d'un iota. Sa garde-robe reste un modèle d'efficacité — une rotation de chemises généralement à carreaux et de couleurs vives et des jeans sombres à présent usés jusqu'à la corde au niveau des genoux, pour cause de jardinage intensif. Elle porte toujours ses cheveux noirs brillants glissés derrière les oreilles et chausse ses grosses lunettes à monture noire tous les jours car elle refuse de se compliquer la vie avec des lentilles. Sur n'importe qui d'autre, ces bésicles donneraient une impression de sévérité, mais le visage de Lourdes est de ceux qui ne peuvent paraître qu'adorables. Y compris lorsqu'elle lâche des jurons dignes d'un soldat aux gardes, le regard des yeux sombres de mon amie reste chaud et doux comme le velours.

Elle finit de verser son vin et me tend un verre.

— Ta journée de travail s'est bien passée ?

Je hoche la tête en prenant une gorgée.

— Une des premières patientes que j'ai eues en arrivant ici a bouclé sa thérapie. Elle vient de faire sa séance d'adieu.

Lourdes secoue la tête en feuilletant un de ces carnets de bons de réduction de supermarché qu'elle affectionne. De temps en temps, elle s'interrompt pour arracher un coupon ou pour entourer une bonne affaire avec un feutre vert.

— La psy, c'est quand même ce qu'il y a de plus nul, comme *business model*, non ? Mieux tu fais ton travail, plus tu perds tes clients.

— Des patients, Lourdes, pas des clients.

Elle lève les yeux de ses pubs et m'adresse un sourire félin.

— C'est une qualité que je n'aurai jamais, la patience.

— Une de plus qui manque à ta liste... Comment va ton projet de jardin, au fait ?

Après la naissance de Gabby, Lourdes a interrompu son activité de paysagiste pour quelque temps, mais elle vient de s'investir dans une initiative lancée par l'école primaire de Portia. Il s'agit d'aménager un petit potager dans un coin de la cour de récréation. Le hic, c'est qu'elle est habituée à concevoir des jardins élaborés avec un seul propriétaire aux commandes. Et la lenteur des prises de décision du groupe de parents affecté au projet la rend dingue.

En guise de réponse, Lourdes hausse les sourcils et avale une grande goulée de vin. Oui, il nous arrive comme ça de communiquer sous forme de gorgées d'alcool, elle et moi. Une technique que nous avons mise au point au temps de la fac.

Gabby fonce sur moi ventre à terre et grimpe sur mes genoux. De manière générale, elle n'est pas une petite fille sage comme une image. Par exemple, je l'ai surprise une fois accroupie à côté du bol de Giselle à barboter la nourriture du chien, les joues gonflées de pâtée et les yeux brillants de malice. Mais pour le moment elle se cale gentiment sur mes genoux et me dévisage avec attention. Elle m'observe, parfaitement immobile. L'expérience est à la fois apaisante et troublante. Elle est si confiante... par comparaison, me sentir si dépendante de mes propres peurs me serre la gorge.

— Hello, Gabby.

— Salut, Mags, zézaie-t-elle.

Sur ce, aussi spontanément que ce type, dans un bus à Philadelphie, qui avait ouvert son blazer pour me proposer des rangées d'iPhone volés, Gabby soulève son T-shirt et dénude son ventre tout décoré d'autocollants distribués par la chaîne de supermarchés Trader Joe's. Elle en arrache un pour me l'offrir. Sans même faire la grimace. Voilà quelle merveilleuse petite brute elle est.

— Oh, merci. Je savais bien qu'il me manquait quelque chose… juuuuuuste ici, dis-je en collant le sticker sur le bout de mon nez.

Gabby rigole. Lourdes observe sa fille qui se laisse glisser de mes genoux et se met à danser autour de la table. La radio diffuse du classique, un mouvement plutôt lent et endormant, ce qui n'empêche pas Gabby de se trémousser sauvagement.

— Elle danse comme son père, commente Lourdes sombrement.

Elle réussit à me faire pouffer, le nez dans mon verre de vin.

— OK, *chiquitas,* annonce-t-elle. C'est l'heure d'enfiler vos pyjs ! Ouste !

Portia et Gabby soupirent bruyamment mais détalent quand même. On entend les marches de l'escalier résonner joyeusement sous leurs petits petons nus, puis ce sont de grands bruits de tiroirs et des rires étouffés.

Giselle profite du calme retrouvé pour venir poser la tête sur mes genoux. C'est une chienne affectueuse, facile à aimer. Je revois le jour de mon arrivée à San Francisco, avec Toby. Malgré trois longues journées de route, entassé avec armes et bagages dans notre voiture de location, Toby est parti avec Giselle, d'un même élan, faire la course dans le jardin. Enfin… « faire la course »… là, j'exagère — Toby ne courait déjà plus beaucoup, à ce stade. Mais ce qui est sûr, c'est que les chiens s'étaient reniflés, avaient agité la queue et s'étaient gratifiés de petits coups de patte mutuels, en montrant aimablement les crocs.

Les jeux entre chiens dégagent une énergie contagieuse. Voir ces deux-là fraterniser m'était apparu comme un bon signe. Un sortilège heureux. Alors, tandis que Lourdes nous avait conduits dans l'allée en pas japonais jusqu'à la porte bleu vif de l'appartement dissimulée à l'arrière de leur belle maison, tous les doutes qui m'avaient pollué la tête pendant le voyage se sont envolés.

Je suis toujours en train de caresser Giselle, mais j'ai dû oublier un instant chez qui je suis car je me prends soudain moi-même en flagrant délit, c'est-à-dire la main dans ma poche pour y puiser une pleine poignée de vitamines. Normalement, je fais très attention de n'avaler qu'une dose minimum lorsque Lourdes est dans le secteur. J'essaie de m'entraîner à la retenue.

— Qu'est-ce que c'est que ces trucs ? demande mon amie.

Je les fourre dans ma bouche et les avale avec une gorgée de vin.

— Quoi ?

— C'est vraiment l'heure de gober ces cachets ? Tu en es là ?

— Quelques substances illicites, de temps en temps, ça n'a jamais fait de mal à personne, si ?

— Maggie !

Mon rire sonne creux.

— Cool, Lourdes. Ne me regarde pas comme si j'étais une junkie. C'est juste de la vitamine C.

— En doses industrielles.

Au premier étage, ça hurle. Lourdes tend l'oreille, genre : fausse alerte ou prémices d'un drame requérant une intervention maternelle d'urgence ? Comme le volume sonore reste acceptable, elle soupire et se cale de nouveau dans son fauteuil. Nous trinquons, et je me dis qu'elle a dû oublier les vitamines.

Ce serait trop beau.

— Dis, Maggie, quand Leo va rentrer, on pourra lui laisser les filles et se bouger d'ici, OK. Je te paie un martini dry au Kezar's.

Je pique du nez dans mon verre en espérant qu'elle considérera cela comme une réponse suffisamment claire.

Lourdes hausse un sourcil.

— OK, conclut-elle alors. Moment de vérité : combien de jours ? Quel est le score ?

Je prends une profonde inspiration.

— Dans « la psy agoraphobe », le rôle-titre sera tenu par Maggie Brennan…

Puis, sur l'air de « Seasons of Love » de la comédie musicale *Rent,* j'entonne : « Quelles unités de mesure pour trois mois passés à la maison ? On compte en Netflix et on compte en Amazon, on compte en megabits, et en café au litre… »

Lourdes éclate de rire.

— Arrête, Maggie. Donne-moi le nombre exact.

— Quatre-vingt-dix-huit.

Elle est ma meilleure amie, et je lui dis tout. Enfin, pas tout à fait *tout*, quand même. Elle ignore que mon cabinet ne marche pas du tonnerre et que, si ma clientèle ne se développe pas très vite, il faudra que je puise dans mes réserves pour payer mon prochain loyer. Et puis il y a une autre crainte qui me taraude et que je ne mentionne jamais devant Lourdes : celle d'être une psy complètement nulle. A part une coiffeuse mal coiffée, qui peut inspirer plus de méfiance qu'une psy à côté de la plaque ? Autre signe dysfonctionnel : j'ai apparemment du mal à me séparer de mes patients, même de ceux avec qui la thérapie s'est bien passée. Pourquoi tant d'anxiété ? L'angoisse de la séparation est apparemment venue s'ajouter à la liste de mes phobies.

Certaines sont trop douloureuses pour que j'en discute, même avec Lourdes. Notre charmante relation risquerait d'en être gâchée. A la longue, nous finirions par nous éloigner l'une de l'autre.

Cela dit, tout comme elle connaît mon histoire familiale, Lourdes sait déjà tout à propos de mon agoraphobie. Elle sait que je ne suis pas sortie depuis des mois. Que je suis passée du stade de simple proprette à celui de bactériophobe déclarée. Que je tremble à l'idée que mes patients pourraient introduire des maladies dans mon havre protégé. Que je dilapide régulièrement mes réserves en vitamines, infusions médicinales et savons antibactériens.

Mais, honnêtement, puis-je me payer le luxe de ne pas être vigilante ? Que deviendrais-je si j'attrapais une cochonnerie quelconque ? Comment passerais-je la porte pour aller chez le médecin ? Même mon grand ami Google aurait du mal à localiser un médecin disposé à faire une visite à domicile pour un tarif abordable…

— Quatre-vingt-dix-huit jours…

— Tu ne peux pas continuer comme ça, Maggie.

Même si Lourdes garde un ton détaché, je vois à sa tête qu'elle est sous le choc.

Je sais, la situation est difficile pour elle : Lourdes et Leo sont les seuls à savoir que je me terre chez moi. De temps en temps, elle me menace d'appeler mes parents et de tout leur raconter — mais ce sont des paroles en l'air. En fait, Lourdes se sent *personnellement* responsable de tous mes malheurs puisqu'elle croit être celle qui m'a convaincue de migrer à l'autre bout du pays, de quitter mon emploi stable et de laisser le traintrain sécurisant de mon ancienne vie derrière moi. Elle pense que c'était trop de changements à la fois pour moi… et elle n'a pas tort. Je ne cherche pas à la détromper et tire avantage de sa culpabilité, même si je m'en veux de la voir bourrelée de remords. Tout, plutôt que de la laisser mettre mes parents au courant. La nouvelle accablerait mon père — et, pour ma mère, ce serait sans doute encore pire.

Je prends la bouteille et fais mine de lire l'étiquette.

— Tu as déjà remarqué qu'ils ne disent jamais qu'un vin a un goût de *raisin* ? Arômes de cuir… de muscade… de cassis… mais raisin ? Jamais.

Tournant la bouteille dans ma main, je m'adresse à la divine boisson d'un ton sévère :

— Dis-moi, Vin, tu te crois donc meilleur que le fruit qui t'a créé ?

Lourdes a compris et signe sa reddition.

— OK. On change de sujet, c'est promis. Dès que tu m'auras juré que tu vas te bouger les fesses et trouver le moyen de sortir d'ici. Je viendrai avec toi. Laisse-moi t'aider. S'il te plaît, Maggie !

Aïe, non. Jamais de la vie.

Même si nous plaisantons facilement sur le sujet, je ne veux pas que Lourdes assiste à une de mes crises de panique. C'est trop gênant. En tant que professionnelle de la santé psychique, je sais que la maladie mentale n'a rien de honteux ; en tant que femme et amie… j'ai ma fierté.

Il y a exactement quatre-vingt-dix-huit jours, juste une semaine avant d'ouvrir mon cabinet, j'étais assise dans la salle d'examen d'un vétérinaire inconnu et je regardais mourir mon Toby chéri. Je suis ensuite rentrée chez moi, le cœur en morceaux, en passant à pied par Golden Gate Park. La nuit tombait, et le parc était comme une toile immense où s'entremêlait un réseau compliqué d'allées inconnues que l'ombre gagnait, inexorable. La panique n'est pas venue graduellement. J'ai senti le moment précis où elle m'a empoignée, me plongeant dans la mer noire et glacée dont j'avais entendu la description de la bouche de mes patients mais dans laquelle je n'avais moi-même qu'à peine trempé un orteil. Mon cœur, qui semblait avoir triplé de volume, frissonnait et cognait dans l'espace devenu trop exigu de ma poitrine. Des trous d'encre, opaques comme des marées noires, traversaient mon champ de vision. Je manquais d'air, et lorsque je voulus déglutir ma salive avait un goût aigre, toxique. Autour de moi, les arbres bougeaient, s'inclinaient, leurs ombres se refermaient sur moi. Je me suis retrouvée à courir, trébuchant, terrifiée, n'aspirant plus qu'à la sécurité de mon chez-moi. J'avais l'impression que je courais pour sauver ma peau.

Bien plus tard seulement, après avoir sangloté des heures durant dans mon appartement insupportablement vide, ma respiration est revenue petit à petit à la normale, et j'ai pu recoiffer ma casquette de professionnelle de la santé mentale. Je savais que les violentes manifestations physiques que j'avais eues dans le parc n'étaient pas dues à un problème cardiaque, qu'il s'agissait juste d'un trouble panique. Même si j'avais cru mourir ou devenir folle, ni ma vie ni même ma santé mentale n'étaient en réel danger. N'empêche, le lendemain, lorsque j'ai fini par me résoudre à pousser le portail pour aller chercher du café au supermarché, j'ai dû me rendre à l'évidence : le savoir accumulé pendant mes années d'études, de formation, puis de pratique ne m'était d'aucun secours. Etre armé de connaissances théoriques, c'était comme lutter à coups de pistolet à eau pour affronter un bazooka. A peine avais-je posé un pied sur le trottoir, mon cœur s'est déchaîné. Ma gorge s'est serrée, je me suis mise à trembler et je me suis retrouvée pliée en deux, avec l'impression de suffoquer. Ma peur, cet oiseau familier qui se cognait les ailes dans la cage de ma poitrine alors que je marchais vers le portail, s'était muée en monstrueux hippogriffe. La bête infâme plantait ses serres en moi, volait mon oxygène, recouvrait le soleil de ses énormes ailes noires.

Donc, j'ai beau savoir en théorie que c'est faux, rien à faire. Même si tout ce que j'ai appris prouve le contraire, je suis intimement *convaincue* que la panique est un ennemi que l'on ne peut pas terrasser, juste éviter. Bref, je reste planquée chez moi.

Voilà ce que j'avais tant de mal à saisir lorsque j'entendais mes patients décrire leurs problèmes. Sans doute parce qu'il faut avoir soi-même traversé l'expérience pour la comprendre. La crise de panique est tellement terrifiante que, pour l'éviter, on est tout simplement prêt à se priver de toute liberté.

Mais alors qu'est-ce que tu comptes faire ? Rester enfermée chez toi jusqu'à ce que mort s'ensuive ? Je sais bien que ce n'est pas possible. Que je ne peux pas laisser ma vie partir en vrille sous prétexte que je suis incapable de suivre ces mêmes conseils que j'inflige à longueur d'année à mes patients. Lorsque je suis ici, dans la maison de ma meilleure amie, à discuter confortablement, c'est facile de prétendre que je suis celle que j'ai toujours été. Avec quelques bizarreries, certes : une pointe d'allergie aux changements, un soupçon de phobie des hauteurs, un petit côté hyper-maniaque. Mais rien qui ne puisse être maîtrisé, lorsque j'y mets un peu du mien. Ici, à l'abri des monstres du vaste monde, je peux disséquer et analyser l'énorme panique que j'ai ressentie et, ce faisant, la contenir. Je sais pertinemment que la crise d'angoisse n'est rien d'autre qu'un gros malentendu physiologique : mon anxiété entraîne une accélération cardiaque, et mon cerveau en tire la conclusion erronée que je suis en danger physique, attaquée. Mon corps aussitôt se met en mode fuite/attaque, mon taux d'adrénaline monte, mon pouls se précipite, mes mains tremblent, et mon champ de vision se rétrécit. C'est une réaction en chaîne de signaux mal interprétés. Une histoire de cellules nerveuses. De réactions chimiques. A froid et à distance, tout s'agence de façon nette et logique. Pour le moment, les pensées rationnelles, la chaleur du vin et de l'amitié et le son apaisant de la respiration de Giselle sous la table, tout se combine pour assagir la bête immonde qu'est ma peur.

— OK, Lourdes, tu as ma promesse. Je vais essayer.

Je prends une gorgée de vin avec, soudain, une sensation de sécheresse effroyable dans la bouche.

Le visage de Lourdes s'éclaire, son soulagement éclate, comme si elle avait crié victoire à voix haute.

Au secours. C'est le moment de changer de sujet, et vite. Je me suis toujours sentie plus à l'aise à écouter les problèmes des autres qu'à débattre des miens. Donc je questionne de nouveau Lourdes sur le projet de potager dans la cour d'école de Portia. A présent que le vin l'a détendue, je sais qu'elle ne pourra pas résister à la tentation d'exposer ses doléances.

— Oh ! Maggie, ces parents, si tu savais...

Elle soupire.

— Ils ne sont même pas foutus d'imprimer dans leur petite tête que les légumes, ça *pousse*. Ils veulent planter un maximum sur un minimum de surface, en mélangeant n'importe comment. Ce projet était censé donner lieu à une expérience d'apprentissage de la *biodiversité*. Résultat : ces pauvres légumes entassés vont se bouffer l'espace mutuellement et s'empêcher de vivre. Ça va être l'horreur, pour ces gamins ! Tu imagines des petits mômes arrosant chaque jour des légumes qui crèvent sous leur nez un à un ? Sympa, l'expérience d'apprentissage. L'apprentissage de la mort, oui ! Et de la connerie avec !

— Maman...

Nous sursautons violemment toutes les deux. Gabby se tient debout à deux pas de nous, en pyjama, serrant contre elle un poupon tout nu.

Lourdes examine sa fille.

— Tu t'es brossé les dents, mon chat ?

Gabby secoue la tête.

— Retourne là-haut et demande à ta sœur de t'aider. J'arrive dans une minute pour vous lire une histoire.

Pendant que Gabby s'éloigne à pas menus, Lourdes se penche vers moi pour chuchoter :

— Je suis surprise qu'on n'ait encore jamais sorti de films d'horreur avec des tout-petits en grenouillère, pas toi ? C'est quand même pas bien normal qu'ils surgissent comme ça sans qu'on les entende, ces mômes.

*
* *

Je dois être un peu ivre en partant de chez Lourdes car je me retrouve au pied de l'escalier devant sa maison, pas bien stable sur mes jambes, à regarder la clôture. En son centre, le joli portail en forme d'arche fait partie de ces quelques touches au charme suranné qui m'ont tant plu la première fois que je me suis garée devant la propriété, il y a quatre mois. En souvenir, je revois mon gros pataud de Toby descendre de voiture et trottiner tout droit vers le portail en question. Avec cette intuition qu'ont les chiens, il avait perçu que c'était là que nous allions et m'avait précédée jusqu'à notre destination.

Je me détourne de la vue sur la rue et me sens aussitôt beaucoup mieux. Le simple fait de regarder en direction de mon appartement fait que je m'apaise. Quelque chose de sombre et de lourd se retire, libérant la place pour l'air. Je flotte presque sur l'allée, et mes pieds touchent à peine les dalles qui longent le mur de la maison de Lourdes et balisent le chemin qui me ramène chez moi. Au moment où je sens la poignée tourner dans ma main, je souris. Une fois la porte fermée derrière moi, je pousse un soupir de bien-être. Une forme d'euphorie douce, le retour chez soi, un délicieux relâchement de toutes mes articulations. Je m'enfonce sur le canapé et je me sens terne, éteinte mais sereine.

Jusqu'au moment où me revient à la mémoire la promesse faite à Lourdes.

« Je vais essayer », ai-je dit.

Comme si c'était simple.

3

Le lendemain matin, en ouvrant mes mails et en les regardant défiler, j'en trouve un de Sybil Gainsbury, la présidente de SuperClebs.

Pendant le premier mois que j'ai passé ici, je me suis occupée de la logistique liée à l'ouverture de mon cabinet, me présentant par mail à toutes les associations canines, instances cynophiles et autres cliniques vétérinaires de l'ensemble de la baie de San Francisco. De tous les contacts, Sybil Gainsbury a été de loin la plus chaleureuse, la plus dynamique. C'est elle aussi la mieux informée de ce qui se passe dans la communauté locale des amis des bêtes. Mes premiers patients ont trouvé leur chemin jusqu'à mon cabinet grâce à elle et à son vaste réseau. C'est à la fois par gratitude et intérêt sincère que j'ai commencé à m'investir comme bénévole dans son association qui se consacre au placement des chiens abandonnés.

Et voilà comment je suis devenue petit à petit la webmestre officieuse de SuperClebs. Des familles d'accueil m'envoient par mail la description des chiens qu'ils hébergent, et je la diffuse, avec une photo de l'animal à adopter, sur le site de l'association. C'est un travail que je peux faire à domicile, entre deux patients. Et, les heures creuses, ce n'est pas ce qui me manque ! Puisque je ne suis pas en état de sortir recueillir moi-même des chiens perdus dans la rue, c'est encore ce que je peux faire de mieux pour me rendre utile à Sybil et à ses protégés.

Depuis peu, j'aide aussi Sybil à organiser la collecte de fonds annuelle de l'association qui se déroulera sous forme d'un cocktail suivi d'une vente aux enchères. L'événement aura lieu chez un riche ami des chiens, au cœur du quartier en vogue de Sea Cliff. Quelques-uns des chiens actuellement hébergés en famille d'accueil seront mis aux enchères (afin d'être adoptés dans des foyers adaptés et approuvés). Quantité d'autres lots seront également mis à prix, ma mission consistant à convaincre les entrepreneurs et prestataires de services locaux de se montrer généreux dans ce domaine.

Le mail de Sybil est, comme toujours, émaillé d'une multitude de points d'exclamation.

Tu as fait du super boulot en obtenant cette croisière coucher de soleil gratuite, Maggie! Je prévois déjà que nous lèverons une bien plus grosse somme que d'habitude, et c'est entièrement grâce à toi! J'ai vraiment hâte de te voir enfin en personne au cocktail!

Sauf qu'à aucun moment je n'ai promis à Sybil que j'assisterais à la réception... A ses yeux, ma présence va de soi.

Logique.

Même si nous ne nous sommes jamais rencontrées dans la vraie vie, nous échangeons plusieurs mails par semaine et nous sommes rapidement devenues amies. D'ailleurs, j'ai commencé à me former une image assez précise de Sybil, qui semble à la fois incarner la contre-culture des années soixante-dix et la gaieté inépuisable d'un saint François d'Assise, le patron des animaux. En d'autres termes, je me représente Sybil comme un oiseau. En tout cas, comme une femme à l'allure pragmatique, avec des cheveux grisonnants, de longues jupes beiges, d'épaisses lunettes, et entourée d'une meute de toutes les races de cabots de la Création.

J'ai l'intention d'attendre le jour de la collecte de fonds pour envoyer un mail d'excuse, genre « Je ne me sens pas bien ». Ce ne sera pas un mensonge ; rien que de penser à cette manifestation, j'ai déjà des palpitations. Cette angoisse-là n'est pas nouvelle, je me suis toujours sentie mal à l'aise dans les fêtes. Probablement à cause du bruit, de la promiscuité, de l'oppression liée à la foule. Avant le déclenchement brutal de mon agoraphobie, ni le désagrément que je ressens dans les lieux bondés ni ma peur des hauteurs n'avaient dominé ma vie. Mais maintenant le moindre inconfort émotionnel peut déclencher une véritable crise de panique.

Je réponds à Sybil que je me démène en ce moment pour obtenir deux autres lots. Primo : un abonnement gratuit d'un an chez Foldog, un salon de toilettage canin du quartier de Russian Hill, et secundo : un séminaire d'œnologie dispensé par un sommelier local réputé qui a adopté son chien via l'association, il y a quelques années.

Je garde le silence au sujet du cocktail.

Cet après-midi, j'ai une nouvelle patiente. En théorie, c'est une bonne nouvelle : je suis soulagée de combler l'un des nombreux trous de mon emploi du temps. Mais en pratique... je constate que ça va être légèrement plus compliqué — pour ne pas dire *très* compliqué. Car ma nouvelle patiente débarque chez moi dans un état de crasse et de colère manifeste. On dirait un chat sauvage sur le point d'être plongé de force dans une baignoire d'eau froide.

— Bonjour. Vous devez être Anya. Je suis Maggie Brennan.

Son regard évite le mien. Elle sort sa main maigrelette de la manche d'un manteau trois fois trop grand pour elle et se la passe sous le nez d'un geste exaspéré. Même protégée par tous les savons antibactériens du monde, hors de question de serrer la main à cette fille ! Je lui fais donc juste signe d'entrer en espérant que le geste paraîtra tout de même accueillant.

— Entrez vite vous mettre au chaud.

Sans un mot, elle me passe devant d'une démarche flottante de fantôme. La manche de son manteau effleure ma veste au passage. Une odeur aigre d'hygiène douteuse flotte dans son sillage. Je ne peux m'empêcher de tousser dans le creux de mon coude. *Un comprimé d'Echinacea, un sachet de probiotiques, deux vitamines C, une infusion de menthe sucrée au miel, de la solution saline en spray nasal (deux vaporisations par narine).* L'ordonnance s'écrit presque d'elle-même dans ma tête — sortilège des Temps modernes pour combattre les microbes portés par les rafales de vent glacé et les mains contaminées de mes patientes en visite.

La seule chose que je sais au sujet de cette femme — de cette jeune fille, en fait, car elle ne doit pas avoir plus de vingt ans — est que son frère, Henry, s'inquiète à son sujet. C'est lui qui a repéré mon site sur Internet et qui m'a contactée par mail pour convenir d'un rendez-vous. Bizarre ? Non. Après des années de pratique, il en faudrait plus pour me surprendre qu'un rendez-vous demandé par un proche inquiet. « Il se peut que ma sœur se montre difficile, m'a-t-il annoncé. Mais elle a vraiment besoin de parler à quelqu'un. »

Anya s'immobilise à quelques pas de la porte, et son regard assassin scrute lentement le salon, la cuisine, l'arbre de jade en pot dans un coin (cadeau de crémaillère offert par Lourdes). Elle balaie des yeux la cheminée, les deux fauteuils jaunes placés en face du canapé gris clair de part et d'autre de la table basse, la série de diplômes, certificats et attestations qui trônent au mur. Pendant qu'elle examine mon appartement, moi, c'est elle que j'observe. Elle est pâle, cireuse, même. Ses cheveux longs, probablement auburn mais trop sales pour qu'on puisse en juger, lui tombent sur les épaules tel un vieux torchon mouillé accroché à un robinet. Des guêtres usées dépassent de sous l'épais manteau militaire kaki qui la dissimule quasiment tout entière. Ses boots ont l'air de peser à peu près autant qu'elle et ne semblent pas être récurés plus souvent que ses cheveux.

— Je peux prendre votre manteau ?

Je me sens tenue de le lui proposer même si j'ai plutôt envie de lui demander de retirer ses chaussures.

— Je ne reste pas.

Anya remonte son sac sur son épaule — une sorte de grosse besace en toile noire couverte de poches — et croise les bras.

— Eh bien, asseyez-vous où vous voulez. Vous souhaitez boire quelque chose ? De l'eau ? Du thé ?

Elle secoue la tête et se laisse tomber sur le canapé. Quelque chose sur son visage capte la lumière du plafonnier et scintille. J'identifie un petit piercing vert sur le côté de son nez — une minuscule touche de couleur, comme la lueur lointaine d'un phare au cœur d'une mer de brouillard. Sous la dureté de l'expression, je vois poindre une tristesse irrépressible.

— Mon chien est parti, dit-elle en regardant le sol.

Sa voix est basse ; son ton dépourvu d'affect.

Mon cœur se serre, c'est un réflexe. Tous mes patients ont perdu leur chien, c'est même pour ça qu'ils viennent me voir. Et pourtant, chaque fois que j'entends ces mots, l'épine acérée de la douleur s'enfonce dans mon cœur, et c'est comme si le sang coulait.

Je m'assois en face d'elle, de l'autre côté de la table basse, et lui dis à quel point je suis désolée. Elle continue à perforer le tapis de son regard furieux, si bien que je m'adresse à la raie en zigzag d'un blanc de craie qui sépare ses cheveux.

— Souhaitez-vous me parler de lui, Anya ? Quel genre de chien était-ce ?

— Non.

Le « non » est péremptoire, mais Anya n'en relève pas la tête pour autant. Elle entreprend de faire monter et descendre la fermeture Eclair de sa parka d'un geste nerveux, électrique, qui exprime une violente frustration.

Déjà, je vois le rôle positif qu'un chien a dû avoir sur une personnalité telle que la sienne. On sent d'emblée chez elle une énergie fluctuante, de brusques revirements d'humeur. Je me dis que les contraintes horaires, les activités de soins, de nourriture, de promenade avec un chien ont pu aider à lui apporter une forme d'équilibre. Le simple fait de caresser un chien peut faire baisser votre rythme cardiaque et produire des endorphines dont les effets se rapprochent de ceux des antidépresseurs ou des antalgiques. C'est d'ailleurs une des nombreuses raisons expliquant pourquoi certaines personnes vivent si mal la mort d'un animal familier. Une de mes patientes a récemment comparé l'expérience à celle de l'arrêt brutal du Prozac.

Le mot « non » flotte encore dans l'air entre nous.

— Nous ne sommes pas obligées de parler de votre chien, Anya.

Certains patients sont incapables de contenir leurs émotions — la colère, l'angoisse et même le rire éclatent de façon incontrôlée, comme l'eau jaillissant en geyser d'une bouche d'incendie. D'autres ont besoin d'encouragements, ou parfois de silence avant de commencer à mettre des mots sur leur souffrance.

— Rien ne nous empêche d'aborder d'autres sujets.

Là, elle lève enfin la tête. Ses yeux sont d'un vert un peu trouble, de la couleur de la vie végétale qui tapisse le fond de certains lacs.

— Non, répète-t-elle avec force. Billy n'est pas mort. Il est juste... parti. Je suis venue uniquement parce que mon frère Henry m'y a forcée en me faisant un gros chantage.

Je baisse les yeux sur le carnet ouvert sur mes genoux. En haut de la page, j'ai écrit le nom d'Anya, avec, au-dessous, la précision : *frère — Henry*. A présent, j'ajoute : *chien — Billy*.

Je n'ai encore jamais eu à traiter un problème de disparition jusqu'ici ; pas plus que je n'ai eu affaire à des patients
débarquant à mon cabinet sous la contrainte. La relation entre
chaque patient et son chien est unique, et les symptômes de
deuil varient d'une personne à l'autre, mais la réalité du décès
a toujours été une constante.

— Et depuis quand Billy a-t-il *disparu* ?

— Vingt-quatre jours.

Je prends note.

— Vingt-quatre jours ? C'est affreux. Je peux vous demander
comment c'est arrivé ?

Lorsque Anya recommence à jouer avec la fermeture Eclair
de sa parka, je note que le contour d'un appareil photo ancien
modèle est tatoué sur le dos de sa main droite. Je grimace
intérieurement ; ça doit être vraiment très douloureux de se
faire enfoncer à plusieurs reprises une aiguille à cet endroit-là.

— Ça va m'avancer à quoi d'en parler ?

Son ton n'est plus tout à fait aussi égal, et sa voix se brise
en mille échardes aiguës. Elle reprend :

— Je veux le retrouver, c'est tout.

Soudain, sans me laisser le temps de répondre, elle se
penche vers moi, les yeux assombris.

— Laissez-moi vous poser une question, docteur...

— Appelez-moi Maggie, je vous en prie. Je ne suis pas...

Anya m'interrompt sans me laisser le temps d'expliquer
que je suis psy et non médecin.

— *Maggie.*

Elle prononce mon nom de la façon dont j'imagine qu'elle
dirait « décaféiné » ou « jacuzzi ».

— Vous avez un chien, Maggie ?

Mon hésitation ne dure qu'un instant, et je vois son regard
osciller en direction du mien, éclairé par une brève lueur
d'intérêt.

— Non, je n'ai pas de chien. Mais ce sont des animaux que j'aime tout particulièrement.

— Vous aimez les chiens. OK. Alors disons que l'un de ces chiens que vous *aimez* disparaît. Il est juste… *parti*. Qu'est-ce que vous choisissez ? De vous enfermer dans le cabinet d'une… d'une dame quelconque pour boire du thé et discuter de sa disparition ? Ou vous vous précipitez dehors pour essayer de le retrouver ?

D'un geste sec du pouce, elle indique la porte en terminant sa phrase d'une voix sifflante d'impatience :

— Vous n'iriez pas dans les rues, dans les parcs, les parkings, n'importe où où vous auriez une chance de tomber sur lui, putain ?

— Je choisirais de me mettre à sa recherche.

J'ai répondu sans hésiter et j'aimerais pouvoir penser que je dis vrai. Je veux croire que, si je supposais que Toby était vivant quelque part dans cette ville, je n'hésiterais pas à franchir le portail. Je serrerais les dents et ferais abstraction des battements fous de mon cœur, de ma sensation d'étouffer, de ma terreur. J'arpenterais les rues sans relâche jusqu'au moment où nous serions de nouveau réunis.

Anya devait s'attendre à une réponse différente de ma part, car elle se renverse contre son dossier et me dévisage d'un œil méfiant. Je décide de patienter et de la laisser faire.

Erreur.

Brusquement, elle se lève et balance son grand sac sur une épaule.

— Si Henry vous rappelle, dites-lui juste que je suis passée vous voir. Je lui ai promis de venir, mais je ne lui ai pas promis de rester.

— Entendu.

Je suis capable de garder une expression sereine, même quand mon esprit fébrile fonctionne en accéléré. Mon chef de service à l'hôpital de Philadelphie ne manquait jamais une occasion de me répéter qu'il est dangereux pour un soignant de surinvestir ses patients. « Il est important de conserver un certain recul émotionnel, me mettait-il chaque fois en garde. La distance est nécessaire au processus. » Je n'ai jamais été très douée pour suivre ses conseils, ce qui explique sans doute pourquoi il passait tant de temps à me les répéter. Financièrement, je ne peux pas me permettre de perdre un patient, mais il y a plus grave encore. Tout chez Anya m'inquiète : sa colère, l'expression hagarde de son visage, son regard hanté, la tristesse tapie sous le masque hostile. Et son mépris flagrant pour toute considération d'hygiène n'est pas non plus à prendre à la légère. Je *veux* l'aider. Je *dois* l'aider. Je ne peux pas me contenter de croiser les bras et de la regarder s'en aller.

— Avant de partir, voulez-vous me laisser une photo de Billy ? Je pourrais la diffuser dans une association d'aide aux animaux avec laquelle je suis en lien. Juste au cas où un de ses membres aurait repéré votre chien quelque part.

Je le dis avec désinvolture, genre, c'est juste une idée qui me traverse l'esprit. Anya hésite. Puis elle fait glisser sa besace devant elle et fouille à l'intérieur.

— Voilà.

Elle me fourre une sorte de flyer dans les mains. J'espérais qu'elle reprendrait sa place sur le canapé, mais elle reste debout et m'observe pendant que j'examine le bout de papier.

Les mots BILLY RAVENHURST A DISPARU tracés en majuscules accrochent le regard. Au-dessous, on lit : 100 $ DE RECOMPENSE POUR TOUTE INFORMATION. Puis, dans la moitié inférieure du tract, apparaît la photo d'un chien bondissant, la tête tournée vers l'objectif. Le vent lui balaie une joue, le dotant d'un sourire aussi loufoque. J'avais imaginé Billy en chien de berger stoïque — ou peut-être en turbulent croisement de pitbull —, la race de chien qui me paraissait correspondre à la dureté physique d'Anya. Au lieu de quoi, je vois un toutou bourré d'énergie, au pelage blanc hirsute et aux yeux noirs facétieux. Même en plein vol, Billy présente une sacrée ressemblance avec Albert Einstein.

Je lève les yeux du flyer et souris à Anya.

— Vous êtes photographe ?

— Non. J'ai fait un peu de photo dans le temps. Mais plus maintenant, parce que… Enfin, bon. On s'en fout, de toute façon. Une photo, c'est une photo.

Je pose le flyer sur la table et je tapote dessus avec le doigt, attirant le regard d'Anya.

— Pour moi, ce n'est pas une simple photo. J'ai l'impression de connaître Billy juste en la regardant. C'est merveilleux. Je ferais n'importe quoi pour avoir une photo comme celle-ci de mon chien Toby.

Anya plante dans le mien un regard qui me rappelle que je suis censée ne pas avoir de chien.

— Il est mort, dis-je. Il y a quatre-vingt-dix-neuf jours.

Je sens quelque chose de dur et de serré se défaire en moi, comme une bobine qui se déroule. A aucun de mes patients je n'ai parlé de Toby, et je ne sais pas pourquoi je le fais devant Anya. Les mots sont sortis tout seuls.

Lorsque je me force à relever les yeux, l'expression d'Anya vacille. Elle se ressaisit cependant si vite que je me demande si j'ai imaginé ce changement. Et pourtant le résultat est là : elle revient sur ses pas et retourne vers le canapé. Lorsqu'elle se rassoit, je reprends mon souffle.

— Mon frère Clive pense que je suis cabot-maniaque.

Je lui réponds, impassible :

— Dans ce cabinet, on appelle cela de la cabot-normalité.

Les lèvres d'Anya frémissent. *Serait-ce l'amorce d'un sourire ?* Je sens que quelque chose a bougé entre nous. Ma réplique se voulait drôle, mais pas seulement. Il est important que mes patients sachent qu'ils ne sont pas seuls à avoir un lien affectif puissant avec leur compagnon. Nos chiens nous voient sous nos meilleurs jours et les pires, et ils nous aiment tels que nous sommes avec un dévouement inégalable. Nous partageons notre existence avec eux. Ils connaissent nos secrets les plus enfouis, les plus inavouables — certaines de nos facettes cachées que parfois même nos confidents humains les plus proches ignorent. Personne ne devrait avoir honte de l'affection qu'il porte à un être vivant. Qui n'aurait pas le cœur brisé en perdant un ami aussi proche ? Et qu'y a-t-il de plus « normal » que l'amour ?

J'ajoute le prénom « Clive » aux quelques notes que j'ai prises et je demande à Anya si elle a eu des réponses suite à la diffusion de son flyer.

— Ouais, j'en ai eu. Mais aucune info valable. Henry affirme que le montant de la récompense est trop élevé — ça fait sortir les menteurs des bois.

— Pourquoi pensez-vous que votre frère vous a incitée à venir me voir ?

Anya fait la grimace.

— Incitée ? Il m'a *obligée*, oui ! Il m'a dit que si je séchais ce rendez-vous, il dirait à ma grand-mère qu'il s'inquiète pour ma santé mentale. N'importe quoi, putain ! Ma grand-mère est vieille et malade, et la dernière chose dont elle a besoin c'est de se prendre la tête avec des histoires comme ça. Henry culpabilise, c'est ça le truc à mon avis. Dans un mois, il se barre d'ici pour aller vivre à Los Angeles, alors il veut faire le grand ménage avant son départ. Il me force à venir vous voir pour déménager la conscience tranquille en se disant qu'il aura *essayé* de m'aider.

Je griffonne une note sur la grand-mère ainsi que sur le départ imminent du frère aîné.

— Vous êtes proches, Henry et vous ?

Elle hausse les épaules.

— Assez, oui.

— Et à quoi attribuez-vous son inquiétude à votre sujet ?

Anya entreprend de mordiller l'ongle de son index, et je m'aperçois alors qu'elle les ronge tous. Certains jusqu'au sang. D'autres sont juste déchiquetés.

Je lui demande si elle a des problèmes de sommeil, et ses yeux lancent des éclairs.

— Vous dormiriez bien, vous, si votre chien avait disparu ? Imaginez que vous rentrez chez vous un jour et que vous découvrez qu'il n'est plus là ?

D'où les cernes sous les yeux. Je ne lui jette pas la pierre, le sommeil récupérateur n'est pas non plus mon point fort ces derniers mois. Lorsque je finis par m'assoupir au petit matin, c'est toujours avec l'espoir de voir Toby dans mes rêves. Mais il n'y apparaît jamais, et je me réveille chaque jour avec une sensation de vide et la conscience toujours plus lancinante de son absence.

A en juger par sa maigreur d'épouvantail et ses joues creuses, Anya ne doit pas manger beaucoup plus qu'elle ne dort.

Je poursuis mes questions en laissant la sienne sans réponse.

— C'est ce qui s'est passé ? Vous êtes arrivée chez vous, et Billy n'était plus là ?

— Oui, voilà. Vous allez me dire comme tout le monde qu'il s'est enfui. Mais c'est pas ça. Billy n'est pas fugueur. Je le promène toujours sans laisse, et il ne s'éloigne jamais.

Elle se tait et recommence à jouer avec la fermeture Eclair de son manteau militaire.

— S'il ne s'est pas enfui, que pensez-vous qu'il lui soit arrivé ?

— Quelqu'un l'a volé. C'est la seule explication.

Elle avance un peu le menton, genre « Essaie seulement de me soutenir le contraire ! ».

— Quelqu'un qui s'introduit chez vous, c'est une expérience très dure. Est-ce que… autre chose a été emporté ?

— Non, non.

Anya détourne le regard ; elle rentre la tête dans ses épaules.

Elle prend une longue inspiration et, lorsqu'elle parle de nouveau, l'épuisement transparaît dans sa voix.

— Ouais, OK, OK… Je sais ce que vous pensez. Qui aurait intérêt à voler un vieux chien sans aucune valeur ? Mes frères se foutent de moi et disent que je passe pour une malade mentale lorsque je raconte mon histoire. Je n'arrête pas de chercher une autre explication, mais je n'en vois aucune. Billy ne se serait jamais sauvé, donc quelqu'un a dû le prendre. Il est quelque part dans cette ville — et je vais le retrouver.

Elle me raconte qu'elle sillonne à pied tout San Francisco pour chercher son chien ; qu'elle part en expédition chaque matin depuis vingt-quatre jours.

Que penser de son récit ? J'ai envie de la croire, c'est sûr. Mais a priori j'aurais plutôt tendance à me ranger à l'avis de ses frères : qui prendrait la peine de s'introduire chez quelqu'un par effraction juste pour voler un vieux chien de race indéterminée ? Je décide de laisser de côté cet aspect de son histoire.

— Et quelqu'un vous accompagne quand vous marchez dans la ville pour chercher Billy ?

L'entreprise paraît solitaire. Pense-t-elle réellement avoir la moindre chance de retrouver son chien après tout ce temps ? Ou bien le fait-elle pour rester en mouvement, s'occuper l'esprit et éviter d'affronter la réalité : à savoir qu'elle ne le reverra sans doute jamais plus. Les gens font des tas de choses étranges lorsqu'ils souffrent de la perte d'un proche. Chaque fois que je crois avoir inventorié toutes les stratégies possibles et imaginables face au deuil, ma pratique m'en fait découvrir de nouvelles.

— Au début, Henry venait avec moi, et on cherchait Billy ensemble. Mais maintenant il dit que c'est maso d'entretenir l'espoir quand il n'y en a plus. Mon frère Terrence estime qu'il n'a pas une minute à perdre pour m'aider. Et Clive pense que c'est ridicule de déambuler dans les rues en appelant un vieux cabot. Il n'aime pas les chiens, de toute façon.

— Personne n'est parfait.

De nouveau les lèvres d'Anya frémissent en une même amorce de sourire surpris.

— Tout le monde pense que je devrais arrêter de chercher et accepter que Billy ne reviendra pas… Comme si je pouvais décider, comme ça, de laisser tomber mon chien.

Elle hausse les épaules.

— Ils font ce qu'ils veulent, je m'en fous. S'il faut que je cherche seule, je chercherai seule. Mais je le retrouverai.

Je comprends à présent qu'Henry Ravenhurst m'a envoyé sa sœur en séance dans l'espoir que je saurais la convaincre que son chien est mort et qu'il est temps de passer à autre chose. Mais qui suis-je pour assener à cette jeune fille qu'elle ne retrouvera jamais son Billy ? Il y a quelques années, sur le conseil d'un vétérinaire, j'ai fait implanter une puce électronique sous la peau de Toby pour qu'il puisse être identifié, au cas où il se perdrait. La société qui fabrique ces puces continue de m'envoyer des mails grouillant d'histoires émouvantes où des familles et leurs chiens sont réunis des années après la fugue de l'animal, grâce à la petite pastille miraculeuse. J'ai encore reçu un de ces mails pas plus tard que ce matin. Ces retrouvailles inespérées — des rêves roses à la Walt Disney — se produisent parfois dans la vraie vie.

— Vous n'êtes pas seule, dis-je à Anya. J'aimerais vous aider.

Elle me regarde à travers le rideau de sa chevelure crasseuse et, pour la première fois depuis qu'elle a passé ma porte, j'ai bien l'impression qu'elle est au bord des larmes.

— C'est vrai ?

Sa voix émerge, à la fois ténue et forte, sèche et nerveuse. On y devine un fragile fil d'espoir.

J'en ai mal pour elle.

— Bien sûr. Envoyez-moi cette photo par mail, et je la ferai circuler dans toutes les associations avec lesquelles je travaille.

Anya paraît si fragile à ce moment-là, alors qu'elle enroule une jambe maigre autour de la cheville opposée, cognant ses énormes boots l'un contre l'autre, le tout en se mordant les ongles… Tiens, au fait, elle n'a pas mentionné une seule fois ses parents. Sont-ils à l'étranger ? Décédés ? Séparés ?

Elle désigne la porte.

— J'avais compris que vous vouliez m'aider à le chercher dehors, dans la rue.

— Ah…

Ma gorge se noue. Mon cœur se met à battre au rythme accéléré d'un début de panique carabinée.

— Je… je ne pense pas que ce soit possible, non. Mais fixons un nouveau rendez-vous pour reparler de tout cela ensemble. Pourquoi pas la semaine prochaine ? Vous voulez bien revenir pour une deuxième séance ?

Le visage d'Anya s'assombrit, et les ombres sous ses yeux semblent se creuser un peu plus encore. Elle attrape son sac pour le poser sur ses genoux, et je comprends qu'elle s'en va. Depuis des années que je suis dans le métier, jamais un seul de mes patients n'est parti avant la fin de sa séance. Mon esprit s'emballe. Bien qu'Anya ait des ongles sales, sanglants et forcément bourrés de microbes, je dois lutter contre l'envie de prendre sa main dans la mienne. Si je ne peux pas aider une fille comme elle — clairement dévastée par la perte de son chien —, de quel droit puis-je encore prétendre que les diplômes et attestations accrochés à mon mur ont une quelconque valeur ?

— Ecoutez, Anya… Ce serait un peu compliqué de vous accompagner dehors, mais j'aimerais vraiment continuer à parler de Billy avec vous. J'espère que vous reviendrez me voir. Ou même aujourd'hui…

Je regarde la petite pendule sur la table.

— Nous avons encore du temps. Rien ne vous force à partir.

Anya ne semble même pas m'entendre. Elle se lève et jette un chèque froissé sur la table.

— Je compte sur vous pour dire à mon frère que je suis venue. Comme ça, il me lâchera la grappe.

Elle a déjà ouvert la porte et remonte l'allée au moment où je la rejoins dehors. Avant que je puisse m'en empêcher, je la retiens. Un réflexe. J'attrape une poignée de tissu dégoûtant sans trouver le bras trop maigre d'Anya, perdu dans l'épaisseur de la manche. Elle se retourne. Mon estomac se soulève, et je lâche prise, convaincue que la sensation tiède, un rien huileuse, que j'ai maintenant dans la main y laissera un spectre de saleté même une fois que je l'aurai récurée sous l'eau brûlante. Je frotte mes doigts contre ma paume puis je les essuie frénétiquement sur mon pantalon. Aussitôt, je regrette ce geste : à présent, ce pantalon, il est bon pour le lave-linge.

Anya me regarde avec une curiosité si intense que je sens le feu me monter aux joues.

— S'il vous plaît, restez…, dis-je. J'aimerais vous aider.

Aussitôt, son expression se ferme. D'un geste rageur, elle essuie les larmes qui lui ont enfin échappé.

— Si vous voulez vraiment m'aider, c'est dehors, dans la rue, que ça se passe. J'ai assez perdu de temps ici comme ça.

Déjà, elle repart à grands pas en direction du portail.

Oh ! non… Que faire ? La laisser filer ? Baisser les bras ? Impossible. Je la suis. A croire qu'un moteur actionne ses jambes, pour qu'elle avance à cette vitesse ! Au moment où j'arrive à la clôture, le portail claque derrière elle. Je l'ouvre d'un mouvement brusque et le franchis.

L'angoisse me laboure la poitrine comme un crochet de boucher. Devant moi, le ruban noir de la chaussée tremble et oscille ; le trottoir semble se soulever. *Tu vas très bien,* me dis-je. *Pas de panique. Surtout pas de panique.* Mais je ne vais pas bien du tout. Je me rejette en arrière, et mon dos heurte le montant de la barrière. Je commence à compter mes respirations ; c'est un des vieux trucs de ma mère, dont elle se sert pour combattre ses montées de panique. Un vieux truc que j'ai repris à mon compte.

Inspire, expire : *une*.

Inspire, expire : *deux*.

Inspire, expire : *trois*.

— Anya ! Attendez !

Ma voix est rauque et nue, et la rafale de vent qui se rue à l'assaut de la colline l'avale comme un vulgaire soupir. Mon cœur cogne fort — pas seulement de peur mais de frustration, de colère. Et de honte, aussi.

Anya est trop loin sur le trottoir à présent. Les contours de sa silhouette s'estompent, se diluent petit à petit dans les écharpes de brume. Si elle m'entend, elle n'en laisse rien paraître.

Réduite à l'impuissance, je ne peux que la regarder s'éloigner et disparaître.

4

« L'effet positif du chien sur l'agoraphobe ne cesse de
m'impressionner », écrit le Dr Kirin Himura. Ce chercheur
poursuit en expliquant que la présence d'un chien facilite la
transition entre intérieur et extérieur pour des sujets enclins
à paniquer en public ou dans des lieux bondés ; le chien est
une présence familière, quel que soit l'environnement, un
élément rassurant, un compagnon constant, une bouée dans
un océan d'inconnu. Certains chiens, souligne le Dr Himura,
ont même la faculté de détecter les signes avant-coureurs
d'une attaque de panique chez leurs protégés humains et
perçoivent les signaux de détresse non verbaux tels que
l'accélération du rythme cardiaque et le tremblement des
mains qui précèdent une crise. Lorsque ces chiens pressentent
une attaque de panique imminente, ils peuvent offrir certaines parades — soit parce qu'ils ont été dressés à le faire,
soit spontanément — pour désamorcer la situation de crise.
Parfois le chien éloignera en hâte son compagnon humain de
l'élément déclencheur des symptômes d'anxiété. En d'autres
occasions, il saura se contenter de loger son museau au creux
de la main de la personne qui oscille au bord du gouffre de
l'attaque de panique. Ce simple signe d'affection suffira à la
rassurer et à l'aider à recouvrer son calme.

Je viens de repérer cet article dans un magazine en ligne,
Thérapies alternatives. Après le départ d'Anya Ravenhurst,

je me suis récuré les mains sous l'eau chaude et j'ai avalé une pleine poignée de vitamines et de probiotiques pendant qu'une seule et même phrase me tournait en boucle dans la tête.

Si je ne peux plus aider mes patients, qui suis-je ?

Je sais, je sais... Je ne devrais pas me juger aussi sévèrement. Vous en connaissez beaucoup, vous, des psychothérapeutes qui piquent un sprint sur le trottoir pour rattraper une patiente rétive ? Ou qui quittent le confort de leur cabinet pour arpenter les rues de la ville à la recherche d'un chien égaré ? Mais quand même. Impossible de me débarrasser de l'idée que je n'avais pas été à la hauteur avec Anya. Je pensais sans relâche à son désarroi, à sa tristesse, à son épuisement. Et elle déployait tant d'efforts pour les dissimuler derrière une expression hostile et une voix atone. Anya est typiquement le genre de personne pour qui demander de l'aide relève quasiment de l'impossible. Et pourtant elle l'a fait.

Et j'ai refusé.

Anya a *besoin* de moi, peut-être plus que n'importe quel autre patient que j'ai pu rencontrer. Et qu'est-ce que j'ai fait ? Je l'ai déçue ! Mes problèmes d'anxiété n'affectent plus seulement ma propre vie : ils sont en train de rejaillir sur celle de mes patients. Je ne peux plus saquer la personne que je suis en train de devenir.

Ce qu'il me faut, c'est un projet — une stratégie d'attaque. Oui, mais lequel ?

Le moral dans les chaussettes, je me suis réfugiée dans mon lit avec mon ordinateur portable et une pile de livres et de manuels datant de mes années d'études. Et, après des heures de lecture, je suis encore en train d'étudier les différentes options curatives.

Je sais que la thérapie par exposition — une technique de désensibilisation — est le traitement préférentiel en cas de trouble panique. Mais, avant de tomber sur l'article dans *Thérapies alternatives*, je ne m'étais jamais penchée sur la médiation animale comme méthode de soin. Je fais encore quelques recherches sur Internet, et ce que je découvre, article après article, sur le rôle que peut jouer l'animal dans la résolution de certains problèmes de santé mentale me fascine : un jeune soldat de vingt-trois ans revenu d'Irak avec un syndrome de stress post-traumatique cesse de se perdre dans l'alcool grâce à la relation qu'il noue avec un terrier nommé Abe ; une adolescente adopte un labrador et retrouve un sentiment de sécurité qui lui permet de surmonter des angoisses paralysantes consécutives à des violences sexuelles perpétrées par son oncle. Et puis il y a les chiens — dressés ou non, de toutes tailles et de toutes races — qui ont permis à des agoraphobes de quitter leur maison pour la première fois depuis des mois, des années, voire parfois des décennies. Chacune de ces études de cas propose un beau récit, impressionnant, qui fait chaud au cœur. Ici et là, au fil de ma lecture, mes yeux s'embuent, et je dois m'interrompre le temps d'attraper un mouchoir.

Ma mère a-t-elle entendu parler des effets curatifs des chiens sur les sujets agoraphobes ? Elle a toujours encouragé mes affections canines, et je me souviens de l'avoir entendue dire et répéter à quel point la compagnie des toutous était bénéfique pour les enfants — comment elle leur donnait le sens des responsabilités et de la régularité tout en leur apportant affection et camaraderie. Je suis enfant unique et j'ai toujours pensé qu'à ses yeux un chien offrait un substitut commode à la fratrie dont j'étais privée. Mais je me demande maintenant s'il n'y avait pas chez elle une autre intention à la clé.

Car depuis vingt-cinq ans ma mère ne sort plus de chez elle sans l'aide de hautes doses d'anxiolytiques. Et, même gavée de cachets, elle s'aventure rarement hors de la maison. J'ignore quand ses crises de panique ont commencé. Mais je soupçonne que certains de ses comportements obsessionnels (comme son souci extrême de la propreté, par exemple, et la terreur des microbes qui va avec) étaient présents bien avant que l'angoisse ne prenne des proportions telles que sortir de chez elle était devenu impossible. Ma mère ne mentionnait presque jamais son enfance. Les quelques rares anecdotes qu'elle en rapportait étaient toutes empreintes d'une tonalité lugubre. De ma grand-mère maternelle que je n'ai pas connue, elle ne parlait strictement jamais. La seule chose que j'aie entendue à son sujet, c'est ce commentaire lapidaire : « Maman ? C'était une femme avec des goûts terriblement bas de gamme. Elle choisissait aussi mal ses alcools que ses mecs. »

Si la peur numéro un de ma mère était de mettre un pied hors de la maison, sa peur numéro deux — qui venait juste derrière — était sa crainte de m'avoir transmis ses TOC, angoisses et autres phobies paralysantes. J'ai le souvenir, enfant, d'avoir déjà conscience du regard inquiet de ma mère sur moi, guettant l'apparition d'éventuels symptômes.

Ce qui ne veut pas dire que j'ai eu une enfance pourrie, loin de là. La plupart du temps, ma mère était d'une compagnie gaie et heureuse. A la maison, dans sa zone de confort, elle était pleine de vie, intelligente et drôle, avec toujours, sur le bout de la langue, une observation désopilante sur le facteur, le livreur de pizza ou son psy — la « sainte Trinité », comme elle avait baptisé ces trois fréquents visiteurs. J'adorais l'écouter et je devins assez vite une auditrice attentive, apprenant sans même m'en apercevoir à interpréter les pauses dans la conversation, les sentiments qui passaient fugacement sur son visage et même son langage corporel. Je découvris également comment utiliser ce savoir pour l'encourager à s'épancher (plus tard, au cours de mes études de psycho, je compris que j'avais pratiqué toute ma vie une forme spontanée de ce que l'on appelle l'« écoute active ».)

Quelque part au cours de mon enfance, ma mère a dû décider que bourrer mon emploi du temps d'activités serait la meilleure parade pour éviter que je ne me claquemure à mon tour à la maison. Elle voulait à tout prix que je ne sache rien des ombres qu'elle-même entrevoyait au-delà de notre porte. Et peut-être aussi, en m'envoyant le plus possible à l'extérieur, cherchait-elle à me protéger d'elle-même ? Avec le recul, j'imagine à quel point elle a pu être tentée de s'appuyer sur moi, de se raccrocher à ma compagnie en créant entre nous une relation trop fusionnelle.

Une baby-sitter, d'autres parents d'élèves et parfois mon père me conduisaient en voiture au florilège d'activités que ma mère choisissait pour moi : cours de danse, solfège et piano. J'étais même promeneuse de chiens bénévole pour une association de soutien à des propriétaires d'animaux atteints du VIH. Je crois que ma mère tenait le raisonnement suivant : si elle mettait au point une routine solide qui, du lundi au samedi, me permettait de toujours savoir à quoi m'attendre, je me sentirais bien dans ma peau, solide et sûre de moi. Elle voulait que sortir de chez moi me soit aussi naturel que de respirer.

Résultat : j'ai pris l'habitude d'avoir des journées ultra-organisées, d'une prévisibilité absolue. Et je suis devenue une adepte inconditionnelle de la régularité, du traintrain, de la routine. Même étudiante, j'appréciais de vivre tout près de chez mes parents, de parcourir les quartiers que je connaissais par cœur, de faire mes courses dans les magasins familiers que je fréquentais depuis l'enfance…

En me voyant fonctionner entre vingt et trente ans, ma mère a dû prendre conscience de son erreur car elle a commencé à m'encourager à changer de lieu, à aller voir le vaste monde ou, à défaut, de visiter le pays. Je n'oublierai jamais le soulagement qui a illuminé son visage lorsque je lui ai annoncé que je partais vivre à San Francisco. Si elle apprenait comment j'ai vécu pendant ces trois derniers mois, elle serait anéantie.

Je suis bien déterminée à ce qu'elle ne le sache jamais.

A présent, j'essaie de me visualiser en train de franchir le portail avec un chien à mes côtés. Aussitôt, le rythme sourd de l'avant-panique, comme un pouls bas, sombre et régulier, me résonne dans les oreilles. Tant pis. Je préfère quand même essayer de dominer ma peur à l'aide d'un animal qu'en avalant des médicaments. Se faire prescrire des anxiolytiques est une affaire compliquée, dans ce pays. Mais, même s'ils avaient été faciles à obtenir, j'aime autant emprunter d'autres voies. Je déteste l'état dans lequel les cachets mettent ma mère lorsqu'elle en prend pour calmer les démons de son angoisse. Ils la transforment en une version affadie, terne d'elle-même — ils éteignent son humour. A la maison, elle a un visage mobile, plein de vie et d'amour, mais le reste du temps les médicaments la rendent inexpressive, comme absente à elle-même.

En général, c'était pour moi qu'elle faisait l'effort de sortir. Pour assister aux spectacles scolaires, aux compétitions de natation, m'emmener faire des courses. Elle n'était jamais vraiment elle-même à l'occasion de ces sorties, toujours un peu abrutie par les médicaments, à remuer les lèvres pour compter ses respirations dans l'espoir d'essayer de maîtriser sa panique. Je mourais d'envie de lui dire de laisser tomber, mais je ne l'ai jamais fait — même au stade le plus houleux de l'adolescence, lorsque la honte de ses parents atteint son maximum. J'avais peur qu'elle pense qu'elle m'embarrassait. Ce qui était la stricte vérité.

Voilà pourquoi je ne veux pas que Lourdes me vienne en aide. Même si je l'adore, même si elle est mon amie la plus proche, je refuse qu'elle me voie comme je voyais ma mère chaque fois que nous franchissions la porte et qu'elle luttait pour contenir une crise. C'est peut-être de la fierté mal placée, mais je sais qu'assister aux efforts désespérés de quelqu'un qui se maintient debout alors que le vent fou de la terreur menace de le faucher sur pied change le regard que l'on a sur lui. Je ne veux pas infliger cela à Lourdes, à moi-même, à notre amitié.

Ce truc avec les chiens, me dis-je, vaut le coup d'être tenté.

Je m'arrache enfin à mon lit pour me préparer à dîner lorsque mon père téléphone.

— Comment va Toby ?

C'est toujours la première question qu'il me pose.

— Oh ! tu sais… Toby, c'est Toby.

Je n'ai pas dit à mes parents que mon chien était mort un mois après notre arrivée à San Francisco. Comme si, en prenant le risque de leur en parler, je leur fournissais des indices pour deviner à quel point son décès m'a perturbée.

Mon père, fidèle à lui-même, se contente de ma réponse à sa première question. Et il pose la seconde, tout aussi rituelle.

— Et ton cabinet ? Ça marche ?

Lui aussi est indépendant, il a monté sa propre agence immobilière. Je sais qu'il est fier que je me sois mise à mon compte, et il m'a avertie que les premiers mois, voire les premières années, je risquais d'être ric-rac.

Sans donner son nom ni entrer dans les détails — je n'en dispose d'ailleurs que de très peu —, je lui raconte la visite d'Anya Ravenhurst qui ne veut pas admettre que son chien ne reviendra pas et qui refuse de revenir me voir.

— Apparemment, tu as fait tout ce qui était en ton pouvoir pour aider cette personne, assure mon père d'un ton rassurant.

Je me surprends à contenir une soudaine montée de larmes. La bonté dans la voix de mon père a souvent cet effet sur moi, comme si elle touchait à une couche de vulnérabilité profonde, me ramenant au temps où je le croyais capable de résoudre tous mes problèmes.

Je déglutis.

— Non, malheureusement. Je crois que je ne l'ai pas aidée du tout.

— Tu n'en sais rien, Maggie. Peut-être que, grâce à toi, elle va commencer à accepter l'idée que son chien est vraisemblablement mort.

— Oh ! elle n'en est pas là. Elle est bien trop révoltée encore.

J'essaie de trouver une comparaison qui permettrait à mon père de comprendre dans quel état d'esprit se trouve Anya.

— Imagine ce que tu ressentirais si ce à quoi tu tiens comme à la prunelle de tes yeux disparaissait tout à coup… Imagine que quelqu'un te vole tes clubs de golf, tiens !

— QUEL MONSTRE OSERAIT VOLER LES CLUBS DE GOLF D'UN HONNETE HOMME ?

Je ris. Mon père adore le golf et, comme ma mère n'est pas franchement la reine du green, je l'escortais souvent sur son parcours du dimanche. J'aimais m'asseoir à côté de lui, installée dans sa voiturette, à regarder les feuilles changer de couleur à l'automne et les bourgeons des arbres s'ouvrir pour se muer en fleurs roses au printemps. Pour la petite citadine que j'étais, accompagner mon père au golf équivalait à une balade dominicale à la campagne. A force de traîner sur le green, j'ai fini par devenir une golfeuse tout à fait honorable. Mais j'appréciais ces sorties davantage pour la compagnie enjouée de mon père et le plaisir de prendre l'air que pour le sport en lui-même.

J'explique à mon père que le seul moyen de revoir Anya est de parcourir la ville à ses côtés pour essayer de retrouver son chien.

Mon père reste silencieux un instant, puis il dit doucement :

— Tu ne peux pas sauver la terre entière, ma chérie.

Dans sa voix, je perçois le poids de longues années de tristesse et de défaite. Ne pas avoir su aider la femme qu'il aime à surmonter ses peurs garde pour lui le goût amer de l'échec. Et je culpabilise d'avoir conduit notre conversation sur ce terrain douloureux.

A l'arrière-plan, j'entends la voix de ma mère. Je les vois devant moi comme si j'y étais, mon père choisissant un fruit dans la corbeille sur la table et ma mère donnant un dernier coup d'éponge sur le plan de travail avant la nuit.

— Ne quitte pas, Maggie, OK ? Je te passe ta mère.

Après un petit temps de silence, j'entends :

— C'est toi, ma chérie ?

— Salut, m'man.

— Qu'est-ce qui se passe, alors ?

Et c'est ainsi que je lui raconte à elle aussi tout ce que je viens de dire à mon père. Elle m'écoute en silence jusqu'au moment où je précise qu'Anya me demande de participer à ses recherches sur le terrain.

Ma mère tranche :

— Si c'est ce qu'elle veut, alors il faut que tu l'accompagnes, c'est évident. Tu as besoin qu'on te l'écrive noir sur blanc ?

— Noir sur blanc ? Non, non, maman. Billy n'est pas un dalmatien. C'est un terrier.

Ma mère commence par rire puis s'interrompt très vite, preuve qu'elle voit clair dans mon jeu. Elle *sait* que les blagues sont ma tactique de diversion ; c'est d'elle que j'ai appris le truc. L'humour procure aux émotions déplaisantes un refuge sûr où elles peuvent se dissimuler.

— Franchement, Maggie, quelle différence si tu parles avec elle dans un fauteuil ou dans la rue ? Si tu penses qu'elle a besoin d'aide, fonce ! Et sa thérapie se fera au rythme de la marche.

— Mais si la solution, pour elle, c'est d'accepter que son chien n'est probablement plus en vie ? Dois-je la conforter dans son attitude de déni ? Ça pourrait être malsain, tu ne crois pas ?

— Cette petite patiente, elle cherche quelque chose, décrète ma mère. Et elle t'a clairement fait savoir que ce n'est pas dans ton cabinet qu'elle trouvera ce dont elle a besoin.

Après avoir pris congé de mes parents, je compose le numéro de Lourdes. J'entends le téléphone sonner à l'étage au-dessus, puis le bruit des pas de mon amie lorsqu'elle va décrocher.

— Salut, belle inconnue ! lance-t-elle.

Je prends une profonde inspiration.

— Lourdes… Je vais avoir besoin de ton chien.

5

Giselle est dans un état d'excitation qui frise le délire lorsque Lourdes me la descend le lendemain matin. Elle trépigne, et sa queue fouette l'air avec frénésie. Même ses frisettes semblent plus guillerettes qu'à l'ordinaire, et ses boucles fauves dansent en écho. Je n'ai pas l'impression que cette fébrilité soit une réaction à ma propre nervosité. Elle semble juste heureuse de sortir de chez elle, mais qui sait ? D'après mon expérience, ce qu'on raconte de l'impressionnante — et parfois encombrante — intelligence des caniches n'a rien d'un mythe.

Lourdes me remet un cabas contenant de la nourriture pour chien, un bol, une gamelle, des jouets et une laisse. Lorsque je lui ai parlé de mon projet, elle a décidé qu'elle, Leo et les enfants profiteraient de l'opportunité que leur offre un week-end sans chien pour passer la nuit dans la vallée de Napa.

— Tu feras attention, Maggie. Elle boit dans la cuvette des toilettes.

— C'est noté.

— Et elle sautera sur les meubles dès que tu auras le dos tourné.

— Lourdes… Ne t'inquiète pas pour nous. File t'éclater. Prends du bon temps. Oublie le reste.

— OK. Je te rapporterai une bouteille de vin de là-bas. Peut-être vide, peut-être pleine. Cela dépendra du trajet de retour et du nombre de fois où Gabby demandera de sa petite voix flûtée : « On est bientôt arrivés, maman ? »

Elle fronce les sourcils.

— Sérieux… Tu es sûre qu'il ne vaudrait pas mieux que je reste ? Je ne peux vraiment rien faire pour t'aider ?

Je pointe le menton vers Giselle.

— Et ça, ce n'est pas de l'aide, peut-être ?

Lourdes pose un regard sceptique sur son chien. Soudain, elle écarte les bras, agite les mains et se met à chanter sur un air de comédie musicale à la mode : « Elle ne quitte jamais le bercail, ne franchit plus le portail, commande tant sur Internet que les livreurs perdent la tête ! »

Elle imite alors la clameur d'une foule enthousiaste.

— Et l'assistance se déchaîne en découvrant la prestation finale de Maggie Brennan dans *La Psy agoraphobe* qui remporte cette année le prix de la comédie musicale la plus loufoque de Broadway.

Lourdes passe ses bras de danseuse autour de moi et me gratifie d'une de ces étreintes robustes dont elle est spécialiste.

— Bonne chance, chuchote-t-elle. Je t'adore, fillette.

Une fois Lourdes partie, je verse de l'eau dans le bol de Giselle et m'assois par terre à côté d'elle pendant qu'elle boit. C'est la première fois qu'un chien entre chez moi depuis la mort de Toby. Elle ne lape pas son eau de la même façon que lui ; les sons qu'elle émet sont plus doux, plus délicats.

— C'est parti pour la thérapie par exposition, dis-je à voix haute. Désensibilisation systématique.

Lorsque le silence tombe à l'étage au-dessus et que j'ai la certitude que Lourdes and Co sont partis, j'attache la laisse de Giselle à son collier. En approchant du portail, je m'applique à faire tout ce qu'il faut dans ce type de situation. En bref, je suis les consignes que je donne à mes patients pour les aider à dominer leur angoisse. Un : se concentrer sur sa respiration, aspirer l'air par le nez et le rejeter par la bouche. Deux : je visualise par avance notre promenade — un rapide aller-retour sans histoire jusqu'au coin de la rue. Trois : je me penche pour passer la main le long de l'échine de Giselle. Comme en réaction à un ordre muet, elle s'assoit. Son regard est rivé sur le portail, et son corps entier vibre en prévision de la sortie qui se profile. J'enroule la laisse autour de ma main jusqu'à ce qu'elle soit assez courte pour que je puisse toucher sa robe abricot et y puiser le courage nécessaire.

J'ouvre le portail.

Une sensation noire et glacée se propage en moi.

Je respire et compte ; compte et respire.

Une.

Deux.

Je m'oblige à visualiser le visage douloureux d'Anya, à envisager ce que cela représenterait pour moi de ne pas pouvoir l'aider. Au même moment, Giselle s'élance et me tire en avant, sur le trottoir. Dans un état second, je tends le bras pour refermer le portail derrière moi. Je pose la main sur la tête de Giselle pour reprendre mon équilibre et j'utilise ma technique respiratoire pour tenir la panique à distance. Je ne vais pas jusqu'à m'appuyer sur la chienne, mais je sens qu'il serait possible de le faire en cas de besoin, qu'elle ne me laisserait pas tomber.

La main crispée sur la laisse, je me mets en mouvement. J'essaie de chasser mes émotions négatives en expirant et d'ouvrir ma cage thoracique plutôt que de la laisser se contracter. Mais, surtout, je me concentre sur Giselle, sur sa présence vivante et solide à mon côté, sur la caresse de ses frisettes claires contre mon poing fermé. Elle est joyeuse et décidée, et le fait que je tienne sa laisse aussi courte ne semble pas altérer sa bonne humeur. Je me raconte que je porte une paire d'œillères et que, même si je le voulais, il me serait impossible de regarder derrière moi, que je ne peux voir qu'une chose : Giselle. Mais à chaque pas ma peau se tend et mes muscles se contractent. Le goût amer de la bile remonte dans ma gorge. Le grondement de la panique bourdonne dans mes oreilles, m'envahit comme un essaim furieux, remplit ma poitrine et je respire à grand-peine.

Et pourtant…

Et pourtant le son des griffes de Giselle claquant sur les pavés du trottoir filtre à travers le brouillard épais de mon angoisse. Les plaques à son cou tintent l'une contre l'autre. Sa laisse et son collier sont en cuir marron clair, tous deux solides et résistants. Je glisse mes doigts tremblants dans la robe dorée de Giselle et je recommence.

Une.

Deux.

Je repère le trottoir en face de moi et je m'aperçois que j'ai atteint le coin de la rue, à un demi-pâté de maisons de chez Lourdes. Aussitôt, je fais demi-tour et retourne en toute hâte jusque chez nous. Giselle allonge le pas et suit le mouvement.

Une fois le portail refermé derrière moi, je me plie en deux, les mains calées sur les genoux, et je prends une inspiration profonde. Au bout de quelques minutes, je commence à recouvrer mes esprits et je me redresse. *Yes! Je l'ai fait!* Je ne suis pas allée loin mais, pour la première fois en cent jours, je me suis aventurée sur le trottoir. C'est un début.

En entrant dans l'appartement, je fonce tout droit me laver les mains à l'eau brûlante pendant que Giselle m'observe à la porte de la salle de bains.

— Eh bien… Ce fut une sacrée aventure, ma vieille.

Giselle est trop polie pour protester.

— Bon d'accord, c'est juste un petit début. Comme un bébé qui fait ses premiers pas… Ou un chiot, si tu préfères, dis-je pour essayer de traduire mon affaire en langage canin.

Mais ma traduction n'est pas très pertinente. Un chiot aurait fait de grands bonds joyeux dans la rue au lieu de se traîner péniblement comme quelqu'un dont on viendrait de retirer un plâtre qui lui emprisonnait tout le corps. Un chiot se serait élancé bien au-delà de la limite du trottoir.

Il me reste une boîte de biscuits pour chien dans un de mes placards de cuisine. D'une main, je donne une friandise à Giselle tout en caressant sa tête de l'autre, lissant en arrière la touffe qui se dresse entre ses oreilles. Elle prend délicatement le biscuit tendu, et son museau effleure mes doigts comme un baiser léger. Elle part en trottinant et, pile sur le tapis, découpe sa récompense en petits morceaux qui tombent par terre. Elle les récupère l'un après l'autre, enfonce le museau dans la laine pour essayer de trouver quelques dernières miettes avant de lever vers moi des yeux interrogateurs. Comme je ne fais aucun mouvement en direction du placard à biscuits, elle étire ses longues pattes avant en écartant les griffes et se met à bâiller.

— Désolée, dis-je. Tu t'ennuies déjà avec moi ?

Je me sens sonnée, l'esprit tellement obscurci par l'excès d'adrénaline que je suis au bord du vertige. Je n'ai passé que quelques minutes au-delà du portail, mais la question du temps est secondaire. *Je l'ai fait.* Je me suis sentie angoissée et hors d'haleine, mon cœur s'est emballé, mais le champignon atomique de la panique n'a pas envahi mon ciel — ou, en tout cas, je n'ai à aucun moment levé les yeux pour constater sa présence. Et c'est tout ce qui compte. Je ne peux pas m'en demander trop du premier coup en voulant aller trop loin, trop vite. Déclencher une vraie attaque de panique ne servirait qu'à ralentir mes progrès. Ce qu'il me faut, c'est répéter plusieurs fois l'expérience en multipliant les sorties courtes. Chaque petite victoire obtenue sur la peur renforcera mon armure, et peu à peu j'établirai les fondations sur lesquelles je pourrai bâtir ma guérison lorsque je serai prête.

Giselle roule sur le côté et me regarde tout en frappant le tapis avec le plumeau à poussière qui lui tient lieu d'appendice caudal.

Deux sorties de plus. Voilà mon objectif du jour. Je me forcerai à promener Giselle encore deux fois aujourd'hui. Et chaque sortie sera un peu plus longue que la précédente.

Il serait plus facile de surmonter ma phobie si je ne vivais pas dans une ville jalonnée de collines.

Enfant déjà, les hauteurs, ce n'était pas mon truc — malaise que je considère à présent comme un symptôme précurseur de mes phobies actuelles. A huit ans, je me suis aperçue que j'étais incapable de me souvenir de la dernière fois que j'avais vu ma mère sortir de chez nous. Avec le recul, je me dis que ce n'est probablement pas un hasard si c'est précisément cette année-là que j'ai subi mon premier accès d'acrophobie. Ma mère m'avait inscrite à un cours de danse classique qui se déroulait dans un studio situé au cinquième étage d'un immeuble, juste assez haut pour dominer trois rues bordées de maisons mitoyennes et, au loin, le vaste fleuve Delaware. En arrivant à mon premier cours, j'ai couru avec les autres filles vers la grande baie vitrée pour découvrir la vue, mais au moment où je posais la main contre la vitre fraîche j'ai soudain senti ma bouche s'assécher. Je me suis détournée, inquiète à l'idée de vomir, et j'ai passé le reste du cours à me demander pourquoi le sol gondolait ainsi. Après m'avoir vue cafouiller pendant deux séances, la prof de danse avait conclu que j'étais une empotée et qu'on ne tirerait rien de moi. A mon grand soulagement, elle m'a reléguée au rang du fond où j'ai appris à me concentrer sur les chouchous de couleur qui attachaient les cheveux de mes camarades plutôt que sur la vue, démultipliée par les miroirs sur les murs. Jamais je n'ai avoué à mes parents que cette altitude me procurait de drôles de sensations, que le monde aperçu d'en haut me paraissait trop vaste et me donnait le sentiment que j'étais infiniment seule et perdue. J'avais dû sentir d'instinct que je les alarmerais si je leur faisais part de ces sensations bizarres.

La maison de Lourdes, blottie sur l'une des collines abruptes surplombant Cole Valley, est située dans un quartier du centre de San Francisco : par conséquent, quelle que soit la direction dans laquelle se tourne mon regard, je suis constamment confrontée à une vue plongeante sur la ville. Ces dénivelés ne m'ont pas vraiment dérangée lorsque j'ai emménagé avec Toby, je faisais alors facilement abstraction de mes légers étourdissements. En revanche, dans mon état actuel, je me dis que vivre à San Francisco pour une acrophobe est du même ordre que de pique-niquer entre deux ruches lorsqu'on est allergique aux piqûres d'abeille. Si mes phobies sont un ours en hibernation, en m'installant dans cette ville, c'est comme si j'avais pris un bâton pour taper dessus. Aujourd'hui, la bête est bien réveillée et elle me rugit dans les oreilles à chaque pas.

Je me force néanmoins à franchir une seconde fois le portail et à descendre la rue, puis à dépasser le carrefour où je me suis arrêtée la première fois. La pente raide me procure des sensations vaseuses. Au moment où je repère un café non loin, avec des tables pleines de monde étalées sur le trottoir, mon cœur se met à battre si vite que chaque coup me perfore douloureusement la poitrine. Si je dois afficher les symptômes humiliants d'une attaque de panique, j'aimerais autant que ça se passe dans une rue déserte plutôt que devant tout ce petit monde. J'essaie de concentrer toute mon attention sur Giselle, mais je suis distraite par les sons qui viennent du café, et mes œillères imaginaires se volatilisent. Je ralentis le pas. Est-il bien avisé de poursuivre dans cette direction ? Giselle s'arrête net, et je manque m'étaler sur elle. Elle a enfoui le museau dans un sac en papier gras abandonné au bord du trottoir.

— Giselle ! Non ! Lâche-moi cette cochonnerie !

J'ai voulu crier, mais ma voix n'est qu'un misérable murmure.

Je tire un petit coup sec sur la laisse, et nous reprenons notre progression... hésitante, car quelques pas plus loin Giselle tombe sur un emballage de chewing-gum, suivi d'une serviette en papier sale. Je dois la surveiller de près et répéter chaque fois mes ordres. Lorsqu'elle repère le couvercle en plastique d'un gobelet à café sur le sol, je jurerais qu'elle lève les yeux vers moi et me décoche un clin d'œil avant d'y planter les dents. Je lui arrache le bout de plastique qu'elle me cède sans opposer la moindre résistance. Elle agite la queue et poursuit d'un pas nonchalant, équivalent canin du haussement d'épaules désabusé.

— Ça ne coûte rien d'essayer, pas vrai ? semble me dire son attitude.

Giselle cesse d'inventorier les immondices du trottoir juste assez longtemps pour me permettre de relever le nez et de m'orienter. J'ai dépassé le café sans même m'en apercevoir. Victoire. Je fais demi-tour au coin de la rue, et nous voilà sur le chemin du retour.

Lorsque la clôture de Lourdes apparaît dans mon champ de vision, le soulagement éclate en moi comme une coquille qui s'ouvre, et je m'autorise à poursuivre au petit trot jusqu'au portail. Mes jambes sont rouillées, comme remplies de sable après ces trois mois d'inactivité, mais cela me fait un bien fou d'être en mouvement, de sentir mon corps fonctionner avec moi et non plus contre moi. Je passe en mode sprint ; Giselle allonge la foulée, et la touffe rigolote sur sa tête rebondit à chaque pas.

De retour dans mon appartement, je me lave les mains avec soin et avale deux verres d'eau d'un trait. Je donne un second biscuit à Giselle et me prépare un sandwich pour le déjeuner. Elle me suit à la trace jusqu'au moment où je place mon assiette à côté de mon ordinateur portable et m'installe sur un tabouret. Résignée à l'idée qu'elle n'obtiendra pas la moindre miette de mon sandwich, Giselle se roule en boule sur le tapis. Quelques instants plus tard, je l'entends ronfler.

Dans ma boîte de réception, je découvre un nouveau mail de Sybil Gainsbury de SuperClebs. Elle m'écrit que nous devons trouver une autre famille d'accueil pour un certain Seymour. Je soupire. Ce n'est pas la première fois que ce chien doit être transféré.

> Je pensais que son seul problème, c'était sa difficulté à marcher en laisse, mais il semble qu'il ait également une peur bleue des trains ! Sa famille d'accueil actuelle vit sur la ligne N-Judah, et on me signale qu'il se faufile derrière le canapé et fait un petit pipi d'angoisse à chaque passage de train devant l'immeuble — autrement dit, à peu près tous les quarts d'heure ! Pauvre bête.

Elle a mis une photo en pièce jointe. De tous les chiens que j'ai vus passer ainsi depuis que je m'occupe du site Web de SuperClebs, Seymour est celui qui m'émeut le plus. Il fait partie de ces chiens bricolés à partir de deux espèces si contrastées que le résultat en est désopilant. Sa robe dense couleur crème est typique du golden retriever, mais son torse épais étiré sur une longueur improbable se dresse — si l'on peut dire — sur les pattes courtaudes d'un basset hound. Même sa tête est un mélange : il a le museau large et puissant du retriever, avec le stop marqué, mais les longues oreilles tombantes du basset.

Un chien à l'allure aussi adorablement drôle que Seymour aurait dû quitter l'association dans la semaine et vivre heureux pour le restant de ses jours avec sa famille d'adoption. On ne peut même pas dire que Seymour fasse partie de ces chiens qui sont « tellement laids qu'ils en deviennent beaux » — une catégorie esthétique un peu à part, à laquelle la communauté des sauveurs de chiens semble être particulièrement sensible.

Non, Seymour n'est pas laid-mignon ; il est *mignon*-mignon.

Logique ! C'est un mix des deux espèces canines les plus populaires dans ce pays. Il aurait dû passer comme une lettre à la poste, et son histoire devrait d'ores et déjà figurer parmi les belles adoptions à succès que l'association compte à son actif. Au lieu de quoi, il traîne dans les fichiers de SuperClebs depuis des mois, trimballé de famille en famille.

Le problème de Seymour, c'est qu'en promenade il se tortille jusqu'à se débarrasser de son collier avant de prendre la fuite en se jetant au milieu de la circulation. Pas malin lorsqu'on est un chien de ville. Et voilà maintenant qu'il nous fait une phobie des trains. Alors que j'examine sa photo, je m'aperçois que tout cela transparaît dans son regard. Les yeux de Seymour, d'un brun tendre et dessinés comme ceux du retriever, n'ont ni l'expression confiante du golden ni celle pleine de charme et de drôlerie du basset. Son regard, hélas, trahit une franche et flagrante névrose. Je ne sais pas qui a pris cette photo, mais Seymour est immortalisé avec les yeux tellement ouverts qu'on voit le fin cercle blanc autour de ses iris brun doré, ce qui lui donne l'air d'un déséquilibré. N'importe qui, à le regarder, peut percevoir l'extrême tension nerveuse de ce chien avant même de prendre connaissance des histoires des différentes familles d'accueil entre lesquelles il a été ballotté.

Mais il est *gentiment* névrosé ! Cela aussi, ils peuvent le percevoir, non ? Névrosé mais adorable. La tendresse dans son regard saute aux yeux. On sent à la fois la soif d'amour et la blessure.

Son sosie ? Mmm… voyons… Owen Wilson, bien sûr.

Si je le pouvais, je l'adopterais. Evidemment. Les chiens, c'est mon truc, et je sais que je finirai par en prendre un autre, mais je ne veux pas précipiter les choses. Et, même si je pensais avoir de la place dans mon cœur pour un nouveau chien — ce qui n'est pas encore le cas —, je ne serais pas la compagne indiquée pour un chien angoissé comme Seymour. Comment quelqu'un dans mon état pourrait-il lui apprendre à surmonter ses peurs ? Comment lui faire passer le message qu'il est en sécurité, protégé et que son avenir est sûr ? Nous finirions probablement recroquevillés tous les deux derrière le canapé, à trembler de conserve.

J'envisage un instant de demander à Lourdes de l'accueillir. Ils ont largement assez de place pour prendre un second chien. Et Giselle, avec son entrain communicatif, aurait une excellente influence sur un chien inhibé comme Seymour. Mais si j'en parle à Lourdes, je sais qu'elle essaiera juste de me convaincre de l'adopter moi-même.

Je réponds aussitôt à Sybil en lui annonçant que je vais remettre le statut de Seymour à jour en le plaçant dans la catégorie « urgences », que je ferai en sorte qu'il apparaisse en premier dans la liste des chiens adoptables et que j'ajouterai « Peur des trains » à sa fiche.

Pendant que je navigue sur le site de SuperClebs, il me revient le souvenir d'un article que j'ai lu récemment au sujet d'une association d'aide aux animaux qui a réussi à attirer l'attention du public sur leurs protégés en leur donnant des noms de célébrités. Je me dis que de toute façon cela ne peut pas nuire, et je décide de revisiter chacune des pages de nos chiens pour ajouter le nom d'un sosie connu à leur description.

Je commence par étudier la photo d'un beagle croisé carlin à la robe fauve, aux pattes comme des allumettes et à la longue langue rose qui dépasse sur le côté. Au sommet du descriptif, j'ajoute : « Alias Miley Cyrus » en pensant à la chanteuse connue pour sa manie de tirer la langue quand on la prend en photo.

Un croisement entre un staffordshire terrier et un labrador avec des yeux noisette, une mâchoire puissante et un physique ciselé : « Channing Tatum ».

Un sharpei croisé berger à la robe lustrée, posant un regard indifférent et sans humour sur un point juste derrière l'objectif : « la gymnaste McKayla Maroney faisant une moue de déception en recevant la médaille d'argent au lieu de la médaille d'or ».

Quant au gentil Seymour si tourmenté, je le gratifie du nom d'un bel acteur blond.

Que puis-je faire de plus pour lui ?

Quelques instants plus tard, Giselle ronfle si fort que le vacarme finit par la réveiller elle-même. Elle se lève, étire ses pattes avant, l'arrière-train levé, la queue balayant l'air. Je suis affalée sur le canapé, plongée dans un roman haletant. Elle se dirige vers moi et, sans plus de manières, fourre son long museau sous ma main.

— C'est l'heure de sortir, tu crois ?

Redoutable perspective. Le soleil est déjà bas, et le ciel s'assombrit. J'envisage de laisser Giselle se soulager dans le jardin mais, au son de ma voix, elle se met à bondir comme un ressort comme si le sol était jonché de charbons ardents. Lorsque sa danse se mue en un fox-trot endiablé, je ne peux m'empêcher de sourire.

— D'accord, Giselle. Tu as gagné.

Je lui mets sa laisse, l'enroule autour de ma main, et nous remontons l'allée. Je compte mes respirations — longues, lentes et régulières — et mobilise toute ma volonté pour que l'oiseau d'avant-panique qui s'agite inconfortablement dans ma poitrine reste réduit à son format minimum. Avec le minuscule oiseau noir, je peux m'en sortir, mais cet horrible hippogriffe ? Comment l'affronter ?

Je préfère ne pas avoir à essayer.

Cette fois, je me force à détacher les yeux de Giselle tous les quelques mètres. Même si je me sens déjà plus sûre de moi, je garde la laisse très courte. D'accord, mon cœur me joue un *staccato* sonore aux oreilles, mais il ne s'emballe pas. Ma vue est nette, et je suis déterminée à avancer. Giselle n'attire pas trop l'attention ; elle trottine à mon côté en jetant à peine un coup d'œil aux gens que nous croisons sur le trottoir. Nous atteignons Cole Street et ses nombreux magasins. Elle a l'air concentré, semble se suffire à elle-même et, par chance, n'invite pas aux interventions intrusives d'inconnus.

Toby ne se serait pas montré aussi digne et réservé. A chaque promenade, c'était le chien séducteur par excellence, toujours en train de parader, de sourire et de glaner un peu d'attention par-ci par-là. Son regard respirait la joie de vivre sous sa frange crantée, et ses pattes d'éléphant en fourrure étaient absolument hilarantes. Je ne me vante pas lorsque je dis qu'il faisait tourner toutes les têtes. Même le plus endurci des Philadelphiens stressé à la perspective d'arriver en retard au travail se montrait sensible au charme déjanté de Toby et prenait le temps de caresser sa robe soyeuse, de lui dire qu'il était un rayon de soleil dans le quartier ou de me demander à quelle espèce de chien il appartenait. Malgré toutes les activités extrascolaires que me faisait pratiquer ma mère, j'avais été une enfant réservée, plutôt portée sur la lecture et l'observation. Le genre de gamine encline à rester dans l'ombre pour observer le spectacle plutôt qu'à se ruer sur le devant de la scène. Toby avait changé cela — il m'avait changée, moi. Il m'a appris que j'étais capable de parler avec n'importe qui. De fait, c'est avec Toby que j'ai découvert que les gens s'ouvrent facilement à moi, me racontent les histoires de leurs propres chiens — autrement dit, qu'ils me parlent d'eux-mêmes. Avec Toby à mes côtés, j'avais déployé mes ailes, et l'adolescente coincée s'était muée en une adulte plus affirmée. Le simple fait de prendre de l'âge a contribué au processus, bien sûr. Mais je crois vraiment que je dois une part de mon épanouissement à Toby.

Je ne suis pas en train de dire que Toby était parfait. Pour des raisons que je n'ai jamais réussi à élucider, ses aboiements normalement mélodieux montaient dans les aigus de façon insupportable dès qu'il y avait de l'eau dans les parages. Autre défaut de taille : il était physiquement incapable de produire une jolie crotte bien moulée qui se serait prêtée à un ramassage commode. Il fallait toujours qu'il tourne en rond comme un dingue lorsqu'il faisait ses besoins. Et le résultat final était un alignement de crottes discontinu qui n'était pas sans rappeler un monument de Stonehenge miniature. Toby était un clown qui se voulait toujours au centre de l'attention générale, si bien qu'il trottinait en permanence vers les uns et les autres chaque fois que j'avais du monde à la maison. Au point que même *moi* j'arrivais à souhaiter qu'il se couche dans un coin et qu'il nous fiche la paix. Quand il était assis à côté de moi, il aimait poser la patte sur le haut de mon bras. J'avais lu quelque part que c'était une marque de domination de sa part. A proscrire absolument, donc. Mais son geste possessif ne me dérangeait pas. J'étais disposée à le laisser croire que c'était lui le maître et je soupçonne qu'il tenait le même genre de raisonnement à mon sujet.

Giselle et moi traversons la rue et descendons Stanyan Street en direction du Golden Gate Park. Plusieurs personnes d'aspect débraillé zonent, sac au dos, vers l'entrée du parc à Stanyan et Haight Street. Certaines sont affalées sur des espaces à l'herbe pelée. Ils sont assez nombreux à vivre avec des chiens — des chiots joueurs qui gambadent autour d'eux ou des corniauds plus âgés, plus costauds, avec des bandanas autour du cou. Loin de moi l'idée de vouloir priver ces errants de l'affection et du réconfort que leurs chiens leur apportent, mais voilà… Je m'inquiète toujours un peu de la façon dont les animaux sont nourris et soignés. D'après Sybil, il arrive que des bêtes blessées, malades ou tout simplement infestées de puces soient abandonnées dans le secteur. Une fois tous les quinze jours, elle arpente le parc en distribuant des boîtes en plastique avec de la nourriture pour chien, de la poudre antipuces et des flyers indiquant l'adresse de dispensaires vétérinaires proposant des vaccinations bon marché. Elle m'a invitée à me joindre à elle à l'occasion de ces expéditions. Je lui ai répondu que j'avais trop de travail.

Maintenant que je suis arrivée jusqu'ici, j'ai envie de continuer jusqu'à l'entrée du parc pour voir si les chiens ont l'air en bonne santé, mais quelque chose me retient... Quoi ?

La foule.

Que se passera-t-il si la panique me frappe au milieu de tous ces gens ? A l'idée que je pourrais m'effondrer en public, ma peau se couvre de chair de poule. Bon. Restons raisonnables. J'ai tout intérêt pour l'instant à me cantonner à des zones plus calmes où j'ai de meilleures chances de garder mon anxiété sous le manteau.

Avancer à petits pas de bébé, par mini-étapes successives, voilà l'objectif. Obéissant à cette injonction, j'emprunte un chemin longeant le côté sud du parc, qui monte et descend en offrant d'un côté une vue sur la ville et, de l'autre, des ouvertures sur l'espace vert. Les deux paysages sont très beaux, et je m'oblige à lever le nez de temps à autre, avant de fixer de nouveau mon attention sur le chemin devant moi.

Lorsque je m'autorise enfin à faire demi-tour pour rentrer, je scrute aussitôt le ciel pour chercher la Sutro Tower, ma chère tour-antenne rouge et blanc dressée sur le mont Sutro. Ah ! Elle est là, trônant haut au-dessus de Cole Valley, telle la griffe d'un animal monstrueux sorti tout droit d'un jeu vidéo, prête à crocheter les nuages. Lourdes m'a un jour expliqué que San Francisco avait besoin de cette immense structure en forme de trident parce que les nombreuses collines bloquent la réception. Pendant mes premières semaines ici, j'ai remarqué qu'elle était visible de n'importe quel point dans le dédale des rues de la ville. Cela me rassure de penser que, quel que soit le chemin parcouru, je peux toujours repérer la Sutro Tower pour rentrer à la maison.

De retour à l'appartement, Giselle lape son eau puis, pantelante, va faire un tour dans ma chambre à coucher. Pendant que je mâche consciencieusement ma vitamine C, je l'entends farfouiller dans la pièce voisine. Ne la voyant pas revenir, je vais voir ce qu'elle trafique.

Je la trouve devant ma table de chevet, flairant la boîte qui contient les cendres de Toby.

Oui, je garde les cendres de mon chien à côté de mon lit. A quel autre endroit suis-je censée les mettre ? Dans un tiroir ? Sur la cheminée ? Il n'y a pas vraiment d'endroit attitré pour placer ce genre de reliques, n'est-ce pas ? De toute façon, je vis seule ; personne d'autre que moi n'est entré dans cette chambre depuis mon arrivée ici.

Au cours de notre troisième semaine à San Francisco, j'ai emprunté la voiture de Lourdes et j'ai emmené Toby dans une petite virée touristique le long de la côte. Ces premières semaines en Californie avaient été merveilleuses. Après une rupture sentimentale, recommencer une nouvelle vie dans une ville inconnue est une idée que je recommande à tout le monde. Chaudement, même. J'étais heureuse. Ces premières semaines s'étaient écoulées dans un tourbillon d'activité, entre les démarches à faire pour ouvrir mon cabinet, la déco de mon appartement, le temps passé à refaire le monde avec Lourdes et Leo, et l'occasion enfin de mieux connaître leurs deux filles. Mais ce jour-là j'étais contente de passer un moment tranquille, juste avec Toby.

Après avoir roulé environ deux heures vers le nord, j'ai garé la voiture sur une hauteur dominant une petite plage de sable. En réussissant à faire abstraction de mon vertige, je me suis engagée lentement avec mon chien sur un sentier étroit et sinueux qui dévalait le flanc d'une colline abrupte et débouchait sur un croissant de sable niché entre les falaises.

L'océan rugissait et charriait d'énormes lames bien plus impressionnantes que nos petites vagues de la côte Est. Au-dessus de nos têtes, le ciel était d'un bleu turquoise très pur. Nous étions seuls sur la plage. En temps normal, Toby se serait déchaîné dans ce genre d'espace ouvert : il se serait mis à courir dans tous les sens et à pousser ses fameux jappements « youpi y a la mer », irritants et haut perchés. Mais il n'avait ni aboyé, ni gratté, ni envoyé voler le sable sous ses pattes. Ce jour-là, lorsque je me suis assise sur la plage et que j'ai détaché sa laisse, il s'est contenté de faire quelques pas avant de s'allonger devant moi et de contempler les vagues. A la fois surprise et amusée, je l'ai laissé vivre son expérience à sa guise. Son corps était immobile, mais il avait le cou tendu, les oreilles dressées et en alerte tandis qu'il regardait les gros rouleaux s'écraser dans un grondement d'écume. Il paraissait hypnotisé. Nous sommes restés assis comme cela, lui et moi, pendant un bon bout de temps, séparés sans être seuls, à accueillir en nous la monumentale beauté du lieu.

Avec le recul, je pense que son calme olympien ce jour-là était peut-être un signe de la maladie qui se propageait rapidement en lui. Mais, sur le moment, j'ai juste eu l'impression qu'il était ébloui et reconnaissant de vivre un instant fugace de véritable paix, de ceux que chacun peut saisir s'il a la sagesse d'en déceler la présence, de se glisser à l'intérieur et de se laisser porter.

J'ai l'intention de disperser les cendres de Toby sur cette plage. Mais pour le moment, même après trois périples réussis de l'autre côté du portail et en dépit du soutien que pourrait m'apporter Giselle, cela m'apparaît comme un exploit insurmontable.

*
* *

85

Cette nuit, plus insomniaque que jamais, je prends mon portable dans mon lit et je commence à écrire un mail. Giselle, roulée en boule, la tête sur l'oreiller à côté du mien, me regarde d'un œil sans bouger d'un poil. J'ai beau être une maniaque finie, me laver les mains cent fois par jour et avaler des quantités insensées de vitamines, la présence d'un chien endormi sur mon lit ne me pose aucun problème d'hygiène. Ah, la pathologie mentale… Allez en comprendre la logique.

Je pose les doigts sur les touches, le regard de Giselle toujours posé sur moi.

Chère Anya,

J'espère que Billy est revenu. Si ce n'est pas le cas, j'aimerais vous aider dans vos recherches.

Maggie Brennan

Je recopie l'adresse mail indiquée sur le flyer qu'Anya m'a laissé, je respire un grand coup et j'appuie sur envoi. Je n'ai pas à attendre longtemps. Presque sur-le-champ, le nom d'Anya apparaît dans ma boîte de réception. « Rendez-vous demain matin, 9 heures, chez moi », écrit-elle en me donnant une adresse.

Demain, c'est dimanche et je n'ai aucune séance programmée. J'entre l'adresse sur Google Maps et je vois qu'Anya vit dans un quartier accessible à pied depuis Cole Valley : Ashbury Heights.

Je tourne les yeux vers Giselle.

— Tu te sens de le faire ?

En guise de réponse, elle roule sur le côté, pousse un grognement et c'est là que l'odeur me fouette les narines. Le délicat appareil digestif du caniche n'est apparemment pas de taille à affronter les vieux biscuits pour chien de Toby.

Je proteste en gémissant.

— Giselle ! Tu es une infection.

Tirant les couvertures sur ma tête, je crée une cellule étanche anti-pestilence. Mon ordinateur luit doucement dans la grotte que je me suis fabriquée.

Je tape : « OK. J'y serai. A demain. »

Puis je clique sur la touche « Envoi », très vite, avant d'avoir le temps de changer d'avis.

6

Les rues sinueuses d'Ashbury Heights baignent dans une ambiance de livre d'images. Contrairement à Philadelphie où les rangées de maisons affichent une élégante uniformité coloniale, San Francisco semble s'être édifié pêle-mêle, dans le plus parfait hétéroclisme — une demeure victorienne peut être flanquée d'une Craftsman, elle-même voisine d'une maison des années cinquante. C'est un joyeux capharnaüm architectural ; essayer de deviner à quoi ressemblera une maison en se basant sur l'aspect de la bâtisse voisine équivaut à déduire la météo de demain à partir de celle d'aujourd'hui. Dans cette ville, rien n'est jamais sûr ni prévisible. Je l'avais oublié pendant les trois mois où je suis restée bouclée chez moi.

Je garde Giselle tout contre moi et, après chaque virage, je cherche ma Sutro Tower des yeux tout en utilisant ma technique respiratoire pour lutter contre les vagues successives de vertige et d'angoisse. Chaque panneau, chaque poteau téléphonique que je croise comporte une des affichettes d'Anya arborant la photo de son chien. Tous ces Billy bondissants et rieurs m'aident à tenir debout et à garder mon cap. La jeune femme qui a pris cette photo aime son chien et se sent perdue sans lui. Et moi, je suis peut-être capable de lui venir en aide.

En arrivant à l'adresse indiquée par Anya, je revérifie son mail. J'ai dû mal mémoriser le numéro. *Ça ne peut pas être ici,* me dis-je en découvrant la maison de l'autre côté de la rue. Et pourtant si.

Cette bâtisse, aménagée sur un terrain deux fois plus vaste que celui de ses voisines, est aussi deux fois plus grande que toutes les autres maisons de la rue à côté desquelles l'adorable demeure victorienne de Lourdes ressemble à une niche pour loulou nain. Je reste plantée sur le trottoir un instant, surprise non seulement par sa taille mais aussi par son incroyable état de délabrement. Pas un centimètre carré de peinture blanche qui ne soit écaillé ; les bardeaux vermoulus qui se raccrochent au toit comme par miracle semblent menacer de tomber à chaque instant, tels les pétales brunis d'une immense fleur morte. L'allée de béton usée qui mène à la maison est séparée du trottoir par un petit portail surmonté d'un fouillis de végétation grimpante à l'aspect vénéneux. Un vieux cadenas rouillé pend à la serrure.

Je me demande à quel étage se situe l'appartement d'Anya et j'espère, pour elle comme pour moi, que ce n'est pas au dernier — des trois fenêtres du haut à l'alignement entre-coupé par des corniches, deux sont condamnées avec des planches. Giselle, bien sûr, s'en fiche totalement. Elle lève son museau vers moi et agite doucement la queue. « C'est quoi, le problème ? » demandent ses jolis yeux ronds. Je prends une profonde inspiration et je traverse la rue.

Un bruit de végétation froissée m'arrête net. Un homme émerge soudain de l'ombre de l'allée, et je fais un bond, la main crispée sur la laisse de Giselle. Je recule et trébuche, le cœur battant la chamade.

— Désolé ! Je regrette, vraiment. Je ne voulais pas vous faire peur.

L'homme lève les mains dans un geste d'excuse.

— Je suis Henry. Le frère d'Anya.

Je le regarde avec de grands yeux tout en essayant de reprendre mon souffle.

— Pourquoi vous cachiez-vous dans les buissons ?

— Je n'étais pas… Je ne me cachais pas. Je vous guettais.

Il jette brièvement un regard curieux sur Giselle avant de reposer les yeux sur moi. Quel âge peut-il avoir, cet homme ? Une trentaine d'années ? Si son teint est plus mat que celui d'Anya, ses yeux sont de la même nuance brun-vert. Il a les pommettes hautes lui aussi, mais moins curieusement saillantes que celles de sa sœur.

— Vous êtes Maggie Brennan ?

Son front se plisse pendant qu'il m'examine, et ses joues se colorent. Il paraît nerveux, ébranlé, et je ne vois pas bien pourquoi — après tout, c'est *lui* qui vient de me bondir dessus par surprise, si l'on peut dire.

J'acquiesce d'un signe de tête.

— Oui, c'est moi. Enchantée.

Je lui tends la main sans hésitation. A la différence d'Anya, Henry paraît plutôt plaisamment propre sur lui. Les manches de sa chemise, roulées sur ses avant-bras, forment un pli impeccable, ses cheveux bruns drus sont coupés droit et son menton rasé de près. A première vue, il appartient à la catégorie d'individus naturellement enclins à se laver les mains avec une certaine régularité. Bref, j'ai affaire à quelqu'un qui consent à des efforts conséquents pour ne pas contracter ni répandre la Maladie.

En fait, c'est *lui* qui abrège notre poignée de main pendant que son regard glisse sur la maison puis de nouveau sur moi.

— Qu'est-ce que vous venez faire ici ? demande-t-il à voix basse.

— Je… euh… suis censée retrouver Anya.

Je déglutis, déconcertée par son ton accusateur.

— Elle est à la maison, je suppose ?

— Vous ne rencontrez pas vos patients dans votre cabinet, d'habitude ?

— Si, bien sûr. Mais votre sœur…

Henry ne me laisse pas terminer ma phrase.

— Ma sœur a besoin d'une aide thérapeutique. Pas d'une copine de rando.

Je prends une profonde inspiration.

— Je vois. Je comprends votre inquiétude, mais…

— Je ne crois pas, non, me coupe-t-il de nouveau d'un ton tranchant.

Je vois qu'il essaie de contenir sa colère, qu'il lutte pour ne pas hausser le ton.

— Vous n'avez pas l'air de comprendre à quel point votre comportement peut nuire à la santé mentale d'Anya. Vous trouvez ça malin de lui promettre de l'aider à chercher son chien ?

Je fais un geste en direction de la porte d'entrée et essaie de prendre un ton lisse et professionnel, même si je me sens de moins en moins à l'aise avec ma décision.

— La situation est un peu… compliquée. Et si nous allions rejoindre Anya pour l'inclure dans notre conversation ?

— Non.

Une nuance de tristesse apparaît sur les traits d'Henry.

— Elle… elle ne veut pas m'inclure, justement.

Je baisse la voix à mon tour.

— Ah… Et vous essayez de trouver le moyen de l'aider sans qu'elle sache ce que vous faites pour elle ?

Il acquiesce d'un petit signe sec de la tête.

— Nous sommes dans le même bateau, apparemment. Anya ne veut pas de moi comme thérapeute. Elle m'a fait savoir très clairement lorsqu'elle est venue me voir — en partant d'ailleurs bien avant la fin de la séance — qu'elle ne remettrait pas les pieds dans mon cabinet. Mais je pense que vous avez eu raison de faire appel à moi. Elle a besoin de quelqu'un à qui parler de la perte de Billy. Si la seule façon pour moi de continuer à la voir, c'est de l'aider à chercher son chien, je suis prête à passer par là. Mais je ne serai pas sa thérapeute dans le sens conventionnel du terme.

Me souvenant alors que le chèque froissé remis par Anya porte la signature de son frère, je précise :

— Et je ne facturerai pas mes interventions.

Je vois à présent qu'Henry m'écoute, qu'il écoute vraiment, mais qu'il n'est pas encore prêt à se radoucir tout à fait.

— J'ai appelé votre patron, le Dr Elliott, du service d'écoute et d'accompagnement au deuil du Philadelphia Hospital. Et j'ai parlé aussi avec une certaine Cheryl de la SPA de Philadelphie. Je n'avais pas envie d'envoyer ma sœur chez un charlatan. Ils m'ont assuré l'un et l'autre que vous étiez une des meilleures thérapeutes du deuil à qui ils aient jamais eu affaire. Pour eux, il ne faisait aucun doute que vous sauriez aider Anya.

Je sens mes joues s'embraser. Certes, entendre les témoignages de confiance de Greg et Cheryl me fait plaisir, mais ça me gêne aussi. S'ils voyaient à quel point j'ai changé depuis mon départ de Philadelphie ! Je ne suis pas sûre qu'ils recommanderaient aussi chaudement mes services s'ils savaient comment j'ai laissé le chagrin et la panique régenter ma vie depuis trois mois. Je me redresse un peu et attire Giselle contre moi. *Raison de plus pour prouver que je suis capable d'aider Anya. Je ferai d'une pierre deux coups et remettrai ma vie dans les rails en même temps que la sienne.*

— Je pensais donc avoir pris toutes les précautions nécessaires en arrangeant ce rendez-vous avec vous, reprend Henry d'un air sombre. Mais, si vous aidez Anya à chercher son chien, elle sera confortée dans l'idée qu'elle peut encore le retrouver. Cela fait un mois maintenant qu'il a disparu. *Un mois !* Billy ne reviendra pas, et il faut que ma sœur regarde la réalité en face. Je sais qu'elle y était très attachée, mais l'amour ne le lui ramènera pas. Il faut qu'elle entre dans le processus de deuil, bon sang. Je ne sais pas comment ça va finir, si elle continue de se voiler la face.

— Je ne suis pas forcément en désaccord avec vous. Le problème, c'est qu'Anya continuera de chercher Billy, avec ou sans moi. Et je ne crois pas qu'il soit bon pour elle de chercher seule. C'est inquiétant qu'une personne confrontée à la perte s'isole comme elle le fait.

Henry se passe la main dans les cheveux. Sa frustration est évidente.

— Mais ça va durer combien de temps ? Jusqu'à quand continuera-t-elle de chercher son chien partout ? N'est-ce pas la définition même de la folie : s'acharner, encore et toujours, dans l'attente d'un résultat qui se dérobe systématiquement ?

— Je pourrais vous répondre que c'est aussi la définition de l'espoir.

Il soupire.

— Vous ne connaissez pas Anya. Elle peut continuer comme ça pendant des années et elle va se désocialiser complètement. Elle n'a que dix-neuf ans, et son enfance n'a pas été facile. Elle se comporte peut-être comme une dure, mais elle est moins solide qu'il n'y paraît.

Lorsqu'elle est venue me voir, Anya a accusé son frère de vouloir « juste faire le grand ménage » avant de partir pour Los Angeles. Ce n'est pas l'impression qu'il me donne. Il est clair qu'Henry cherche à la protéger. Il me paraît rongé par une authentique inquiétude et peut-être aussi par une solide dose de culpabilité. Sa voix a perdu de son agressivité ; seule la tristesse surnage.

— Mais vous ne pouvez pas la forcer à faire — ou à cesser de faire — quoi que ce soit, n'est-ce pas ? Votre sœur me fait l'effet de quelqu'un qui a besoin de comprendre les choses par elle-même, de suivre sa propre voie. J'espère que vous me ferez confiance, Henry. J'essaie de l'aider.

Je regarde l'heure sur mon téléphone.

— Excusez-moi, mais je ne voudrais pas arriver en retard. J'aimerais qu'Anya sache qu'elle peut compter sur moi.

Henry hoche lentement la tête. Il paraît résigné et peut-être un tout petit peu moins soupçonneux qu'au premier abord.

— Allez-y. Je vous rejoins dans un moment.

— D'accord. C'est quel numéro d'appartement ?

— D'appartement ?… Non. C'est la maison de notre grand-mère. Anya vit chez elle depuis l'âge de sept ans, depuis le décès de nos parents. Elle ne vous a même pas dit ça ?

Henry me dévisage d'un œil sceptique, et je sens que je dégringole de nouveau dans son estime. Le peu de confiance qu'il pouvait avoir en moi est en train de fondre comme neige au soleil.

Je me penche pour caresser Giselle.

— Non. Elle ne me l'a pas dit. Pas encore.

Lorsque Anya vient m'ouvrir, elle ne me donne pas l'impression d'avoir fermé l'œil depuis la dernière fois que je l'ai vue. Ni d'avoir pris une douche, d'ailleurs. Des pinces mises n'importe comment empêchent ses cheveux gras de lui retomber sur le front. Ma boule de cristal intérieure affiche immédiatement un flot de désinfectant pour les mains, un récurage de mains à l'eau brûlante et une dose massive de vitamine C dans un futur très proche. Le point positif, c'est qu'elle a quand même changé de tenue et porte un immense sweat-shirt noir constellé d'accrocs au niveau du cou, sur un vieux jean qui a dû être noir dans une vie antérieure. Les énormes boots qu'elle a aux pieds sont les mêmes, en revanche. Pas idéal pour la pratique quotidienne de la marche.

— C'est qui, cette miss Chicos ? demande-t-elle en regardant Giselle.

Je note que son piercing nasal vert a été remplacé par un petit clou en argent qui paraît suffisamment pointu pour faire de sérieux dégâts.

— Je te présente Giselle. Elle appartient à une amie. J'espère que cela ne te dérange pas que je l'aie emmenée… Je peux te tutoyer ?

Anya avance sa main avec nonchalance, paume ouverte. Aussitôt, Giselle y place la patte. Comme si échanger des poignées de main avec des inconnues était une habitude.

— Salut, Giselle. T'es un chien sympa, toi, on dirait ?

C'est la première fois que j'entends Anya parler comme ça, d'une voix détendue, presque tendre.

— Super toilettage, ma chère, commente-t-elle, toujours en s'adressant à Giselle. Mais nous papoterons fashion un peu plus tard, si tu veux bien.

Elle recule d'un pas et ouvre la porte en grand pour nous laisser entrer. L'intérieur de la maison n'est pas en meilleur état que la façade. Au plafond, un énorme lustre en laiton et cristal oscille dangereusement lorsque Anya referme la porte. De petits tapis d'Orient aux bords élimés semblent avoir été jetés au hasard sur le vieux parquet gondolé. Est-ce qu'ils servent à dissimuler des trous ? Le long mur menant vers le fond de la maison a été colmaté par endroits, mais sans avoir été repeint. Des caillots de lait tourné semblent suinter de plaques d'enduit séché d'un blanc sale.

Sur la gauche, des moisissures sombres encadrent l'entrée d'une grande pièce qui devait à l'origine être un salon. On y distingue un lit médicalisé aux draps bien tirés — celui de la grand-mère, je suppose — dissimulant partiellement un canapé en brocart fané. La cheminée est encombrée de rangées de petits flacons de verre ambré pleins de médicaments.

Anya ferme précautionneusement la porte derrière moi. Il y a trois verrous, dont le métal argenté brillant détonne sur la vieille porte épaisse au panneau en vitrail monté au plomb.

Toutes ces serrures, me dis-je. *Et elle croit que quelqu'un a pu voler son chien.*

Je sors le chèque froissé de ma poche.

— J'aimerais te le rendre. Tu n'es pas restée toute la durée de la séance. Cela ne me paraît pas juste de l'encaisser.

Anya contemple le chèque un instant, hausse les épaules et le glisse dans la poche de son jean.

— Il va venir, au fait. Mon frère Henry.

— Ah bon ?

Elle hoche la tête.

— Clive est déjà là. Et Terrence doit nous rejoindre. Ils viennent tous prendre le petit déjeuner ici un dimanche sur deux. On allait se mettre à table.

Je suis surprise, mais, sans me laisser le temps de lui proposer de revenir plus tard, Anya désigne Giselle.

— Tu peux enlever sa laisse, si tu veux.

— Il vaut mieux qu'elle reste attachée.

C'est un peu bancal comme réponse, mais Giselle ne paraît pas mécontente de rester collée contre ma jambe. Lorsqu'elle lève les yeux vers moi d'un air réjoui, je me dis que cette expédition représente quand même une aventure pour cette chienne qui passe normalement ses journées allongée sur son coussin dans la cuisine de Lourdes. Mais au même moment une odeur arrive à mes narines — des arômes de nourriture vaguement déplaisants flottent jusqu'à nous depuis l'autre bout du couloir — et je comprends qu'elle est tout simplement en train de quémander à manger.

Les narines d'Anya frémissent.

— Oh, merde. Mes œufs qui crament.

Elle n'a pas l'air particulièrement inquiète.

— Viens, Maggie.

Lorsque nous franchissons les portes battantes au fond du couloir, le spectacle me prend tellement au dépourvu que j'en oublie de détourner les yeux. Toute la moitié ouest de San Francisco s'étale, encadrée par un trio de fenêtres, déployée telle une jupe de gitane formant un patchwork pailleté dans des tons de nacre, de mauve et de vert. La ville baigne dans la lumière dorée du petit matin ; un bout d'océan bleu apparaît, scintillant et frangé d'une écume blanche et sauvage. Au nord, la passerelle orange vif du Golden Gate enjambe la baie, majestueuse dans la lumière couleur de miel et d'ambre.

La vue de la cuisine de Lourdes est adoucie par les toits des maisons en contrebas, accrochées à flanc de colline — alors qu'ici le panorama est totalement dégagé, et j'ai l'impression d'être suspendue dans le ciel, sans le moindre appui. Le point de vue est étourdissant de beauté, et j'ai juste le temps de m'émerveiller une fraction de seconde avant que le vertige ne me frappe. Mon estomac se soulève, et le sol se dérobe. Je tombe à genoux, ferme les yeux et commence à compter mes respirations. J'en suis à trois lorsque je sens la truffe humide de Giselle sur ma joue et que je soulève les paupières.

Anya est aux fourneaux, occupée à remuer des œufs brouillés dans une poêle. Elle me tourne le dos et semble n'avoir rien remarqué. Je m'accroche à Giselle quelques secondes encore, le temps de reprendre mon souffle. C'est la première fois que le vertige me frappe avec une violence pareille, et je ne me sens pas vaillante. Lorsque mon cœur cesse de galoper comme un cheval de course, je me relève en me détournant des fenêtres et me force à dire quelque chose.

— Cette maison est extraordinaire.

Plutôt faiblard, le son de ma voix. Je toussote pour l'éclaircir, la main appuyée contre ma poitrine. Giselle s'ébroue en faisant tinter les plaques accrochées à son collier.

Anya tourne la tête par-dessus son épaule pour me regarder. A la lumière du jour, sa peau est presque translucide, et ses cernes sont si prononcés qu'on dirait qu'elle a les yeux au beurre noir. Elle embrasse la cuisine d'un regard rapide, et j'ai l'impression que cela fait très longtemps qu'elle n'a pas prêté attention à l'état des lieux. Elle esquisse une moitié de grimace, un semi-haussement d'épaules, et recommence à gratter le fond de sa poêle avec une spatule.

La cuisine, il faut l'avouer, est loin d'être *extraordinaire*. Les portes des placards pendent sur des gonds cassés, et le vieux plan de travail carrelé se fendille un peu partout. Les joints entre les carreaux sont mouchetés de petites taches sombres qui ressemblent à s'y méprendre à de la moisissure. Quoi qu'il en soit, champignons ou pourriture, le terrain me semble fécond pour la génération spontanée de toutes sortes de micro-organismes redoutables. Je commence à me demander s'il est bien raisonnable de consommer un aliment sortant de cette cuisine.

Délabrée ou non, une propriété comme celle-ci, avec son vaste terrain et une vue pareille, doit valoir des millions de dollars.

J'avise toute une série de toiles non encadrées accrochées aux murs, de belles vues de la ville peintes dans des couleurs vibrantes. En voici une qui reproduit la perspective depuis une des fenêtres de la cuisine. L'épais banc de brouillard bleu-gris posé sur l'océan y paraît aussi concret et immuable que la chaîne de montagnes, au loin.

— C'est toi qui as peint ces toiles, Anya ?

Elle tourne de nouveau la tête dans ma direction.

— Pas moi, non. Toutes ces toiles sont de Rosie, ma grand-mère. Il n'y a pas longtemps qu'elle a arrêté de peindre. A cause de l'arthrose. Mais elle dit qu'elle continue de faire des tableaux dans sa tête et que c'est là que sont ses plus belles œuvres, de toute façon. Ces toiles, au mur, elle dit que ce ne sont que des « traductions médiocres ».

De la pointe de sa spatule, Anya désigne la toile au banc de brouillard.

— Celui-là, c'est « Traduction médiocre n° 204 » par exemple.

Elle reporte son attention sur la poêle et, sans grande conviction, donne un dernier coup de spatule.

— Ce mélange ne me paraît pas très… Enfin, bon, peu importe.

Elle coupe le gaz et prend la poêle.

— Allez viens, je vais te présenter tout le monde.

Elle sort de la cuisine en franchissant d'autres portes battantes donnant sur une salle à manger. Je lui emboîte le pas, soulagée de mettre un peu de distance entre moi et ce panorama. Tout au bout d'une longue table, une dame âgée est assise dans un fauteuil roulant. Ses longs cheveux blancs tombent librement sur ses épaules. Elle est très belle malgré son apparente fragilité, et il émane d'elle une sorte de majesté, dans le genre « déesse mère de la terre ». Elle porte une longue robe droite en batik qui lui descend jusqu'aux chevilles. Dès mon entrée, ses yeux noirs cherchent les miens. Elle est flanquée d'un côté d'une femme corpulente d'âge moyen et à l'expression morose, et de l'autre d'un homme blond, aux épaules carrées, beau et conscient de l'être, type acteur à succès.

Anya me présente à la cantonade.

— Bon, vous tous… Voici Maggie Brennan.

— Bonjour, dis-je.

L'homme blond au regard froid lève un sourcil en découvrant Giselle.

— C'est quoi *ça* ?

Anya hausse les épaules.

— Arrête, Clive. C'est juste un caniche.

— C'est une chienne, et elle s'appelle Giselle. Je lui fais faire un peu d'exercice pour rendre service à une amie.

Giselle lève les yeux vers moi comme pour demander : « Tu appelles ça faire de l'exercice, toi ? » Je pose la main sur sa tête pendant qu'Anya poursuit ses présentations.

— Maggie, voici mon frère Clive.

Clive me salue d'un petit signe de tête sans prendre la peine de se lever. Son regard exprime un amusement hautain.

— Et voici ma grand-mère, Rosie, et son infirmière, June.

Je m'avance pour tendre la main à Rosie.

— Enchantée, madame. Merci de m'accueillir chez vous.

Je m'attends à trouver sa main fragile, mais elle est plutôt potelée et chaude. Elle me rappelle celle de la petite Gabby, la plus jeune fille de Lourdes.

— Tout le plaisir est pour moi.

Sa voix est claire et forte, mais son bras retombe sur ses genoux dès que je lui lâche la main, comme si elle avait épuisé sa faible réserve d'énergie en la soulevant pour serrer la mienne.

Pendant que j'échange les politesses d'usage avec l'infirmière, Rosie est secouée par une quinte de toux au son mouillé, ronflant, qui résonne dans toute la pièce. Lorsque la quinte se calme, elle m'adresse un petit sourire comique.

— Je vais bien *là-dedans*, dit-elle en levant une main tremblante pour se tapoter le front.

De nouveau, son bras retombe lourdement. June lui murmure quelque chose à l'oreille. Elle ferme les yeux, et je me demande si elle s'est endormie.

Henry surgit alors par une porte au fond de la pièce.

— Bonjour, tout le monde !

Lorsqu'il se penche pour embrasser sa grand-mère sur la joue, elle sourit sans ouvrir les yeux.

— Henry, voici Maggie Brennan, annonce Anya. Mais je pense que vous vous connaissez déjà, tous les deux.

Henry se tourne vers moi.

— Nous nous serions déjà rencontrés ?... Non, je ne crois pas, se hâte-t-il de répondre.

— *Maggie Brennan*, répète Anya avec impatience. La psy que tu m'as forcée à aller voir. Vous avez échangé des mails.

— Ah, d'accord. Oui, bien sûr. Nous nous sommes rencontrés par écrit, en effet. Bonjour, Maggie.

Il me serre la main, mais ne la garde guère plus longtemps dans la sienne que dehors, tout à l'heure.

Clive repose bruyamment sa tasse de café sur la table.

— Et le Prince ? Qu'est-ce qu'il fabrique encore ?

— Il parle de notre autre frère, Terrence, précise Henry à mon intention. Il est toujours en retard. Je vote pour qu'on commence sans lui.

Anya hausse les épaules en signe d'indifférence et repart côté cuisine en faisant claquer ses godillots. Me retrouvant plantée là au milieu d'inconnus pas spécialement bienveillants, j'hésite à lui emboîter le pas.

— Tu veux un coup de main, Anya ?

— Oui, répond-elle sans se retourner. Tu peux m'aider à trouver Billy.

Je suis incapable de déterminer si elle veut me donner du fil à retordre ou si c'est juste une façon simple et sans détour de répondre à ma question. Je sens mes joues s'empourprer.

— Je voulais dire dans la cuisine.

Mais Anya a déjà disparu.

Je surprends dans le regard de June, l'infirmière de Rosie, posé sur moi, une pointe de commisération. Elle se lève et lisse du plat de la main son uniforme bleu marine.

— Bon. Je vais faire ma promenade.

Elle jette un coup d'œil à Rosie qui semble endormie.

— Je garde mon portable allumé si vous avez besoin de moi.

— Je suis certain que tout ira bien, lui assure Henry. Merci, June.

Henry m'offre une chaise et prend place entre Rosie et moi. Après un silence que personne ne semble pressé de rompre, Anya pousse les portes battantes et entre avec un plateau chargé de toasts, de divers pots de confiture et d'un beurrier. Elle pose le tout à côté de moi et repart sans un mot dans la cuisine.

Les paupières de Rosie se soulèvent au moment où les portes se referment.

— Je ne saurais trop vous conseiller de bien vous caler

l'appétit avec les toasts, mon petit, me glisse-t-elle tout bas, les yeux sombres pétillants d'humour.

Clive jette un regard en coin à sa grand-mère et se met à rire.

Je me sers en pain et en confiture, puis je passe le plateau à Henry et me penche pour caresser Giselle. Elle est allongée à mes pieds, mais sa tête reste dressée et son attention est en éveil, comme si elle s'efforçait elle aussi de démêler l'écheveau de tensions qui s'entremêlent dans cette famille. Je coince sa laisse sous ma cuisse.

— Vous paraissez bien jeune pour être médecin, observe Clive.

Il étale méticuleusement la confiture sur sa tartine et parle sans lever les yeux de son assiette.

— Je ne suis pas médecin mais psychothérapeute. J'ai ouvert un cabinet ici, à San Francisco, où je propose un accompagnement aux personnes en deuil de leur animal de compagnie.

Le ricanement qu'émet Clive dit clairement qu'en ce qui le concerne je pourrais tout aussi bien gagner ma vie en gonflant des ballons à l'hélium.

— Mais je ne suis pas ici en qualité de thérapeute. C'est juste une visite amicale.

Les portes de la cuisine claquent de nouveau, et Anya resurgit avec un second plat sur lequel elle a disposé ses œufs brouillés, à présent saupoudrés d'herbes de Provence. Elle s'approche de moi pour que je puisse me servir.

Clive m'observe du coin de l'œil, sourcil levé. Henry aussi a le regard rivé sur moi. Même Rosie s'est penchée légèrement en avant dans son fauteuil.

Au moment où je prends une cuillerée du mélange pour la déposer sur mon assiette, je m'aperçois que les petites taches sombres ne sont pas des aromates. Je me demande si ce sont des morceaux d'œufs carbonisés ou si le revêtement de la vieille poêle antiadhésive est en voie de délitement.

Je lève les yeux vers Anya.

— C'est toujours toi qui prépares ces petits déjeuners en famille ?

De l'autre côté de la table, Clive frissonne ostensiblement.

— Non, heureusement.

Anya lui passe le plat.

— Ils détestent ma cuisine, tous.

— Ta cuisine est très bien, intervient Henry. Tu connais Clive. Il ne peut pas s'empêcher de te faire bisquer.

Je lève une fourchetée pleine.

— Ça a l'air très bon.

Anya hausse les épaules et détourne les yeux. Je profite de ce moment d'inattention pour reposer ma fourchette sans l'avoir portée à mes lèvres. Giselle lève la truffe, hume délicatement l'air, puis détourne la tête en évitant de croiser mon regard. D'un geste brusque, Anya tire la chaise à côté de la mienne et s'assoit. La pièce se remplit du son des couteaux raclant le beurre sur les toasts.

— Maggie va m'aider à trouver Billie, annonce Anya.

Je me hâte d'avaler une bouchée.

— Nous allons chercher, en tout cas.

— Billy ? Mais qui est-ce donc ? demande Clive, son couteau dégoulinant de gelée de groseille en suspens au-dessus de son assiette.

Anya ne répond pas. Son assiette est vide. Henry fronce les sourcils.

— Ce n'est pas drôle, Clive.

— Billy ? murmure Rosie d'une voix ensommeillée. Où est-il ?

Henry se tourne vers sa grand-mère.

— Tu t'en souviens, n'est-ce pas ? Il s'est sauvé le mois dernier. Il est parti.

— Il ne s'est pas sauvé, marmonne Anya.

Henry s'adresse à sa sœur.

— Cela fait un mois qu'il est parti, lui fait-il remarquer avec douceur mais insistance.

Rosie renverse la tête sur le coussin glissé derrière sa nuque et scrute sa petite-fille.

— Eh bien, voilà qui prouve ce que j'ai toujours suspecté : Billy est le membre le plus intelligent de la famille. Lorsque le virus de la bougeotte frappe, il ne faut jamais chercher à lui résister.

Anya semble sur le point de répondre, mais des voix s'élèvent dans la cuisine, et notre compagnie s'enrichit de deux nouveaux éléments masculins. Giselle bondit, et j'attrape sa laisse juste à temps pour éviter qu'elle ne bondisse vers les nouveaux venus.

— *Je suis en r'tard, en r'tard, en r'tard !* chantonne l'aîné des deux hommes sur l'air du lapin blanc d'Alice au pays des merveilles.

Comme Clive, il est grand et blond, mais, contrairement au frère d'Anya qui semble être taillé dans un bloc de pierre, cet homme-là paraît avoir été moulé dans une argile plutôt molle. Son visage grassouillet se distingue essentiellement par une grosse moustache blonde et hérissée.

— En arrivant, je suis tombé sur Huan, claironne-t-il gaiement en tapant sur l'épaule de son jeune compagnon.

Son expression se fige et sa voix se perd dans un murmure lorsqu'il s'aperçoit soudain de ma présence.

— Terrence et Huan…, annonce machinalement Anya en les regardant à peine. Maggie Brennan.

— Brennan ? répète Terrence.

Il tourne un regard interrogateur vers Henry.

— C'est la chuchoteuse ? La femme qui murmure à l'oreille des chiens ?

Je ris.

— Psychothérapeute spécialiste du deuil animalier. Tous mes patients marchent sur deux pattes.

Comme pour prouver le contraire, Giselle agite la queue et envoie valser ma fourchette qui atterrit par terre avec fracas.

Terrence ouvre de grands yeux et regarde le caniche avec un sourire perplexe. Huan ramasse ma fourchette et me la rend en riant. Il a des cheveux noirs hirsutes, un visage ouvert et plaisant. Je pense qu'il doit avoir une dizaine d'années de moins que moi et qu'il est plus près de l'âge d'Anya que du mien.

— Salut ! Je suis le voisin, se présente-t-il. Enchanté.

C'est le premier accueil franc, amical et authentique que je reçois de la matinée. Huan me paraît immédiatement sympathique.

Terrence semble se remettre de l'étonnement que lui a causé ma présence et me serre chaleureusement la main.

— Je vous prie de m'excuser pour mon retard.

Clive m'explique que Terrence est propriétaire d'une chaîne de magasins de matelas baptisée Mattress Kingdom, avant de préciser, pince-sans-rire :

— En bref, Terrence est un homme occupé… beaucoup trop pour regarder une montre.

Terrence ne fait aucun cas du sarcasme fraternel.

— Vous avez déjà entendu parler de nous ? me demande-t-il avec empressement. Je suis sûr que vous avez au moins vu notre pub à la TV.

— Bien sûr qu'elle a vu ta pub, ricane Clive.

Je reste évasive.

— Le nom me dit quelque chose…

Je suis certaine de n'avoir jamais entendu parler de Mattress Kingdom de ma vie. Le sourire de Terrence s'estompe. Il a l'air déçu.

— « Dormez d'un sommeil royal », ça vous parle ?

Clive secoue la tête.

— Terrence, laisse à notre invitée un moment pour respirer avant de lui faire des propositions.

Terrence rougit et regarde à peine en direction de son frère.

— C'est notre slogan publicitaire.

— En fait, je ne vis pas ici depuis très longtemps, dis-je. Je suis de la côte Est.

Le visage de Terrence s'éclaire.

— Vous êtes nouvelle à San Francisco ! Si vous avez besoin d'un bon matelas...

Il sort une carte de visite de sa poche et me la tend.

— Nous avons un magasin en ville et l'année dernière nous en avons ouvert deux autres à...

Clive l'interrompt.

— Terrence... Arrête. Dès qu'il est question de tes matelas, tu es comme un chien accroché à son os.

Il me regarde avec un sourire presque forcé.

— Le chien et l'os, c'était en votre honneur, Maggie. Une pointe d'humour teinté de deuil animalier.

— Hilarant, commente Anya.

Sans se laisser distraire, Terrence poursuit à mon intention :

— Quoi qu'il en soit, n'hésitez pas à composer le numéro. Et demandez à me parler personnellement, je vous ferai un prix. Comme je le dis toujours : bien dormir, c'est le début de la santé.

— Merci, Terrence.

Au bout de trois mois d'insomnie tenace, je serais prête à tenter n'importe quoi pour passer une nuit correcte. Je glisse sa carte dans ma poche.

La veine humoristique de Clive est apparemment épuisée. Ses mots se font plus incisifs.

— Maintenant, si nos deux retardataires veulent bien se donner la peine de s'asseoir parmi nous, je pourrais peut-être faire autre chose de mon dimanche que de le passer à la table du petit déjeuner.

Huan semble hésiter à s'asseoir.

— Il y a assez à manger pour tout le monde ? Je ne voudrais pas m'imposer.

Rosie hausse un sourcil — un seul — avec art.

— C'est Anya qui a cuisiné ce matin.

— En d'autres termes, nous ne demandons qu'à partager, ajoute Clive.

Anya croise les bras sur sa poitrine.

— Oh ! ça va, c'est bon. Et vous deux, asseyez-vous !

Huan rougit et prend la chaise restée libre à côté d'Anya. Terrence se laisse tomber lourdement entre Clive et Huan.

— Terrence, voyons ! proteste Rosie de l'autre bout de la table. Tu es assis à ma place !

Ecarlate, Terrence se relève d'un bond. Rosie éclate de rire.

— Je te taquine, voyons. Quand m'as-tu vue pour la dernière fois posée ailleurs que dans ce fichu fauteuil roulant ?

Elle se dévisse le cou et balaie la table des yeux jusqu'à capter mon regard. Elle m'adresse un clin d'œil.

— Terrence prend toujours tout très au sérieux, m'explique-t-elle, comme si elle et moi étions les deux seules personnes présentes dans la pièce.

Je lui souris, et Clive marmonne :

— Ce n'est pas plus mal, d'ailleurs. Comme ça, au moins, il te respecte.

L'attention de Rosie est toujours fixée sur moi. Je ne suis pas sûre qu'elle ait entendu.

Assise au beau milieu de cette tablée inconfortable, je ne peux que me demander pourquoi Anya m'a invitée aujourd'hui et dans ces circonstances un peu particulières. Elle doit avoir ses raisons, et je décide de me cantonner à l'activité qui me réussit le mieux : l'écoute.

Henry s'adresse à Terrence.

— Laura et les filles ne sont pas venues ce matin ?

— Ces dames sont au centre commercial.

Terrence mord bruyamment dans son toast et en deux

bouchées se retrouve avec une moustache luisante de beurre. Il me fait penser à un morse de dessin animé. Dans la série des frères Ravenhurst, je crois que ça pourrait être le plus sympa du lot. Je préfère de loin son sérieux à la méfiance d'Henry et à la dérision de Clive.

Ce dernier prélève une cuillerée d'œufs brouillés et l'examine en faisant tourner le contenu sous la lumière. La substance spongieuse et mouchetée de particules suspectes choit dans son assiette.

— Dis-moi, Anya, qu'est-ce qu'ils t'apprennent comme trucs étranges, à ce cours d'art culinaire que tu suis au City College ?

— Ce sont des cours de *photographie,* débile ! Je n'y vais plus, de toute façon.

— Tu as arrêté ta formation ? se récrie Henry. Depuis quand ?

Anya regarde fixement l'appareil photo tatoué sur le dos de sa main et ne répond pas. Je me souviens qu'elle m'a dit qu'elle ne photographiait plus. Quel effet cela fait-il de renoncer à une pratique artistique que l'on aime et d'en avoir un rappel sous les yeux pour le restant de ses jours ?

Rosie porte un doigt pâle à sa tempe en regardant sa petite-fille.

— Tant que tu continues à mitrailler dans ta tête...

Un léger sourire effleure un instant les lèvres d'Anya, et ses épaules crispées se détendent légèrement.

Terrence se tourne vers moi.

— Vous aidez Anya à chercher Billy ?

J'ouvre la bouche pour répondre, mais Clive ne m'en laisse pas le temps.

— Anya, je croyais que tu disais qu'on l'avait *volé,* ton Billy. Qu'il avait été kidnappé par un de ces redoutables saligauds qui parcourent la ville à la recherche de vieux chiens bâtards à faucher. Il paraît d'ailleurs que le phénomène prend des proportions épidémiques. L'affaire fait la une du *San Francisco Chronicle* chaque semaine. « Encore un corniaud galeux enlevé par une bande criminelle organisée ! » « Les associations de protection des animaux paralysées par la terreur ! »

Je sens des ondes de colère émaner d'Anya.

— Tu peux ricaner, mais je sais que quelqu'un l'a bel et bien fauché, figure-toi.

Ses doigts maigres aux ongles rongés jusqu'au sang se déploient sur la nappe devant elle, et j'ai l'impression qu'elle est sur le point de se jeter sur son frère, de l'autre côté de la table.

— Un putain de *connard* a piqué mon chien. Et, quand je découvrirai qui est le salaud qui a fait ça, je lui arracherai son cœur de pourri et le lui aplatirai à coups de talon.

En guise d'illustration elle balance une jambe sur la table, abattant une grosse botte noire sur la nappe. Une petite plaque de boue séchée se détache sous le choc et atterrit à moins de deux centimètres de mon assiette.

Personne ne pipe mot.

Je suis fille unique, je n'ai donc aucune expérience de ces échanges de vacheries semi-humoristiques qui semblent être la norme entre Clive et Anya, mais je sais que chaque famille a ses particularités. Je balaie l'assemblée du regard et essaie de sonder les expressions pour voir dans quelle mesure le coup de gueule d'Anya entre ou non dans la catégorie « normalité familiale ». Clive mord joyeusement dans sa tartine. Henry le regarde d'un œil désapprobateur pendant que Terrence guette l'expression de leur grand-mère qui, elle-même, observe Anya, le front plissé. Huan a les yeux rivés sur son assiette et semble totalement pétrifié.

Terrence tente de raisonner sa sœur.

— Anya… Ton comportement… Il faut que tu te maîtrises quand même un minimum…

— Ce serait plus facile pour elle si Clive arrêtait de la harceler, s'emporte Henry.

Clive émet un son railleur.

— Elle sait que je dis ça pour rire... Depuis quand es-tu devenue aussi susceptible, Anya ?

Anya retire sa chaussure de la table.

— Waouh, Clive... Quelles touchantes excuses !

Le rouge de la colère s'est retiré de ses joues, et je perçois même une pointe de chaleur dans sa voix. Je suis sidérée de voir avec quelle rapidité elle est capable de passer de la rage au sarcasme.

Si je ne fais pas très attention, je vais sortir d'ici non seulement avec une intoxication alimentaire, mais en plus victime d'un coup du lapin.

Clive pousse le plat d'œufs brouillés vers l'autre bout de la table.

— Hé, Huan. Sers-toi.

Huan pose un regard circonspect sur la masse brun-jaune mouchetée de noir. Lentement, avec précaution, il dépose une cuillerée sur son assiette. Il goûte une bouchée, prend un air abattu et se tourne vers Anya.

— Ils sont vraiment très bons, tes œufs brouillés, annonce-t-il d'un ton solennel.

Clive et Rosie éclatent de rire. Même Henry lutte pour garder son sérieux. En le voyant enfin déridé, je m'aperçois qu'il est finalement plutôt pas mal, cet homme. Pas beau façon tape-à-l'œil et manucuré comme l'était John, mon ex qui n'aimait pas les chiens. Beau d'une manière plus subtile et pensive. Il me surprend à le regarder, et je sens mes joues s'empourprer.

— Merci, *Huan,* lance Anya d'une voix forte en repoussant sa propre assiette vide. Et les autres, vous pouvez tous aller vous faire voir.

Elle se lève et me fait signe de la suivre.

— Tu viens ? On va chercher Billy.

7

En quittant la salle à manger avec Anya, je me sens étonnamment requinquée. Toutes ces joutes verbales, ces courants sous-marins de rage et d'amour qui bouillonnent soudain vers la surface avec la brusque fugacité d'un geyser — c'est le rêve pour un psychothérapeute, il faut le reconnaître. Et de l'action comme je n'en ai plus vu depuis des mois. Mon euphorie retombe cependant très vite, dès que nous nous retrouvons dans la rue. Anya m'annonce que nous nous dirigeons vers le parc Buena Vista. Nous n'avons même pas encore parcouru un pâté de maisons que je cherche la Sutro Tower des yeux. A sa vue, je tangue déjà un peu moins.

Anya arpente le trottoir à grande vitesse et darde son regard dans toutes les directions, fouillant chaque allée, chaque coin de jardin devant lesquels nous passons. Pour une personne aussi menue, elle fait beaucoup de bruit avec ses grosses bottes qui résonnent à chaque pas. Un froissement de feuilles dans une haie lui fait tourner brusquement la tête, mais ce n'est qu'un merle noir qui se pose sur le trottoir et sautille devant nous. Giselle bondit gaiement dans sa direction, et l'oiseau s'envole en poussant un cri d'alerte.

Je me risque à questionner la jeune fille.

— Alors ? Ça va comment depuis la dernière fois ?

Elle hausse les épaules.

— Mon boss m'a interdit de revenir travailler.

C'est à peine si elle me regarde en parlant ; elle est trop occupée à chercher son chien des yeux.

— Tu as perdu ton boulot ?

— Ça en a tout l'air, ouais… Parce que j'ai dit à un client qu'il avait des goûts de merde. C'était juste vrai, hein ! Faut voir le cadre qu'il avait choisi… Mais j'ai bien compris que ce n'était pas la meilleure remarque à faire à un client. Puisque je travaille dans un magasin qui a des cadres moches en rayon, de quel droit j'engueule un type parce qu'il prend un article qu'on propose à la vente ? Ça n'a pas été un de mes moments les plus glorieux. Mais pas le pire non plus. Juste la goutte d'eau qui a fait déborder le vase. En tout cas, c'est ce que Ray, mon patron, a dit. Il est plutôt sympa, remarque. Il me garde la place pour quand ça ira mieux. C'est un peu comme si j'étais en liberté conditionnelle.

En une demi-matinée, j'ai appris un certain nombre de choses sur Anya : qu'elle a dix-neuf ans, un ex-emploi temporaire dans une boutique d'encadrement et qu'elle a interrompu ses études de photographie au City College. Je me demande si elle suit d'autres cours par ailleurs, mais quelque chose me dit que non. A-t-elle des amis ? Difficile de l'imaginer détendue, à rire et à prendre du bon temps. Comment était-elle avant de perdre Billy ? A quel point la personne que je rencontre aujourd'hui est-elle différente de celle qu'elle était il y a un mois ?

Nous nous immobilisons à une intersection pour laisser passer une voiture. Giselle s'assoit, la tête penchée sur le côté, et attend sagement. Les cours de dressage que Lourdes lui a fait suivre lorsqu'elle était chiot ont porté leurs fruits.

— Je pense qu'elle doit être assez photogénique, commente Anya en la regardant. Les chiens sombres, c'est beaucoup plus dur à photographier que les clairs. Souvent, ça ne donne pas grand-chose, et on ne voit qu'une masse sans relief. Giselle a une couleur qui rendrait bien, en photo. Et sa texture de poil est sympa aussi.

Il me semble voir Giselle se rengorger. Son pas me paraît plus dansant lorsque nous traversons la chaussée. Ses oreilles bouffantes s'élèvent et retombent gracieusement au rythme de la marche ; on dirait qu'elle passe une audition pour décrocher le premier rôle dans une pub pour shampoing canin.

J'échange un regard avec Anya.

— Tu pourrais peut-être la prendre en photo un de ces quatre ?

Elle hausse les épaules sans répondre. Je décide de ne pas insister et me contente de laisser tomber une observation :

— Je trouve qu'elle ressemble à Julia Child. Tu sais, la chef qui faisait les premières émissions culinaires ? Même genre de permanente.

Elle regarde Giselle qui lève les yeux vers elle.

— C'est vrai, admet Anya.

Et ses lèvres esquissent leur espèce de demi-sourire.

Je suis aussi fière que si j'avais gagné au Loto.

Nous entrons dans le parc Buena Vista. Pour détourner mes pensées du fait que nous sommes dans un parc qui s'appelle « belle *vue* » et que nous empruntons un chemin à la montée qui me conduira immanquablement au genre de panorama qui me transforme en gélatine visqueuse, je demande à Anya si elle photographie aussi les gens ou juste les chiens.

— Je photographie tout. Mais je préfère les chiens.

Nous nous élevons vers le sommet de la colline entre deux rangées de cyprès. L'air est humide, plaisant et sent la terre. Très occasionnellement, je détourne les yeux du dos de Giselle et j'aperçois les flèches d'une église orangée au loin, vers le nord, ainsi que la baie et les vertes montagnes de Marin au-delà. Chaque fois, mon pouls accélère désagréablement, et je baisse de nouveau les yeux vers Giselle.

Il y a tant de questions que j'aimerais poser à Anya — au

sujet de la mort de ses parents, de sa relation avec sa grand-mère ainsi qu'avec chacun de ses trois frères. Je voudrais lui parler de Billy et de sa disparition. Mais je sens qu'il ne faut pas la brusquer et je lui laisse le soin de déterminer elle-même le cours qu'elle veut donner à notre conversation. Hors de question de risquer de me faire repousser avant d'avoir eu une chance de lui apporter mon aide.

A mi-chemin du sommet, Anya quitte soudain le sentier pour scruter la pente boisée au-dessous d'elle.

— *Billllllllyyyyyyyy!* hurle-t-elle.

Sa voix perçante me poignarde le cœur. Un pic à glace d'angoisse, de désolation et de peur.

Je me précipite à son côté, le cœur battant à tout rompre. Je m'attends à voir son chien. Ou plutôt, compte tenu du désespoir dans le cri d'Anya, à découvrir le corps sans vie de son Billy, quelque part au milieu de la végétation dense qui s'étale à nos pieds. Mais je ne vois rien du tout. Le parc, sillonné d'un réseau de chemins déserts, est calme et silencieux. Impossible d'effacer de mes oreilles le son terrifiant du hurlement d'Anya.

Lorsqu'elle finit par me regarder, son visage affiche une improbable tranquillité.

— C'est un truc que je fais de temps en temps. Genre cri primal. C'est thérapeutique et ça m'évite de bouffer des médicaments.

Avant que je puisse répondre, elle se détourne et repart à grands pas lourds vers le sommet de la colline. Je me dépêche de la suivre, encore secouée par son cri.

La lumière du soleil filtrée par les frondaisons se projette entre les flaques d'ombre, dessinant des images en négatif, comme autant de tests de Rorschach géants tout au long de la pente. Comme nous approchons du sommet du parc, je demande à Anya si ça l'ennuie que son patron ne veuille plus la voir pour le moment.

Elle hausse les épaules.

— En fait, ça m'arrange. Je ne peux pas me concentrer sur autre chose que sur Billy, et ça me rendait folle d'être enfermée là-dedans. Je sentais que j'allais exploser. Je pense qu'on peut dire que *j'ai* explosé, d'une certaine façon. Et, comme ma grand-mère m'héberge gratuitement, je peux me passer de salaire pendant quelque temps. Je suppose que c'est le côté positif d'une vie sans objectifs bien arrêtés. Elle ne revient pas cher… Surtout quand on a une psy gratuite, ajoute-t-elle en me jetant un regard en coin.

— N'oublie pas que je ne suis pas ta thérapeute.

— Alors pourquoi l'interrogatoire ?

— On discute, c'est tout. Comme des amies.

Je lui souris, mais elle baisse les yeux sur Giselle.

— Tu ne lui enlèves pas sa laisse ?

Aïe. Mauvaise question. Je sors la première excuse qui me passe par la tête.

— C'est un chien de thérapie, en fait. Ou, en tout cas, elle va le devenir. Je la dresse pour ça.

Les mensonges m'ont toujours laissé un goût métallique dans la bouche. Le regard d'Anya se fait scrutateur.

— Je croyais que tu l'emmenais pour lui faire faire de l'exercice.

— C'est vrai aussi.

Le goût métallique se propage de ma langue à mon palais.

— Marcher en laisse fait partie du dressage. Cela favorise sa concentration.

Anya m'observe, les yeux plissés, la tête penchée sur le côté.

— Tu es étrange, finit-elle par décréter.

Son verdict aurait peut-être dû me perturber, mais je perçois une note de surprise dans sa voix et quelque chose comme de la chaleur dans son regard. Et je me surprends à sourire.

— Ne le sommes-nous pas tous ?

Anya hausse les épaules.

— Je ne sais pas. En tout cas, moi, le bizarre, je ne suis pas contre.

Quelques minutes plus tard, nous atteignons le point culminant qui se résume à une petite surface circulaire plate et couverte d'herbe. Je n'ai pas besoin de me pencher pour savoir que nous dominons la ville d'assez haut. *Ne regarde pas... Il suffit de ne pas regarder, et tout se passera bien.* C'est la litanie que je me chantonne intérieurement. Je me débrouille plutôt bien pour garder les yeux rivés au sol, jusqu'au moment où Anya s'avance vers le bord de la surface herbeuse et lâche de nouveau un de ses hurlements à glacer les sangs. Mon premier réflexe est de tourner la tête vers elle. Au-delà de la voûte constituée par les arbres, je vois une bonne partie du centre-ville, le fin trait métallique formé par le pont suspendu de Bay Bridge au-dessus des eaux scintillantes, les courbes brumeuses des collines d'Oakland dans le lointain. L'ensemble brille, vibre, cligne, envoie des reflets et m'éblouit jusqu'à l'aveuglement. Tout cela forme un improbable mélange, un grouillement incessant où nature et cité, végétal et béton se bousculent, se repoussent et s'étreignent.

La panique me met à genoux. Mon cœur se tord, n'est plus qu'une boule de douleur pure dans ma poitrine. Ma gorge se serre, et mon souffle doit se frayer un chemin à travers le chas d'une aiguille. Je tends la main à l'aveuglette, cherche Giselle. Agrippant sa fourrure, je compte mes respirations — ou du moins le passage saccadé du faible filet d'air qui en tient lieu.

Une.

Deux.

Trois.

— Ça va ?

Anya se dresse au-dessus de moi. Je fais oui de la tête, mais les mots restent coincés dans ma gorge. Même à travers le brouillard de la panique, je me sens humiliée, je brûle de honte. Où est passée la femme que j'étais ? Pourquoi suis-je incapable de maîtriser mon angoisse ? J'ai peur à la fois de tout et de rien, et quand j'essaie de mettre le doigt sur ce qui m'arrive mes pensées rationnelles s'évanouissent.

De nous deux, c'est moi qui suis censée être la figure forte. Et je ne suis même pas capable de tenir debout sur mes jambes.

Anya s'assoit à côté de moi et sort une bouteille de son sac.

— Tiens, c'est de l'eau.

Mes mains tremblent, je n'arrive pas à la déboucher. Anya me la reprend, dévisse le bouchon et me la rend. Je bois une gorgée, ferme les yeux et me concentre sur le chemin que nous avons emprunté en montant. J'essaie de dessiner une carte dans ma tête et de tracer une ligne imaginaire qui relie l'endroit où je me trouve, exposé aux quatre vents, et mon petit appartement, délimité et protégé. La panique reflue, se retire de ma poitrine, comme un ballon de baudruche qui aurait été sur le point d'éclater, mais qui relâche petit à petit l'air qu'il contient.

Anya regarde droit devant elle. Son visage est sombre.

— Quand je grimpe au sommet de cette colline, j'ai toujours la certitude tripale que Billy sera là. Chaque fois, ça me le refait.

Je tourne la tête vers elle et m'attends à un commentaire sur le fait que je suis tremblante, muette et que je respire comme un soufflet de forge. Mais elle se contente d'ajouter, les yeux perdus dans le vague :

— Il adore ce parc.

Au bout d'un petit moment, je me sens assez bien pour reprendre la parole.

— Mon chien, Toby...

Je m'éclaircis la voix.

— Il aurait aimé ce parc aussi.

Elle jette un œil dans ma direction.

— Il est mort de quoi ?

— Cancer.

— Désolée.

Je la remercie de son empathie d'un signe de tête.

Anya se lève et frappe le sol avec son énorme botte.

— Bon, qu'est-ce qu'on fait ? On rentre ?

Je me remets sur pied à mon tour, toujours un peu secouée mais plus gênée qu'autre chose, à présent. C'est à peine si je parviens à soutenir le regard d'Anya. Nous nous engageons dans la descente et écoutons le bruit de nos pas et le son joyeux des sauts et des bonds de Giselle. J'attends qu'Anya me questionne sur ce qui m'est arrivé tout à l'heure, mais elle marche sans rien dire à côté de moi.

En sortant du parc Buena Vista, je cherche la Sutro Tower des yeux, et la vue de l'antenne me rassure.

— Pourquoi m'as-tu fait rencontrer ta famille ce matin, Anya ?

Elle hausse les épaules.

— Je crois que j'avais envie que tu voies contre quoi je me bats. Ils me traitent tous comme si j'étais malade de la tête. Enfin, pas Rosie. Mais mes frères proclament à l'unanimité que je suis folle de penser que quelqu'un a volé Billy.

— Je ne considère absolument pas que tu es folle, dis-je par mesure de précaution, en songeant à la crise de rage qu'elle a faite au petit déjeuner. Mais j'aimerais savoir ce qui te fait penser qu'il a été kidnappé.

— Je t'ai déjà dit que même si le portail était resté grand ouvert, Billy ne se serait pas sauvé. Personne jusqu'ici n'a eu une explication convaincante à proposer. Donc, pour moi, il a été volé.

Comme j'ai peur d'être intrusive, je me contente de hocher la tête. Et c'est Anya qui, après un temps de silence, raconte d'elle-même :

— Je n'avais pas beaucoup d'amis quand j'étais au lycée. Je passais presque tout mon temps en salle d'arts visuels où on avait une chambre noire à disposition. J'avais pris l'option

120

photo en seconde et j'étais accro. Le prof, M. Lane, m'autorisait à l'utiliser autant que je voulais. Alors, les jours où il faisait beau, je rentrais chez moi après la fin des cours et je récupérais Billy pour l'emmener au lycée. Pendant que j'étais au labo, je l'attachais à un arbre juste devant la salle de cours, comme ça je pouvais garder un œil sur lui. Il aimait bien ces petites virées au lycée, Billy. Il était à l'ombre, tranquille et chassait les mouches, faisait la sieste dans l'herbe ou rongeait un os que je lui apportais... Une fois, j'étais en première, je suis restée assez longtemps — une vingtaine de minutes — dans la chambre noire et, quand je suis sortie et que j'ai regardé par la fenêtre, Billy avait disparu. Je suis sortie en courant et je suis tombée sur trois mecs adossés au mur du lycée. Ils étaient là à ricaner, à se donner des coups de coude et à me regarder. L'un des trois était un connard de terminale qui faisait toujours des remarques sur moi à ses potes quand il me voyait passer dans le couloir — le genre de mec, il suffit de le regarder pour savoir qu'il a des pensées tordues dans la tronche. Je lui ai quand même demandé s'il n'avait pas vu mon chien. Il m'a répondu que les cabots étaient interdits dans le périmètre scolaire, donc il ne risquait pas d'avoir vu le mien. Vu son petit sourire goguenard, j'ai compris direct qu'il avait fait un sale coup à Billy. Je me suis mise à courir comme une folle. J'ai fait tout le tour du bâtiment et j'ai fini par trouver Billy attaché sur le parking, en plein soleil, là où le bitume était noir et quasiment bouillant.

Le regard noir de colère, Anya s'interrompt pour prendre une respiration saccadée.

— Il allait bien, heureusement. Mais la morale de l'histoire, c'est que les gens sont de beaux salauds.

— Pas tous. Mais certains, oui.

Rien d'étonnant à ce qu'elle pense que Billy a été volé puisqu'il y a eu un précédent.

— Oui, enfin... Tout ce que je sais, c'est que je suis retournée là-bas et que je lui ai mis mon poing dans la figure, à ce gros con. Ça lui a cassé le nez. Et deux de mes doigts avec. J'ai eu droit à une semaine d'exclusion et on m'a obligée à voir le psychologue scolaire pendant le reste de l'année, mais son nez aplati compensait largement.

Je vois luire quelque chose de secret, de rentré dans le regard d'Anya.

— Il a raconté à tout le monde qu'il n'avait pas riposté parce qu'il ne frappait pas les filles, mais la vérité, c'est qu'il ne risquait pas de me rendre le coup alors qu'il se tortillait de douleur par terre en chougnant comme un gros bébé.

Je sais que le chagrin du deuil avance masqué et qu'il se cache sous les visages les plus variés. Parfois, il prend la forme d'un brouillard si gris, si épais qu'on en arrive à oublier les endroits où on voyait encore de la couleur. A d'autres moments, il vous submerge comme une crue noire, toxique, dont le niveau s'élève de façon vertigineuse. Je me dis qu'Anya a perdu ses parents très jeune. Je pense à la tristesse, à la solitude et à la colère qui se terrent quelque part en elle, attendant l'occasion de se libérer.

Je me revois le jour où un gamin de ma classe de cinquième s'était moqué de moi parce que ma maman était une « foldingue ». Les rumeurs sur l'agoraphobie de ma mère se répandaient à une vitesse folle, à l'époque. Ce n'était plus un secret pour personne, et je sentais le regard insistant de mes camarades de classe posé sur moi. Les gens se demandaient si ma manie de vivre toujours le nez fourré dans un livre ne cachait pas quelque chose de plus grave, si je n'avais pas des problèmes psychologiques, moi aussi.

Je me tourne vers Anya.

— Ça t'a fait du bien ? De casser la figure à ce type ?

Elle me regarde, l'air surpris.

— Ça a été grandiose. Vraiment *grandiose.*

Et là, elle me fait un sourire — un vrai. Et je me surprends à lui sourire tout aussi largement en retour.

Dix minutes plus tard, nous nous séparons devant la maison de Rosie.

— En général, je pars chercher Billy vers 9 heures tous les matins, déclare Anya avant de franchir le portail. Si des fois ça te dit de revenir...

Je consulte l'agenda sur mon téléphone.

— A 9 heures demain matin, j'ai une séance. Mais je peux être ici à 10 h 30, si ça ne te dérange pas d'attendre.

Anya a l'air contente, même si apparemment elle ne veut rien en laisser paraître.

— Pas de souci. Je peux décaler.

Elle s'accroupit et approche son nez de la truffe de Giselle.

— Toi, si tu viens demain, je te ferai du bacon.

Puis elle se redresse d'un coup et rectifie d'une voix sans timbre :

— Enfin, si Billy n'est pas revenu d'ici là, bien sûr.

En rentrant de Napa, dans l'après-midi, Lourdes brûle de savoir comment j'ai survécu à mon week-end. Je l'informe que j'ai réussi à sortir du périmètre de la propriété.

— Ouf, ouf, trois fois ouf ! J'en conclus que tu es redevenue normale ? Enfin, quand je dis normale, je ne pense pas à normale *normale*. Toi et moi, on ne pourrait pas être amies si tu étais normale *normale*. Je veux dire, normale à ta façon. Bizarrement normale, quoi.

Je souris.

— Je ne suis pas encore tout à fait revenue à ma bizarrerie normale d'avant. Mais je pense que *La Psy agoraphobe* en est à ses dernières représentations. Ce sera plutôt *La Psy anxieuse*, désormais. Ou *La Psy prudemment optimiste*.

— C'est nettement moins accrocheur que la version d'origine comme titre. Mais dans ton cas cela me paraît plutôt encourageant.

Lourdes baisse les yeux et caresse la tête de Giselle.

— Et celle-ci ? Comment s'est-elle comportée ?

— Comme un ange un peu foufou… Comment s'est passé votre week-end dans les vignobles ?

— Gabby s'est introduit un Dragibus dans l'oreille.

— Un quoi ?

— Tu as bien entendu. Un Dragibus. Pourquoi faire un truc pareil à ton avis ?

— Pour voir si ça rentrait ?

— Eh bien, oui, ça rentre. A la perfection. Si bien même qu'il a fallu vingt minutes à l'urgentiste pour réussir à l'extraire.

— Non !

— Oh ! elle va très bien. Remise sur pied à coups de crème glacée et toute prête à faire la prochaine connerie.

Lourdes m'examine.

— Tu as pris le soleil, aujourd'hui. Tu as bonne mine, Mags.

Soudain, une lueur d'inquiétude passe dans ses yeux.

— Attends… Est-ce que par hasard la vitamine C à haute dose peut provoquer une coloration de la peau ? Dis-moi la vérité : tu en as gobé combien, aujourd'hui ?

— Zéro !

Je suis la première surprise de ma réponse. Un rire spontané me monte du fond de la poitrine. J'ai complètement oublié d'avaler ma montagne habituelle de comprimés divers et variés.

— Je pense que mes couleurs me viennent juste du soleil et de l'air frais.

Je résume dans les grandes lignes ma rencontre avec Anya et la décision que j'ai prise de l'aider à chercher son chien disparu.

124

Puis je demande à Lourdes si je peux prendre Giselle encore quelque temps pour l'emmener faire des balades matinales.

— Je dois dire que sa présence est un vrai soutien. Je ne suis pas sûre d'être prête à m'aventurer dehors sans elle.

— Aucun problème. Ça m'évitera de la sortir le matin. Ce sera un soulagement, même.

Lourdes baisse les yeux sur sa chienne.

— D'ailleurs, il serait temps que tu commences enfin à te rendre utile, toi, ma fille.

Ce soir-là, je pique du nez à la moitié du film que je regarde dans mon lit. Quand j'ouvre les yeux, je vois défiler le générique de fin et fixe un regard vaseux sur le réveil, étonnée de constater qu'il est à peine minuit. Il y a une éternité que je ne me suis endormie si tôt. *Toute cette marche à pied,* me dis-je en refermant mon ordinateur portable. Grimper d'un bon pas jusqu'au sommet du parc Buena Vista a dû me lessiver. A peine ai-je formulé cette pensée que je m'endors de nouveau, tombant cette fois dans un sommeil profond qui se prolonge jusqu'au matin.

Durant les cinq jours qui suivent, j'apprends des quantités de choses au sujet d'Anya. Allez marcher une heure par jour avec quelqu'un, et vous verrez ce qui se passe. Est-ce le fait d'avancer côte à côte, sans toujours se regarder, plutôt que de rester statique et face à face, dans des fauteuils ? Parfois, il est plus facile de parler de soi lorsqu'on n'a pas à soutenir le regard de celui ou celle à qui nos mots s'adressent.

Les parents d'Anya sont morts dans un accident de voiture lorsqu'elle avait sept ans. Ses frères, tous les trois dans la vingtaine, avaient déjà quitté la maison parentale, Anya était donc partie vivre seule chez sa grand-mère. Elle m'assure que cela n'avait pas été aussi traumatisant qu'on pourrait le croire — l'écart d'âge avec le reste de sa fratrie était tel qu'elle avait d'emblée vécu une enfance à l'écart, comme si elle avait été fille unique. Son lien avec Rosie, d'autre part, est très fort. Mais même si elle la minimise, l'épreuve qu'elle a subie a été très lourde. Elle a perdu ses parents. Et le chagrin, je crois, est cumulatif. Chaque perte façonne en quelque sorte la suivante, présage de sa forme et de son ampleur ; tout comme elle se voit amplifiée par les traces des autres deuils déjà subis tout au long d'une vie. La douleur du chagrin est réelle, mais elle est aussi un écho et un ricochet, un fantôme d'émotions passées qui se réveillent pour vous agripper de nouveau la main. Si vous vous penchez sur une perte, vous avez toutes les chances d'en trouver une autre à l'intérieur, et encore une autre au cœur de celle-ci, emboîtées comme des poupées russes.

Rien de surprenant donc si Anya refuse mordicus de renoncer à chercher Billy.

Chaque matin, lorsque je quitte mon appartement pour aller retrouver Anya, je me dis que je suis peut-être mûre pour sortir sans Giselle. Mais, dès l'instant où je pose la main sur le portail pour l'ouvrir, mon souffle se suspend et une pince cruelle vient me broyer la poitrine. Alors je fais demi-tour, je frappe chez Lourdes et je repars avec son caniche…

Nous arpentons les rues du quartier d'Anya en modifiant un peu l'itinéraire chaque jour. Anya colle ses petites affichettes *Billy Ravenhurst a disparu !* sur chaque poteau et chaque boîte aux lettres. Je suis plus à l'aise dans les rues que je ne l'étais dans le parc — surtout dans les coins abrités où la vue est bloquée par les immeubles ou les collines. San Francisco est une ville qui vous prend constamment en traître, avec ses monts et ses vallées qui créent de longues étendues d'ombre, ses brouillards murmurants, ses soudaines ouvertures sur des panoramas côtiers, son sol instable sous les pieds. Les rues sont rarement dignes de confiance, et des trouées vertigineuses peuvent se dessiner d'un coup aux endroits où l'on s'y attend le moins. Alors, je reste attentive à ne poser mon regard qu'avec prudence et discernement.

De temps en temps, quand nous passons devant ces panoramas spectaculaires, Anya glisse la main dans son grand sac avant de la retirer avec une expression de confusion sur le visage. Je finis par comprendre que c'est son appareil photo qu'elle cherche ainsi par automatisme. Elle devait probablement le promener partout avec elle et maintenant elle ne l'emmène plus nulle part. Parfois, le chagrin du deuil nous coupe des gens et des activités que nous aimons, pour la simple raison que nous ne voulons pas nous sentir heureux. Etre dans le plaisir, c'est en quelque sorte s'éloigner, être infidèle à l'être aimé disparu.

Anya m'explique que bien qu'Henry l'ait inscrite au City College pour une formation en arts visuels, elle ne va plus en cours depuis plusieurs semaines.

— Je suis responsable de Billy, tu comprends ? Il dépend de moi, et il faut que je le retrouve. Le reste peut attendre.

Je hoche la tête et l'écoute me raconter encore une fois comment elle est arrivée chez elle un jour après le travail pour découvrir que Billy était parti, vraiment parti, lui qui déboulait toujours au premier appel. Lorsqu'elle précise que chacun de ses trois frères est passé voir Rosie ce jour-là, j'en déduis que l'un d'eux a sûrement laissé le portail ouvert sans le faire exprès et qu'il n'ose pas l'avouer à Anya. Quelle autre explication possible ? Anya est certaine que Billy ne se serait jamais sauvé, mais même le chien le moins aventureux du monde ressent l'attrait d'une porte laissée grande ouverte, non ? Et si Billy s'est retrouvé seul en pleine ville, il a pu se faire renverser. Je m'en veux de penser une chose pareille, mais il est forcément arrivé *quelque chose* à Billy. Les chiens ne se volatilisent pas. Il n'a pas été récupéré par la SPA de San Francisco, et aucune des associations d'aide aux animaux auxquelles je me suis adressée ne l'a vu. Donc soit il a été récupéré par une famille qui a eu la gentillesse de le garder sans pour autant avoir celle de le rendre (en admettant qu'il n'ait pas perdu son collier avec le numéro d'Anya), soit il est mort.

Je jette un regard en coin à Anya et je sais que, malgré sa détermination à retrouver Billy, elle a déjà retourné tous ces différents scénarios dans sa tête. Mais elle refuse absolument de l'admettre. Au moment où je forme ces pensées, elle s'immobilise, comme elle le fait de temps en temps à l'occasion de nos promenades, et hurle le nom de Billy à tue-tête en mettant les mains en porte-voix devant sa bouche. Puis elle laisse retomber les bras et repart.

J'adresse un sourire d'excuse à l'adolescente qui avance dans notre direction sur le trottoir en fixant un regard terrifié sur Anya.

Difficile de ne pas se demander, comme l'a fait Henry, combien de temps la situation va pouvoir se prolonger ainsi…

Après ma dernière séance de la journée, je téléphone à mes parents.

— Comment va Toby ? demande mon père.

Epuisée, je m'affale dans le fauteuil, en me passant la main sur le visage.

— Oh ! tu sais… Toby, c'est Toby.

— Et ton cabinet ?

— Pas terrible.

J'aurais aimé faire résonner le ton de voix optimiste que je prends d'habitude quand je communique avec mes parents, mais ce soir je suis démoralisée. Moins découragée par l'absence de progrès chez Anya que par l'absence de progrès chez moi. J'ai du mal à imaginer qu'il y a quatre mois encore, je traversais les Etats-Unis en voiture. Aujourd'hui, le simple fait de franchir le portail m'apparaît comme un acte de courage frisant l'héroïsme.

— Tu commences juste, dit mon père. Il faut toujours un peu de temps pour établir une clientèle. Tu es débrouillarde. Tu trouveras le moyen de te faire connaître et apprécier.

— Où est maman ?

— Mm... Voyons. Laisse-moi réfléchir. Nous sommes vendredi, donc je pense qu'elle doit être à son cours d'escalade.

En arrière-plan, j'entends l'éclat de rire de ma mère. Et l'uppercut brutal de la nostalgie me frappe en pleine poitrine.

Maman prend le téléphone.

— Bonsoir, ma chérie. Alors, tu as réussi à retrouver le chien de cette fille ?

— Non. Je ne suis pas sûre qu'il soit encore trouvable, honnêtement. Cela fait un moment qu'il est parti.

Elle émet une exclamation désolée.

— Comme c'est triste. Tu aurais été désespérée si l'un de tes chiens s'était enfui. Tu te souviens de Star ? Il était si gentil.

J'exprime mon accord dans un murmure, mais j'ai l'esprit ailleurs.

— Dis-moi... De quoi *exactement* as-tu peur, maman ? Quand tu essaies de sortir de la maison ?

Je ne lui ai encore jamais posé la question aussi directement. Mais j'ai le moral vraiment très bas et je me demande si une meilleure compréhension de l'univers mental de ma mère ne me donnerait pas des clés pour résoudre mes problèmes à moi.

Ma mère garde un instant le silence.

— Pourquoi me demandes-tu cela ?

— Je peux peut-être t'aider. A quoi bon avoir un master en psychologie si je ne peux pas offrir un brin de thérapie gratuite à ma mère de temps en temps ?

— Maggie... Tu n'es pas devenue psy pour essayer de me guérir, n'est-ce pas ?

Je sais qu'il y a longtemps qu'elle se pose cette question.

Evidemment qu'elle se la pose. Nous nous la posons tous, en fait.

— Non, dis-je. Oui ? Absolument ? Peut-être.

Elle rit tristement.

— J'ai déjà un psy, mon ange. Toi, je veux juste que tu sois ma fille. Ma fille heureuse.

Je soupire et ne réponds rien.

— De toute façon, je refuse d'aborder ce sujet avec toi. Ce que je ressens quand j'essaie de sortir de la maison… Je ne voudrais même pas que tu aies le début d'une idée de ce que c'est.

Est-ce que je ne sais pas déjà ?

Un oiseau noir, me dis-je, en le sentant palpiter en moi, menaçant de prendre de l'ampleur. *Une bête terrible. Monstrueuse.*

Plus tard ce soir-là, je reçois un mail de Sybil.

Il devient plus urgent que jamais de résoudre le problème Seymour. Sa famille d'accueil exprime son exaspération avec insistance. Et je ne sais pas combien de pipis derrière le canapé ils pourront encore supporter. D'autres volontaires se sont-ils manifestés pour le prendre ? Je l'aurais bien recueilli moi-même si je n'avais pas déjà Zack (un akita très agressif) en pension, pour le moment. Même en les séparant, je crains que les aboiements furieux et les allées et venues de Zack ne donnent une crise cardiaque à ce pauvre Seymour !

Une fois de plus, comme si je ne savais pas pertinemment de quel chien il est question, Sybil me met une photo de Seymour en pièce jointe. Je me demande s'il ne s'agit pas d'une manœuvre calculée. Elle s'étonne sans doute que je ne me sois pas portée volontaire pour l'accueillir moi-même en attendant qu'il trouve une famille. La vérité, c'est que je me déteste de ne pas le faire. Mon appartement est calme, et il n'y a pas de ligne ferroviaire à proximité — il conviendrait parfaitement à un chien angoissé comme Seymour. Mais je ne suis pas encore disposée à laisser un autre chien entrer dans ma vie. Une nouvelle odeur canine couvrirait celle de Toby qui perdure encore dans certains coins de l'appartement. Un nouveau chien gagnerait forcément mon cœur, ce qui serait merveilleux et m'aiderait à me reconstruire. Mais je ne suis pas prête à me laisser séduire par un autre chien que le mien. Un autre que Toby.

Sans compter, me dis-je, que Seymour a déjà souffert dans sa courte vie ; il mérite mieux que ce que j'ai à lui offrir en ce moment.

Mais je n'accepterai pas pour autant qu'il finisse à la SPA et je vais devoir me débrouiller pour trouver un plan B. Je clique sur sa photo et je recommence à l'étudier de près. De nouveau, je suis frappée par l'extrême nervosité de son regard — par l'éclat d'angoisse caractéristique qui irradie de ses prunelles. Je parie qu'il a bondi sur la personne derrière l'objectif une fraction de seconde après que la photo a été prise. Il l'a probablement léchée du haut en bas, en commençant sous le menton, comme les loups soumis saluent le chef de la horde. Peut-être même l'a-t-il mordillé aussi, ce photographe, son corps entier tremblant d'un trop-plein nerveux d'amour et de demande affective démesurée.

Ou alors il n'a pas bondi sur le photographe du tout, mais il s'est sauvé, ventre à terre, pour se terrer derrière le canapé.

Tout en observant son portrait, une idée se forme. Je réponds à Sybil :

> Peut-être que ça vient de la photo. Il a l'air un peu… cinoque. Je viens de faire la connaissance d'une photographe qui acceptera peut-être de lui tirer le portrait gratuitement. Si elle parvient à le prendre dans un moment de calme, il suscitera probablement un regain d'intérêt, soit chez les internautes qui surfent sur le site, soit dans notre réserve

de volontaires prêts à l'accueillir de façon temporaire. On
tente le coup ?

Je ne suis pas surprise de lire, quelques minutes plus tard,
que Sybil est partante. Je pense qu'elle est prête à tenter
n'importe quoi, à ce stade.

OK. Allons-y pour la photographe. Tu lui enfileras un
smoking s'il le faut, à notre Seymour. Donne-lui un air de
suave élégance !

A cela, je réplique dans la foulée par un nouveau message :

Il sera Bond. Seymour Bond. Nous le photographierons
avec un shaker entre les pattes. Qui résisterait à un chien
qui prépare des cocktails ?

Ce n'est pas sans arrière-pensée que je suggère à Sybil
qu'Anya Ravenhurst serait LA photographe la plus indiquée
pour capter les côtés les plus adoptables de Seymour. Depuis
notre première rencontre, je sens que la photo pourrait être
le moyen pour Anya de surmonter sa perte, et cela m'attriste
qu'elle ait mis son appareil au rancart suite à la disparition
de Billy. Et puis Anya vit dans une maison immense et calme
avec, j'imagine, un grand jardin à l'arrière qui serait parfaitement adapté pour Seymour. Je pense à la douceur dans
la voix d'Anya chaque fois qu'elle s'adresse à Giselle. Elle
n'aime pas simplement Billy, elle aime les chiens en général.

L'affection de quelqu'un comme Anya pourrait être ce
dont Seymour a besoin pour s'épanouir en une version plus
assurée de lui-même.

Et vice versa.

8

Le lendemain matin, un samedi, c'est Leo qui m'ouvre la porte vêtu d'un vieux pantalon de pyjama en flanelle et d'un T-shirt arborant les mots « Attention : obsédé informatique » inscrits dans une police de caractère démodée comme on en trouvait sur les anciens ordinateurs. Leo est consultant en technologies de l'information, et je suis sûre que le T-shirt est un cadeau de Lourdes. Il a les yeux bouffis, relève ses lunettes pour frotter son visage hagard, et la maison sent le café à plein nez. J'entends Gabby pleurer bruyamment dans la cuisine.

Giselle se rue vers moi et se glisse entre mes jambes. Sa laisse déjà attachée à son collier traîne derrière elle, frappant les pieds nus de Leo au passage. Il baisse les yeux et cligne lentement des paupières.

— Ne me dénonce pas à la SPA, s'il te plaît. Je te jure que je ne l'ai pas bourrée de caféine ce matin.

J'attrape le collier de Giselle, et elle se pose gentiment sur son arrière-train, toute frémissante d'excitation. Je me penche pour lui caresser la tête.

— Si seulement on pouvait mettre son énergie en bouteille et la vendre.

— Ou *être* elle. Au moins pour une journée.

Je souris.

— C'est au tour de Lourdes de faire la grasse mat' ce week-end ?

133

Leo fait oui de la tête. Il jette un regard par-dessus son épaule en direction de la cuisine où Gabby continue de pleurer avec une intensité croissante.

— Nous sommes en panne de gaufres surgelées, murmure-t-il, l'air traumatisé.

— Ah, d'accord.

Je réfléchis un instant.

— Tu as de la cannelle ?

Leo fronce les sourcils, visiblement déconcerté par ma question. Je suis persuadée qu'ils ont de la cannelle, mais je soupçonne aussi Leo d'être capable de rester planté cinq bonnes minutes devant leur carrousel à épices bien fourni sans parvenir à mettre la main sur le bon flacon. Tous les hommes, d'après mon expérience, ont ce problème que je catalogue sous le diagnostic « aveuglement masculin caractérisé ». J'envoie télépathiquement un message d'excuse à Lourdes car il est fort probable que son mari la réveillera dès que j'aurai le dos tourné pour lui demander où est rangée la cannelle.

— Je pense que oui, finit-il par répondre.

— Du beurre ? du sucre ? du pain ?

Il hoche la tête, cette fois avec plus d'assurance.

J'enroule la laisse de Giselle autour de ma main.

— Fais-leur du pain perdu à la cannelle. C'est ce que ma mère me donnait quand j'étais en crise. C'est l'équivalent enfantin du crack. Et c'est bien meilleur que les gaufres.

— Du pain perdu à la cannelle, répète Leo.

Je crois qu'il pourrait m'embrasser.

— Cannelle. Pain.

Il redresse les épaules avec détermination, ce qui lui donne l'air légèrement plus réveillé que lorsque je suis arrivée. J'ai l'impression qu'il y a autre chose qu'il aimerait me dire. Il frotte son menton râpeux, ajuste ses lunettes puis se baisse à quelques reprises pour caresser Giselle.

— Je suis super heureux que tu aies recommencé à sortir

dans la rue, Maggie. Je sais que tu sais que Lourdes sera toujours là pour toi, mais j'espère que tu es consciente que tu peux compter sur moi aussi. Mon soutien t'est acquis.

Je suis touchée. Leo et Lourdes ont commencé à sortir ensemble en première année de fac, donc je le connais depuis presque aussi longtemps qu'elle. Si Lourdes est comme la sœur que je n'ai jamais eue, alors je suppose que Leo, lui, est le frère auquel je n'ai pas eu droit non plus.

— Merci, Leo. C'est important pour moi ce que tu viens de dire.

Il se gratte de nouveau la mâchoire.

— Je réfléchissais à un truc… Est-ce qu'on peut parler de spectre agoraphobique comme il existe un spectre autistique ? Si c'est le cas, je pense qu'on est nombreux à être atteints par une forme atténuée du syndrome. Ça ne veut pas dire que je prends à la légère le sort de ceux qui souffrent de la forme vraiment grave de cette… euh… maladie… Mais on peut faire tant de choses en restant chez soi, de nos jours — que ce soit au niveau des rapports sociaux ou des actes de consommation courante — que je crois que nous perdons *tous* plus ou moins l'habitude de négocier avec le monde extérieur. Parfois je me dis que la situation du face-à-face classique est en voie de disparition. Et moins on pratique, plus cela devient difficile de sortir de chez soi, de se confronter aux autres.

— Eh bien, Leo ! Si je ne savais pas que la technique informatique de pointe était ton univers, j'aurais dit que tu te mets à parler comme un adepte du retour à la machine à écrire.

Il hausse les épaules.

— Sérieux, si tu voyais certains des types qui bossent pour moi. Ils sont dans un tel état de cyberdépendance qu'ils deviennent écarlates et se mettent à transpirer chaque fois qu'ils doivent affronter l'épreuve terrifiante qui consiste à me dire « bonjour » le matin en me croisant dans le couloir.

Honnêtement, c'est un miracle qu'ils parviennent à sortir de leur chambre — et a fortiori de leur appartement.

— Mmm… Je devrais peut-être me mettre en ménage avec un type comme ça. On partagerait notre abonnement Netflix et on communiquerait via WhatsApp. Des couples durables se sont construits sur des bases moins solides que ça.

Leo secoue la tête en riant.

— Ne fais surtout pas ça. Ne serait-ce que pour Giselle. Elle est devenue complètement accro à vos randos matinales — je ne sais pas comment elle le prendrait si tu recommençais à te claquemurer.

Dans la cuisine, Gabby semble déterminée à franchir le mur du son. Leo fait la grimace. Le fait que Lourdes continue de dormir dans ces conditions sonores extrêmes témoigne d'une force de volonté admirable.

— Bon… Y avait-il d'autres sujets à traiter ? demande Leo, le visage impassible. Voyons… Nous avons réglé la question du pain perdu à la cannelle, exploré le spectre du mal-être social… Bon, eh bien, je pense que mon temps de parole est écoulé. Merci, Maggie.

Son regard se pose avec mélancolie sur le jardin derrière moi. La matinée est claire, lumineuse, et un soupçon d'odeur marine semble flotter dans l'air.

— Profitez bien de votre promenade.

Au son de son mot préféré, Giselle bondit, passe devant moi au pas de course et saute du haut des marches du perron. Je me raccroche avec peine à sa laisse et dévale l'escalier en équilibre précaire en criant au revoir à Leo.

En approchant de la maison d'Anya, je repère Henry qui m'attend devant le portail envahi par la végétation.

— Bonjour, Henry. Ça devient un peu répétitif, cette façon de nous retrouver cachés dans les buissons, vous ne croyez pas ?

Il n'est clairement pas d'humeur à plaisanter.

— Je voulais vous intercepter au passage. Anya m'a dit que vous viendriez. Que vous êtes venue toute la semaine, en fait.

Je porte la main en visière au-dessus de mes yeux plissés. A présent que j'ai décidé qu'il était beau, j'ai du mal à voir autre chose. *Signe que tu as besoin de sortir de chez toi un peu plus souvent, ma fille.*

— Quelque chose ne va pas, Henry ?

— Terrence a dîné avec Anya et ma grand-mère hier. Apparemment, Anya s'est encore énervée et elle est partie dans un délire au sujet de Billy. D'après Terrence, Rosie était dans tous ses états et June a dû la coucher d'urgence.

Henry croise les bras sur sa poitrine.

— Bref, Anya ne va pas mieux. Votre stratégie d'accompagnement sous forme de marches quotidiennes ne donne aucun résultat.

— Cela fait à peine une semaine !

Je réfléchis un instant puis j'ajoute :

— Vous ne le constatez peut-être pas encore, mais je pense que nous progressons, malgré tout. Je crois qu'elle est soulagée d'avoir quelqu'un à qui parler.

Une grimace peinée crispe brièvement les traits d'Henry.

— Anya sait qu'elle peut me parler quand elle veut. Nous avons toujours eu un lien très fort, elle et moi. C'est moi qui ai amené Billy à la maison, d'ailleurs. Je pensais que la compagnie d'un chien l'aiderait à se sentir moins seule. Grandir dans cette grande maison délabrée avec ma grand-mère pour toute présence...

Je lui souris.

— Elle ne m'a pas dit que vous lui aviez offert Billy. C'est un très beau cadeau que vous lui avez fait.

— Je commence à me poser la question, justement. Si j'avais su que ça se terminerait comme ça, je...

Je l'interromps — peut-être un peu trop hâtivement.

— Croyez-moi, Billy a été d'une grande aide pour Anya. Je suis sûre qu'elle n'échangerait pour rien au monde les moments qu'elle a vécus avec lui, et qu'elle préfère souffrir aujourd'hui plutôt que de ne jamais avoir connu son chien.

Il me regarde, sans doute un peu surpris par ma véhémence, et hoche la tête.

— Ecoutez, Henry, je sais que vous voulez qu'Anya renonce à Billy, qu'elle se résigne à accepter qu'il soit parti pour de bon, mais *elle n'est pas prête*. Ce n'est pas quelque chose que l'on peut exiger de quelqu'un par le raisonnement, la force ou la volonté. C'est un processus qui s'inscrit dans la durée. Elle a besoin de temps, tout simplement.

— Oui, oui, ça, j'ai bien compris. Mais je ne suis pas sûr que vous compreniez de votre côté à quel point il devient crucial qu'elle sorte de ses obsessions.

Il désigne la maison d'un geste.

— Il ne faut pas se faire d'illusions sur ce lieu. Il n'y a *pas* d'argent dans la famille. Clive, Terrence et moi, nous nous cotisons pour entretenir ma grand-mère et Anya. Et Anya a perdu son emploi. Elle vous l'a dit ?

— Oui, elle m'en a parlé.

— Anya a besoin de travailler. Il lui faut un salaire et il lui faut la stabilité que procurent des horaires réguliers. Je l'ai inscrite à des cours de photographie au City College dans l'espoir que ça la pousserait à approfondir et peut-être même à faire des études sérieuses qui déboucheraient sur une activité de photographe. Mais il semble qu'elle ait tout laissé tomber au moment où Billy s'est sauvé. Il faut qu'elle retrouve un équilibre émotionnel sous une forme ou une autre. Car ce n'est pas seulement la perte de Billy qu'elle aura à affronter bientôt. Rosie est très malade. Elle ne sera probablement plus parmi nous très longtemps.

Il déglutit.

— Là encore, c'est une réalité qu'Anya refuse de regarder en face.

Mon cœur se serre.

— Je suis vraiment désolée, Henry. J'avais remarqué que votre grand-mère était fragile, mais je n'avais pas mesuré la gravité de son état.

— Anya n'en parle pas. A personne. Quand j'aurai déménagé, elle sera seule pour affronter l'effondrement de son univers. Clive, comme vous l'avez probablement déjà remarqué, n'est pas vraiment du type maternant. Et Terrence est accaparé par ses enfants en bas âge et ses trois magasins.

Je hoche la tête.

— Et vous êtes sûr que c'est vraiment le bon moment pour partir ? Vous n'envisageriez pas de rester encore un peu, le temps qu'Anya retrouve une stabilité ? Il se pourrait qu'elle dépende de vous — émotionnellement, j'entends — plus qu'elle ne le laisse paraître.

Le regard d'Henry vire à l'orage, et je comprends que j'ai parlé trop vite.

— Je ne quitte pas San Francisco pour mon plaisir, croyez-le bien. Cela ne m'amuse pas du tout d'être obligé de laisser Rosie et Anya en ce moment. Mais c'est ma carrière qui est en jeu — celle justement qui m'aide à faire vivre ma grand-mère et ma sœur. Qui réglera les factures médicales de Rosie si je renonce à ce projet professionnel ?

Henry paraît tellement dévoré d'inquiétude que je réprime une envie spontanée de le réconforter en lui touchant la main.

— Je suis désolée. Je ne connais pas tous les détails de votre situation ni de celle d'Anya. Je n'aurais pas dû dire cela.

— Je suis *contraint* de partir, reprend-il d'une voix tendue. Si au moins j'avais la certitude qu'Anya était engagée dans un processus thérapeutique digne de ce nom…

Sa voix se perd dans un murmure pensif.

— Rien ne se passe comme je l'avais espéré. J'ai fait une

connerie en m'adressant à vous. Vous ne faites qu'accroître sa confusion puisque vous lui donnez de l'espoir chaque fois que vous partez à la recherche de Billy avec elle. A cause de vous, la situation ne fait qu'empirer. Et comme c'est moi qui ai fait appel à vous, c'est *moi* qui aggrave sa situation au lieu d'y remédier.

Sans prendre le temps de réfléchir, je l'invite à se joindre à notre promenade, ce matin.

— Ce n'est pas forcément une erreur de m'avoir mise en relation avec votre sœur, Henry. Tout ce que je fais, c'est écouter Anya, échanger avec elle. J'ai de l'affection pour elle.

C'est en le disant que je me rends compte à quel point c'est vrai. Je pense à mon ancien chef de service et à ses conseils sur la distance à garder avec les patients. Mais Anya n'est pas ma patiente — si elle l'avait été, je ne l'aurais jamais revue.

— Lorsqu'elle sera prête à faire le deuil de Billy, je serai là pour l'aider à franchir les caps douloureux. C'est bien cela que vous voulez, n'est-ce pas ? Etre assuré qu'il y aura quelqu'un sur qui elle pourra compter lorsque vous serez parti ? Venez marcher avec nous. Vous verrez.

Henry m'écoute jusqu'au bout sans m'interrompre, même si son expression reste sceptique.

— Bon, d'accord, fait-il lorsque je me tais.

Il me paraît davantage défait que convaincu.

— Super, dis-je gaiement.

Mais je me mords déjà les doigts d'avoir pris cette glorieuse initiative. L'idée était de rassurer Henry en lui montrant qu'il n'a pas introduit une influence désastreuse dans la vie déjà instable de sa sœur.

Mais si je suis victime d'une de mes attaques de panique devant lui ? Anya est certes restée de marbre lorsque je me suis écroulée à l'occasion de notre première balade. Elle n'a pas paru très affolée, même lorsque je me suis cramponnée en haletant à Giselle comme si ma vie en dépendait. Mais cela m'étonnerait qu'Henry prenne un pareil épisode à la légère. Le reste de la semaine, je n'ai pas eu d'autre crise, mais mon anxiété monte en flèche à l'idée qu'Henry sera là et m'observera de près. *Comment ai-je pu me fourrer dans ce pétrin ?*

Henry me fait signe de passer devant. Les jambes en plomb, je me dirige vers la porte d'entrée de la maison, et Giselle adapte son pas au mien en agitant la queue. De nous trois, elle est la seule qui paraît sereine à la perspective de ce qui va se passer dans l'heure qui suit.

— Qu'est-ce que tu fais là ? demande Anya en voyant Henry derrière moi sur le seuil.

— Je veux vous accompagner, toi et Maggie, ce matin. Faire la promenade avec vous.

Anya émet un rire cinglant.

— C'est pas une sortie d'agrément ou un truc pour faire de l'exercice entre filles. On y va pour chercher Billy.

— Je sais.

— Mais tu es convaincu que Billy est mort.

— Non, c'est juste que… Anya, tu sais que je n'ai pas l'habitude d'édulcorer les choses avec toi. Tu n'es pas une gamine. Je n'ai aucun moyen de savoir si Billy est mort ou non, mais pour être franc, dans un cas comme dans l'autre, je ne crois pas qu'il reviendra.

Anya se renfrogne et croise les bras sur sa poitrine. Elle semble sur le point d'adresser une volée de bois vert à son frère, et je tente de m'interposer en me tournant vers Henry.

— Si vous ne pensez pas que Billy reviendra, qu'est-ce qui lui est arrivé, d'après vous ?

— Je pense que quelqu'un l'a laissé sortir du jardin par mégarde. Clive ou Terrence probablement, et ils ne veulent pas l'admettre, soit parce qu'ils se sentent coupables de leur négligence, soit parce qu'ils ne s'en sont même pas rendu compte.

Je hoche la tête. A mes yeux, c'est aussi l'explication la plus probable. Anya pousse un soupir exaspéré.

— Puisque je te dis que ce n'est pas possible ! Billy n'a *jamais* été fugueur. Même jeune. Pourquoi se serait-il enfui maintenant, alors qu'il est vieux et qu'il préfère clairement être à la maison qu'ailleurs ?

Henry secoue la tête.

— Avoue que c'est tout de même mille fois plus plausible comme hypothèse que de conclure à un enlèvement.

Anya serre les lèvres et la ligne aiguë de ses pommettes s'accentue sous sa peau livide.

— C'est quoi la *vraie* raison de ta présence ici, Henry ?

— S'il te plaît, ne sois pas hostile. Laisse-moi venir avec vous. J'ai envie de passer du temps avec toi, c'est tout.

Il a l'air triste, et je suis soulagée de le sentir sincère — de savoir qu'il ne se joint pas à nous uniquement pour évaluer la relation que j'ai établie avec sa sœur.

Anya me jette un regard interrogateur.

— Tu en dis quoi, toi, Maggie ?

Elle a l'air de vouloir s'assurer que la présence de son frère ne me pose pas de problème. Une précaution qui à la fois me touche et me met mal à l'aise. J'ai la nette impression qu'elle se pose des questions sur mon état mental autant que je m'inquiète du sien.

Je hausse les épaules avec une insouciance feinte.

— Pourquoi pas ?

— Je pensais chercher du côté de Kite Hill, aujourd'hui, précise-t-elle en soutenant mon regard. Ça risque de grimper.

Je détourne les yeux et fais mine de vérifier l'attache de la laisse de Giselle.

— OK, va pour Kite Hill.

— Bon, ben d'accord.

Martelant le sol de ses grosses semelles, Anya se dirige vers le portail avec sa célérité habituelle en nous semant derrière elle. Alors que nous parcourons les rues en silence, le scepticisme croissant d'Henry est palpable. Mais je refuse d'entraîner Anya dans une conversation forcée juste pour prouver à Henry qu'une vraie relation s'instaure petit à petit entre sa sœur et moi. Parfois, la meilleure aide que l'on puisse offrir, c'est simplement de marcher en silence aux côtés d'une personne, en la laissant en tête à tête avec ses propres pensées, tout en maintenant une présence physique rassurante. Les chiens sont des experts en la matière et permettent que l'on puisse méditer sans se sentir seuls. Leur compagnie silencieuse ouvre en nous un espace intérieur propice à la réconciliation avec nous-mêmes.

Les rues montent et descendent, serpentent et virent en épingle à cheveux. A part quelques axes de passage où la circulation est dense, les zones que nous traversons sont toutes remarquablement tranquilles. Au bout d'un kilomètre à peine, j'ai déjà perdu le fil de mon orientation. Je cherche la Sutro Tower des yeux pour me repérer. Non seulement sa haute silhouette me rassure, mais je sais aussi qu'elle m'offrira une réception suffisante pour télécharger un plan du quartier sur mon téléphone en cas de nécessité et pour retrouver mon chemin au milieu de cet enchevêtrement compliqué.

Pendant ce temps, l'exaspération muette d'Henry continue de grimper en flèche.

— Comment va Rosie ? finit-il par lancer à Anya.

Je sens que la note de reproche dans sa voix m'est destinée.

— Bien. Enfin… Je ne sais pas. Elle est peut-être un peu enrhumée. Elle n'avait pas l'air très réveillée ce matin.

Henry fronce les sourcils.

— Ah bon ?

— June la tient à l'œil. Je crois qu'elles vont s'asseoir un peu sur la terrasse aujourd'hui. Pour prendre le soleil.

Elle dit ça comme si elle croyait vraiment qu'un peu d'air frais et quelques rayons suffiront à résoudre les problèmes de santé de sa grand-mère. Je me lance à mon tour dans la conversation :

— Il y a longtemps qu'elle est en fauteuil roulant ?

Anya se décide enfin à ralentir le pas.

— En fait, elle s'est cassé la jambe en tombant, il y a un an et demi. Après ça, elle n'a plus voulu renoncer à son fauteuil, même une fois la fracture consolidée. Je crois que ça lui plaît bien, au fond. Elle dit qu'elle a toujours rêvé d'avoir son propre carrosse. Parfois, elle demande à June de l'emmener dans les collines pour voir à quelle vitesse ça peut aller, ces engins. A part ça, elle va bien.

— Non, elle ne va pas *bien*, rectifie Henry.

Il marche à côté de sa sœur à présent, et Giselle et moi suivons à un mètre derrière.

— Oui, bon, elle est vieille, c'est sûr. Mais elle a toute sa tête.

— C'est vrai, reconnaît-il. Mais sa santé n'est pas bonne. Elle souffre d'une affection respiratoire chronique. Une maladie grave. Tu le comprends, ça, Anya ?

— Evidemment, je comprends ! Mais ce n'est pas en parler qui va y changer quelque chose. Tu ne pourrais pas être constructif, une fois dans ta vie ? Rosie aurait aimé… Rosie *aimerait* que nous soyons positifs. C'est ce qu'elle dit toujours. Clive et toi, vous êtes en permanence focalisés sur ce qui ne va pas dans la vie.

— Ce n'est pas…

— Terrence est venu dîner avec nous hier soir, l'interrompt Anya en s'adressant à moi.

— Ah bon ?

— Il dit qu'il comprend que je continue de chercher Billy. Qu'il me soutient et que personne n'a le droit de décider à ma place ce que je dois croire ou non. Il y a donc au moins une personne qui prend mon parti dans cette famille.

— C'est sympa de sa part, dis-je, tout en me demandant ce qui a pu susciter la crise que Terrence a rapportée à son frère.

— Il a dit que si j'ai la conviction profonde que Billy est vivant, je dois faire tout ce qui est en mon pouvoir pour le retrouver.

J'adresse à Henry un regard que j'espère éloquent. Il me semble qu'il a tout lieu de se réjouir que son frère s'intéresse ainsi à Anya. Si Terrence se préoccupait un peu plus de leur jeune sœur, Henry ne partirait-il pas le cœur plus tranquille ?

— Un autre truc qu'il a dit, c'est que je lui rappelle maman.

Anya jette un bref coup d'œil à son frère avant de détourner de nouveau le regard. Henry plisse les yeux et l'examine.

— C'est vrai, tu lui ressembles. Mais pas aujourd'hui. Seulement quand tu te laves. Ce qui arrive quand déjà ? Tous les troisièmes mardis du mois, c'est ça ? Le troisième mardi du mois, tu es le portrait craché de maman.

Anya lui envoie une bourrade en se mordant la lèvre pour ne pas sourire.

— Je pense que Terrence faisait allusion à mon optimisme.

Le sourire d'Henry s'élargit.

— Maman était la personne la plus follement, la plus obstinément optimiste que j'aie jamais connue. Elle nous laissait partir à l'école en manches courtes, même les jours de grand brouillard glacé. Tant qu'on avait des pulls dans nos sacs à dos, elle nous autorisait à nous habiller comme on voulait. « Espère le soleil », disait-elle toujours.

— *Espère le soleil*, murmure Anya.

J'ai l'impression qu'elle se concentre pour essayer de se souvenir de sa mère prononçant ces mots. Henry passe un bras autour des épaules graciles de sa sœur.

— Ce n'est pas juste que j'aie bénéficié de tant d'années de plus que toi à passer avec papa et maman. Si je le pouvais, je t'offrirais une partie de mes souvenirs, de ma mémoire, de mon passé. Tu le sais, n'est-ce pas ?

Les yeux d'Anya sont rivés sur le trottoir.

— Ouais… Je sais.

De ces quelques mots échangés se dégage une émotion si poignante que je sens les larmes me piquer les yeux. Je ralentis le pas pour leur laisser un peu d'intimité. L'affection tendre et attentive qu'Henry voue à sa sœur est incroyablement touchante.

Après avoir marché en silence une minute ou deux, Anya se secoue pour se dégager du bras de son frère et le repousse affectueusement.

— Bon, je sais que tu te fais vieux, Henry, mais je ne peux quand même pas te porter jusque là-haut. La prochaine fois, prévois un déambulateur.

Kite Hill se résume apparemment à un demi-hectare de végétation broussailleuse au cœur d'un quartier endormi. Il y règne une de ces ambiances particulières qui donnent le sentiment d'être à la fois au grand jour et caché du monde. On ne voit d'ailleurs ni panneau ni entrée officielle. Nous grimpons en file indienne, le long d'un étroit sentier de terre qui serpente entre les mauvaises herbes. L'endroit me paraît étrange pour y chercher un chien — si Billy s'était trouvé là, nous l'aurions vu immédiatement, même d'en bas, vu l'absence d'arbres et de buissons.

— Hé, Maggie, me lance Henry dans mon dos. Il n'y a personne. Vous ne voulez pas détacher Giselle pour la laisser courir un peu ?

Anya s'immobilise et se retourne pour répondre à ma place.

— Non, il ne faut pas. Maggie la dresse pour en faire un chien de thérapie. Giselle doit apprendre à marcher au pied.

Je souris à Anya, mais la façon dont elle s'est précipitée

à mon secours me préoccupe. Qu'a-t-elle perçu, au juste, de mes problèmes phobiques ? Alors que je crois être celle de nous deux qui apporte aide et soutien à l'autre, elle pourrait bien avoir exactement la même impression de son côté.

Nous atteignons le sommet de la colline. Devant nous, la ville plonge, s'élève et retombe de nouveau dans un mouvement de fuite sinusoïdal qui part vers l'est jusqu'à la baie. Au loin, le vert des monts d'Oakland est étouffé par la distance. La vue — l'eau, les collines, les gratte-ciel et les immeubles bas, les poches de verdure des parcs — ne ressemble en rien à ce qu'on peut voir à Philadelphie, même du sommet des bâtiments les plus élevés. J'aurais aimé pouvoir jouir du panorama, mais je pense à ce qu'Anya sait de moi, je sens la pression de la présence d'Henry, l'éclat du soleil frappe ma rétine et quelque chose se tord dans ma poitrine. *Et merde, ça devait arriver.* Je me retrouve soudain pliée en deux, à respirer trop fort, et je ne garde mon équilibre qu'en enfouissant les deux mains dans la fourrure de Giselle.

— *Biiiiilllllllyyyyyyyyy!*

Anya vient de lancer un de ses cris primaux, et son hurlement à retourner les sangs déchire le silence du parc. Du coin de l'œil, je vois Henry se précipiter vers sa sœur. De nouveau, elle crie le nom de son chien. Depuis le temps, je me suis habituée — du moins, autant qu'on peut l'être. Elle crie ainsi tous les jours. Mais apparemment c'est la première fois qu'Henry fait l'expérience du phénomène. Il s'immobilise à côté d'elle.

— C'est lui ? Tu l'as vu ? Pourquoi tu hurles comme ça ?

J'entends Anya lui fournir l'explication que je connais déjà : cela la soulage. Leur conversation me laisse le temps de me raccrocher quelques instants à Giselle, de compter mes respirations puis de me redresser. Au moment où Henry et Anya me rejoignent, la panique s'est dissipée. Je sens le regard scrutateur d'Anya posé sur moi.

— Je ne comprends toujours pas pourquoi tu pousses des cris pareils, insiste Henry, sourcils froncés.

— Je viens de te le dire : ça me dégage la tête. Ça me calme. Mieux vaut ça que de bouffer des antidépresseurs, non ?

Henry ne répond rien.

Anya se tourne vers moi.

— Mon frère voudrait que je sois normale. Je suis une source de déception permanente pour lui. Il préférerait me voir abrutie de médicaments que de m'entendre hurler sur la voie publique.

— C'est faux, Anya. Je t'aime exactement telle que tu es. Mais je ne suis pas toujours certain que tu t'aimes *toi*.

Anya frappe le sol de la pointe de sa botte et ne répond pas. J'ai de la peine pour Henry. Il peut dire tout ce qu'il veut, elle ne lui pardonne pas son refus de croire au retour de Billy. Je soupçonne aussi qu'elle est profondément blessée par son départ imminent et que les piques acérées qu'elle lui envoie sont une façon de se protéger contre la douleur de le perdre. Je m'immisce dans leur conversation :

— En fait, certaines études prouvent que jouer avec un chien peut faire monter les taux de sérotonine et de dopamine chez l'homme, ce qui le rend plus calme, plus heureux, *sans* aide médicamenteuse. Conclusion : on peut penser, Anya, qu'en t'offrant Billy il y a toutes ces années, Henry t'a sans doute épargné le recours aux médicaments.

Henry me sourit, et je ressens un léger vertige qui n'a rien à voir avec la vue plongeante.

— Super, commente Anya. Donc la seule chose qui pourrait me soulager du stress occasionné par la perte de Billy, ce serait de retrouver Billy.

Je secoue la tête.

— Ce n'est pas ce que je voulais dire. Mais il est vrai qu'une des choses les plus difficiles, quand on a perdu un être cher, c'est de s'autoriser à chercher — et à accepter de trouver — une consolation dans d'autres domaines de notre vie.

Pour toute réponse, Anya rentre la tête dans les épaules et s'éloigne en dévalant la pente à grands pas. Giselle est prise de fascination pour le terrier de je ne sais quelle bestiole, et je lui accorde quelques instants pour examiner l'affaire. Henry nous attend. Une brise tiède apporte par bouffées l'odeur des fleurs sauvages, et Giselle lève le nez, remue la truffe et éternue.

Henry sourit et se penche pour lui caresser l'échine.

— Merci pour ce que tu as dit.

— Giselle a dit quelque chose ?

Il reporte en riant son attention sur moi.

— C'est à vous… enfin à toi que je m'adressais. Quand tu as parlé du fait que les chiens nous rendent plus calmes et plus heureux.

Je souris.

— Allons rejoindre Anya. Je crois que j'ai un autre tour dans mon sac pour aujourd'hui.

Henry m'invite à passer devant lui avec un petit geste galant. Nous ne tardons pas à rattraper sa sœur, et je me jette à l'eau.

— Anya, je peux te demander un service ? Ce serait pour l'association d'aide aux animaux dont je fais partie, tu t'en souviens ? Nous avons un chien, Seymour, qui a quelques petits problèmes psychologiques. Qui n'en a pas, d'ailleurs ? Bref, il est ballotté d'une famille d'accueil à l'autre depuis des mois et ne semble pas trouver le moyen de se faire adopter par…

— Je ne veux pas de nouveau chien, m'interrompt Anya.

— Non, non, bien sûr, je sais. Je ne te demande pas de le recueillir. C'est juste que nous publions sur notre site des photos de tous les chiens que nous proposons à l'adoption et que celle que nous avons de Seymour n'est pas très vendeuse. Il a l'air d'un vrai paquet de nerfs sur ce portrait. Et cela fait des semaines que personne ne s'intéresse plus à ce pauvre chien, du coup.

Anya ralentit insensiblement le pas, et j'accélère le mien de manière à marcher à côté d'elle.

— Je n'arrête pas de penser à cette photo que tu as prise de Billy. Tu es clairement douée pour tirer le portrait d'un chien sous son angle le plus flatteur, et je me disais que tu pourrais exercer tes talents sur Seymour. Ce n'est pas payé, mais si tu acceptes de consacrer un peu de temps à l'association…

Je laisse ma phrase en suspens lorsque Anya finit par tourner un regard dans ma direction. Dans ses yeux brûle quelque chose qui ressemble presque à de l'enthousiasme.

— C'est un chien noir ?

— Non, jaune… doré plutôt.

Je me souviens qu'elle a évoqué la difficulté à photographier les chiens à robe sombre.

— Jaune doré ?

Elle réfléchit un instant.

— Bon ben, OK.

— Vrai ? C'est génial, Anya. Merci, vraiment. Je pense que ça peut faire toute la différence pour ce pauvre Seymour. Sa famille d'accueil n'en peut plus, il paraît.

— A cause de ses problèmes psychologiques ?

— Il a la phobie des trains, pour commencer. Ou peut-être même de tous les bruits forts, en général. Quand il a peur, il se tortille et réussit à se dégager de son collier. Sa famille d'accueil craint qu'il ne se fasse écraser.

Anya garde le silence quelques instants avant de poser une série de questions — l'appartement de la famille d'accueil bénéficie-t-il d'un bon éclairage ? Y a-t-il un jardin où il serait possible de faire une séance de photo ? Seymour aura-t-il été lavé récemment ? Est-il dressé pour s'asseoir lorsqu'on lui en donne l'ordre ?

Mon sourire ne cesse de s'élargir pendant que je réponds au coup par coup :

— Aucune idée... Peut-être... Il faudra que je me renseigne.

Elle se mordille la lèvre, médite un instant, puis déclare :

— On peut raisonnablement supposer qu'il aime le bacon.

— Je pense, oui.

Son enthousiasme a quelque chose de vivifiant. J'ai l'impression d'avoir affaire à une personne différente — curieuse, imaginative, passionnée. Je sens en moi la griserie douce que procure le sentiment d'un geste thérapeutique réussi. Pour Anya, la photo était la clé.

La clé de la redécouverte d'une part d'espoir, d'une part de joie dans une vie sans Billy. Nous discutons avec animation pendant toute la durée de la balade, unies dans une nouvelle cause commune. Je détecte même une touche de couleur sur ses joues habituellement cireuses au moment où nous arrivons devant chez elle.

— Donc tu envoies un mail à Anya pour lui dire quand elle pourra faire la séance photo ? demande Henry.

Il est resté si silencieux depuis que nous sommes sortis du parc que j'avais presque oublié qu'il était là.

— Il faudra que je voie avec la famille d'accueil quand ce sera possible pour eux, mais je sais qu'ils sont pressés de faire bouger la situation. Seymour n'a pas été un invité très...

Anya émet un petit son, et je suis la direction de son regard. Huan, son voisin, court vers nous, l'inquiétude peinte sur son visage.

— J'ai promis à June que je vous retrouverais ! Heureusement que vous êtes là !

Il prend la main d'Anya dans la sienne.

— C'est Rosie... Elle avait du mal à respirer, et June a appelé une ambulance.

— Où est-elle ? demande Henry.

Sa voix est devenue sèche, professionnelle.

— Aux urgences de l'hôpital universitaire… à l'UCSF. Je peux vous y conduire, si vous voulez.

Anya arrache sa main de celle d'Huan et part en courant vers la maison.

Henry se tourne vers moi, le regard indéchiffrable. Je vois qu'il est sur le point de me dire quelque chose. Avant qu'il ne puisse parler, je secoue la tête et lui fais signe de suivre sa sœur.

— Vite ! Vite ! Dépêche-toi.

Lorsque je frappe chez Lourdes pour lui rendre Giselle, elle m'invite à entrer boire un café. Leo a disparu quelque part dans la maison — sous le prétexte officiel d'aller changer une ampoule —, mais comme il tarde à réapparaître je le soupçonne de s'être endormi dans un recoin. Je n'arrête pas de regarder mon téléphone dans l'espoir qu'Anya m'enverra un texto pour me donner des nouvelles de Rosie. J'ai du mal à fixer mon attention sur ma conversation avec Lourdes.

— Aïe ! hurle Portia. Gabby m'a mordue !

Lourdes tourne la tête vers sa benjamine. Sa voix est calme mais sévère.

— Tu as mordu ta sœur, Gabby ?

La petite secoue la tête, et ses cheveux noirs coupés au bol volent autour d'elle, effleurant ses oreilles minuscules. Avec un sourire espiègle, elle pointe le doigt vers Giselle, allongée près de là sur son coussin. La chienne soulève la tête et regarde son accusatrice, les sourcils remontés en accent circonflexe.

— Non, c'est pas vrai, dit Portia en se frottant le bras. C'était pas Giselle. C'est toi qui m'as fait mal, Gabby. Tu es un animal.

— On n'attaque pas avec les dents, dit Lourdes à Gabby. Dis à ta sœur que tu regrettes.

— Ze regrette ! gazouille Gabby en jetant les bras autour du cou de sa sœur.

— Je t'avais dit qu'on n'attaquait pas avec les dents !

Portia renifle. Malgré les quatre ans qui les séparent, Gabby réussit à renverser Portia au sol et à l'enfourcher. Puis elle lui rebondit sur le ventre jusqu'à ce que sa grande sœur pouffe de rire. Giselle se lève d'un bond et se dirige vers le duo en aboyant. Elle se dresse sur ses pattes arrière et atterrit lourdement sur l'empilement de fillettes qui hurlent de plus belle.

— Quelle bande de ouistitis, marmonne Lourdes.

Elle secoue la tête et sourit. Lourdes dispose de tout un arsenal de surnoms loufoques pour ses filles. Portia, son aînée, elle l'appelle Rat de Laboratoire ou Boss ; Gabby, c'est le Monstre, l'Animal, ou l'ADM (pour arme de destruction massive). Collectivement, ce sont les ouistitis ou les foldingos. Ou alors elles ont droit à des qualificatifs sans queue ni tête comme les schnoupidoutes ou les pikounettes.

Ces noms absurdes me rappellent les sobriquets farfelus dont j'ai affligé Toby au fil des années. Il a été Contrebandier, parce qu'avec son estomac comme un tonneau il avait toujours l'air d'avoir avalé un gros volatile en entier. Il était aussi Luigi, parce que sa moustache noire de macho me faisait penser à un pizzaïolo lançant son disque de pâte en l'air. Je l'appelais Aldo pour sa façon de se pavaner, Jasper parce que, pour moi, c'est un prénom des années soixante, assorti à ses pattes d'ef, et Zodiac parce que, lorsque je lui grattais le bas du dos, il émettait un joyeux vrombissement qui me rappelait un bateau frappant la houle.

Lourdes me regarde droit dans les yeux.

— J'ai réfléchi à ton cas et je me dis que ta descente dans la folie…

— Merci pour cette délicate définition.

— … n'est peut-être pas uniquement due à la mort de Toby. Je sais combien tu l'aimais, ton chien. Crois-moi, je le sais. Mais il se pourrait que la façon dont tu as sombré dans la peur après sa disparition soit une réaction à retardement liée à d'autres facteurs. Je pense à ta mère, bien sûr. Mais pas seulement. Pendant des années, tu t'es arrangée pour rester confinée dans ta petite vie ratatinée — toujours le même appartement, le même boulot, les mêmes histoires d'amour vouées à l'échec... Peut-être que toutes ces contraintes, ces limitations ne pouvaient que déboucher sur une explosion tôt ou tard. Et puis, cette obstination à vouloir aider les autres coûte que coûte en te débrouillant toujours pour couper court dès qu'on parle de toi...

Elle secoue la tête.

— Il faut que tu fasses le ménage dans ta tête et que tu regardes ta merde intérieure en face. La politique de l'autruche, ça va bien un moment, mais, tôt ou tard, tout l'irrésolu que tu laisses de côté, tu finis par te le reprendre comme un gros caca dans la tronche.

Elle a raison bien sûr. Je suis dévastée par la mort de Toby, mais je sais aussi que la perte de mon chien a réveillé quantité d'angoisses plus anciennes qui, longtemps restées contenues, se sont mises à enfler, enfler, enfler et prendre des proportions incontrôlables. Tout comme une éponge sèche gonfle dans l'eau de façon démesurée.

Je lève les yeux vers Lourdes.

— Je dis toujours à mes patients que le trauma est cumulatif, mais je devrais peut-être changer ma formule et leur assener plutôt un « Occupe-toi de ta merde ou tu vas finir par te la prendre dans la tronche tôt ou tard ». Ce serait tellement plus explicite et imagé.

Lourdes hausse les épaules.

— Oups, désolée. J'ai encore parlé comme un charretier ? C'est pour ça que je préfère travailler avec les plantes. Elles au moins, elles s'accommodent de mon vocabulaire.

9

Deux jours plus tard, après ma dernière séance de la journée, je récupère Giselle et nous partons ensemble en promenade jusqu'à un joli petit immeuble de trois étages, situé dans la partie de Carl Street qui s'étire à l'ouest de Cole Valley. Après avoir vérifié que la famille d'accueil de Seymour vivait à distance raisonnable de chez moi, j'ai promis à Anya que je viendrais pour l'assister lors de la séance photo.

Je la retrouve devant l'entrée de l'immeuble.

— Je suis vraiment soulagée que Rosie aille mieux. Elle est rentrée de l'hôpital ce matin, alors ?

Anya déglutit et fait oui de la tête. La bride de son sac, alourdi par son appareil photo, creuse profondément l'épaule de son grand manteau sale dans lequel elle flotte plus que jamais.

Je lève les yeux vers le ciel laiteux.

— Pas terrible ce temps, pour la photo, si ?

Anya hausse les épaules. A la voir, on a toujours l'impression qu'elle ne s'est pas douchée depuis un moment, mais son état de crasse est stationnaire, donc je suppose qu'elle doit quand même se laver de temps en temps.

— Le brouillard n'est pas défavorable, m'explique-t-elle. En fait, c'est même mieux qu'un soleil trop éclatant.

Elle se penche pour caresser Giselle.

— Salut, toi, jeune fille. Je n'étais pas sûre que je te verrais aujourd'hui.

— J'ai pensé qu'elle pourrait aider à détendre Seymour.

Anya lève les yeux pour me regarder.

— Et elle est ici parce que tu continues de la dresser, non ? Tu en fais bien un chien d'assistance ?

— Oui, voilà.

Lorsqu'on nous ouvre via l'interphone, c'est Giselle qui nous guide dans l'escalier, la truffe à ras du sol, humant chaque marche. Quelques aboiements étouffés résonnent quelque part dans l'immeuble mais, quand nous atteignons l'appartement, on ne les entend plus. Un homme de haute taille, à l'expression aimable mais lasse, nous ouvre la porte.

— Maggie ?

— Bonjour. Vous êtes Grant, je suppose ? Voici mon amie Anya. C'est la photographe dont je vous ai parlé au téléphone. Et ça, c'est Giselle.

Grant sourit au caniche.

— Ah ! Je suis ravi que vous soyez venues avec un modèle de chien professionnel pour enseigner quelques bases de savoir-vivre à Seymour.

Il recule d'un pas et nous fait signe d'entrer dans son séjour. La pièce offre un contraste total avec l'ambiance morne et froide du dehors — elle est chaude, lumineuse et attirante avec ses murs jaunes et son canapé blanc assez bas, orné de coussins moelleux déclinant diverses nuances d'orange.

— Je vous sers quelque chose à boire, à toutes les deux ? propose Grant. Un café peut-être ?

Anya et moi secouons la tête.

— Non merci, vraiment, dis-je. A SuperClebs, nous vous sommes tous profondément reconnaissants pour la patience dont vous faites preuve, Chip et vous, dans cette situation qui se prolonge avec Seymour. Je crois avoir compris qu'il ne vous rendait pas la vie facile.

Grant sourit tristement.

— Ça nous rend malades d'avoir à nous séparer de Seymour avant qu'il ait trouvé sa famille définitive. Je sais qu'il a déjà été ballotté d'un foyer à l'autre, et nous étions vraiment déterminés à le garder, quoi qu'il se passe, jusqu'au moment où il serait adopté pour de bon. Cela ne nous était encore jamais arrivé avec un autre chien d'avoir à déclarer forfait.

Il secoue la tête.

— Nous sommes consultants tous les deux, et il nous arrive d'avoir des horaires assez déments. On a décidé il y a quelques années que ce ne serait pas juste d'avoir un chien à nous au stade où nous en sommes de nos carrières. C'est pourquoi nous avons passé un arrangement avec SuperClebs pour accueillir des chiens en demande d'adoption chaque fois que nous sommes dans une période creuse.

Il baisse la voix. Probablement pour que Seymour — *où se cache-t-il, d'ailleurs, ce chien ?* — ne l'entende pas.

— Nous avons eu Seymour en séjour nettement plus prolongé que prévu. C'est la première fois que nous gardons un chien aussi longtemps, en fait. Chip et moi sommes de nouveau sur un gros projet et mobilisés à fond par le boulot, forcément. Nous ne sommes pas aussi présents à la maison qu'il le faudrait. Et ce n'est pas bon pour Seymour.

— Je comprends parfaitement que...

Mais Grant, visiblement très soucieux de se justifier, n'en a pas encore fini avec ses explications :

— Je ne voudrais surtout pas que vous pensiez que nous laissons tomber Seymour. Nous sommes juste sincèrement convaincus que ce chien serait moins malheureux avec quelqu'un de plus présent qui pourrait garder un œil sur lui. Et peut-être consacrer un peu de temps à son éducation ; l'aider à reprendre confiance en lui. C'est un bon chien, pour le reste.

Grant conclut son long plaidoyer par un petit mouvement d'épaules résigné.

— Enfin bref, je suis désolé que ça se termine comme ça.

— Vous n'avez vraiment pas à vous excuser.

Sybil m'a expliqué que Grant et son mari ont déjà accueilli cinq chiens pour SuperClebs en réglant toujours eux-mêmes les frais de vétérinaire et de vaccination au lieu de transmettre les factures à l'association, comme c'est souvent la pratique pour les familles d'accueil. Ce sont des gens généreux et responsables qui ont fait leur maximum et sont tout simplement à bout.

— Sybil et moi, nous apprécions vraiment tout ce que vous avez fait, Chip et vous. A mes yeux, vous êtes déjà quasiment des saints. Ça ne doit pas être facile d'accueillir chaque fois un nouveau chien chez soi, de composer avec ses habitudes, sa personnalité. Cela exige un énorme travail d'adaptation. Et il arrive que ça ne colle pas, tout simplement. Ou que des problèmes de la vie quotidienne se mettent en travers du chemin. Nous comprenons tout à fait. Vous avez déjà donné tellement plus que ce qu'on attend d'une famille d'accueil. A la fois à Seymour et à tous les autres chiens que vous avez hébergés.

Grant paraît soulagé par ma petite intervention.

— Oui, enfin… Nous l'avons fait avec plaisir. Nous adorons les chiens. Mais ça, je crois que j'ai déjà dû vous le dire ?

Il rit nerveusement.

— Tout va bien se passer, lui assure Anya. Nous allons trouver le moyen de caser Seymour le plus vite possible, et vous pourrez accueillir le chien suivant quand vous serez prêts.

Je suis surprise par l'intervention d'Anya et je lui adresse un sourire reconnaissant avant d'enchaîner :

— Qu'auriez-vous pu faire, d'ailleurs ? Vendre votre appartement et déménager parce que votre chien temporaire n'aime pas les trains ? Cela paraît plus logique de déplacer le chien.

Je regarde autour de moi.

— Mais où se cache-t-il donc, ce fameux Seymour, d'ailleurs ?

Grant désigne le canapé.

— Dans sa planque habituelle.

C'est là que je vois un sympathique museau inquiet se profiler derrière un accoudoir. J'ai l'impression de le connaître déjà — de retrouver un vieil ami. Une sensation étonnamment chaude et douce s'installe dans ma poitrine. C'est sûrement à force d'avoir passé tant de temps à scruter sa photo sur le site.

Giselle a repéré Seymour, elle aussi. Elle gémit d'impatience et tire sur sa laisse.

— Oh ! bonjour, Seymour, dis-je doucement.

Je tends la laisse de Giselle à Anya et sors deux biscuits de ma poche. J'en donne un à Giselle et me dirige vers Seymour. A quelques pas de lui, je m'accroupis pour lui tendre mon offrande. Je me surprends à retenir mon souffle, n'ayant aucune idée de la façon dont il peut réagir, et je suis soulagée lorsqu'il replie ses longues oreilles pendantes derrière sa tête et trottine vers moi, la truffe au ras du sol, en agitant la queue. Il lève vers moi de grands yeux bruns indécis.

J'avance le biscuit.

— C'est bon, Seymour. Tu peux le prendre. Il est pour toi.

Sans rompre son contact visuel avec moi, Seymour attrape la friandise et la place de travers entre ses dents, si bien que la moitié du gâteau pend avec désinvolture sur le côté, entre ses babines. Il fait penser à ces tableaux où l'on voit des chiens en costume trois pièces jouer au poker en fumant le cigare.

Je souris.

— Hé, Seymour, tu ne veux pas le manger, ton biscuit ?

Mais il se contente de le tenir en continuant à agiter la queue de plus belle. Il émet un son bas, comme un petit grognement amical — à la limite du ronronnement, en fait. Grant, Anya et moi rions tous les trois.

— C'est un truc à lui, ça, commente Grant. Chip pense qu'il est un tiers retriever, un tiers basset et un tiers chat.

Je reporte mon attention sur Seymour.

— Tu serais donc un peu félin, toi ?

Il lève les sourcils et les rapproche, ce qui lui donne un air à la fois intelligent et perplexe. Je lui caresse le museau, puis je retiens à deux mains ses oreilles démesurées. Sans elles, il a la tête classique du golden retriever — une bonne tête qui n'exprime que dévouement, confiance et loyauté. Il respire littéralement la dignité. *Comment les chiens réussissent-ils ce tour de force ?* Je plonge mon regard dans ses grands yeux bruns et, de nouveau, la même sensation douce se répand comme du beurre fondu dans ma poitrine.

Que t'a-t-on fait subir pour que tu sois torturé par la peur à ce point ? Seymour tient toujours son biscuit, mais il a posé son museau de velours sur mon poignet. A-t-il été battu ? Qui pourrait exercer pareille cruauté à l'encontre d'un animal aussi amical ? L'idée me brise le cœur. Je sens la caresse tiède du souffle de Seymour sur mon bras, consciente qu'il me répond à sa façon et que je n'en saurai jamais plus.

— Oh ! dis-je. Tu es vraiment gentil, toi, hein ?

Je me tourne de nouveau vers Anya et Grant, rompant à contrecœur le contact visuel avec Seymour, et je m'efforce de rassembler mes pensées.

— Il faut que les candidats à l'adoption le voient vraiment tel qu'il est ! Comment résister à un chien pareil ? Il est tellement plus beau que sur la photo du site.

— Eh bien, on va remédier à ça, annonce Anya, visiblement mûre pour arrêter les palabres et passer aux choses sérieuses.

Giselle tire à présent sur sa laisse, pressée d'inspecter Seymour sous toutes les coutures. Je fais signe à Anya d'approcher.

— Voyons comment ils s'entendent, tous les deux.

Anya me rejoint avec Giselle. Seymour tolère ses reniflements intrusifs avec un calme qui ne manque pas d'élégance, la tête rigide, la queue balayant le sol avec une certaine raideur, ses grandes oreilles plaquées en arrière en signe de soumission. Giselle, deux fois plus haute que lui, doit plier les pattes avant pour renifler sous lui. Lorsqu'elle se redresse, satisfaite, elle lui souffle — pas très respectueusement — dans l'oreille.

Je la réprimande en riant.

— Hé ! Ne te moque pas de lui, Giselle. Même si c'est tentant.

Seymour se secoue, et ses oreilles claquent contre sa tête. Je lui gratte le dessous du menton, et il me regarde d'un air heureux. Petit à petit, la peur dans ses yeux reflue et disparaît.

Je bascule mon poids sur les talons et me redresse. Au même moment, on entend le grondement d'un train qui se rapproche. Seymour pivote sur lui-même et file derrière le canapé, ses ongles griffant le parquet.

— Tout va bien, Seymour, lance Grant d'un ton rassurant. Ce n'est rien. Juste un train.

Je ne dis rien.

Quelques instants plus tard, une fois le danger passé, Seymour pointe de nouveau le bout du museau. Il tremble et lève les yeux vers moi comme s'il attendait une explication pour le fracas monstrueux qui ne cesse de le torturer à intervalles réguliers.

— C'est bon, Seymour. Viens ici. Il est parti, maintenant.

Lorsque Seymour fait quelques pas prudents dans ma direction, je constate qu'il a laissé une petite flaque derrière lui. Grant est déjà en mode intervention sanitaire d'urgence, équipé d'un rouleau de papier essuie-tout et d'un spray de désinfectant. Il garde clairement les deux à portée de main.

Je me porte volontaire pour la corvée de nettoyage, mais Grant balaie la proposition d'un geste de la main et s'accroupit pour éponger.

— Nous avons essayé de repousser le canapé contre le mur pour qu'il n'ait plus d'endroit où se cacher. Mais, du coup, il avait pris l'habitude de courir dans notre chambre et de faire ses besoins sur la moquette chaque fois qu'un train passait. De deux maux, nous avons choisi le moindre. Sans compter qu'il semble attaché à son coin refuge. Cela nous paraissait cruel de l'en priver.

— Où pensez-vous qu'il serait le plus à l'aise pour qu'Anya le prenne en photo ? Ici ou à l'extérieur ?

— Ici, probablement. Vous pouvez essayer de l'emmener dehors, mais je vous avertis qu'il n'est pas commode à tenir en laisse. Il est mort de trouille, dans la rue.

Anya réfléchit un instant et secoue la tête.

— Je pense qu'on devrait quand même tenter le coup. La lumière naturelle serait préférable.

Pour ma part, j'aurais plutôt voté pour une séance intra-muros. Mais la raison officielle de notre présence ici est d'obtenir une bonne photo de Seymour à publier sur le site ; l'officieuse étant de faire émerger une part plus enjouée et extravertie de la personnalité d'Anya. Deux bonnes raisons donc pour acquiescer sans discuter.

Pendant que Grant quitte la pièce pour aller chercher la laisse, Seymour vient s'asseoir tout contre moi et prend appui sur ma jambe.

— Tu devrais te méfier, commente Anya. Il a l'air amoureux, ce garçon.

Tu te trompes d'objectif stratégique, séducteur ! Ce n'est pas moi qu'il faut viser, c'est l'autre fille. Plus que jamais déterminée à créer le rapprochement entre Anya et lui, je change de position de manière à obliger Seymour à s'écarter de moi. La laisse de Giselle traîne par terre, et je la ramasse pour l'enrouler autour de ma main. Lorsque Grant revient avec celle de Seymour, il veut me la remettre, mais je lui fais signe de la confier à Anya.

— Gardez-le bien à l'œil, surtout. Il est plus rapide qu'il n'en a l'air. Nous avons essayé toute une collection de colliers et de harnais avec lui. Mais à cause de sa… euh… configuration particulière et de sa capacité à se tortiller comme un ver, il a réussi à se dégager chaque fois.

Il se penche pour soulever le menton de Seymour et plonge son regard dans le sien.

— Garde la tête haute, petit bonhomme.

Grant est visiblement très attaché à son chien d'accueil, et j'ai une brève lueur d'espoir que peut-être Chip et lui décideront de l'adopter pour la vie. Mais, lorsque Grant se redresse, le soulagement est sensible dans sa voix quand il se tourne vers moi.

— En fait, je suis content que vous ayez décidé de le sortir. Le fait de marcher en laisse avec une experte l'aidera peut-être à progresser. Plus vite il surmontera ses problèmes, plus vite il trouvera une famille définitive, n'est-ce pas ?

— Oh ! je n'ai rien d'une experte.

Grant paraît si déçu que je me hâte d'ajouter :

— Mais ne vous inquiétez pas. Nous allons trouver bientôt sa famille idéale.

Comme on pouvait s'y attendre, Seymour, une fois hors de l'appartement, semble se flétrir comme une fleur sous un soleil brûlant. Ce ne sont plus seulement ses oreilles interminables, mais son corps entier qui a l'air de pendouiller lamentablement lorsque nous arrivons au pied de l'escalier. J'ouvre la porte, révélant les voitures qui filent à vive allure sur la chaussée. Seymour recule d'un pas et s'assoit sur son arrière-train en tremblant. Anya essaie de donner un petit coup sec sur sa laisse, mais il se met à secouer violemment la tête et réussit presque à s'extirper de son collier.

Nous procédons à un échange de laisses, et je m'agenouille devant Seymour pour lui faire un petit discours de motivation. Première étape : je lui soulève les oreilles en une lente caresse répétée. Il me regarde au fond des yeux puis détourne le regard. Et recommence le même manège. Je pose les mains sur ses épaules.

— Qu'est-ce que tu comptes faire de ta vie, Seymour ? Rester enfermé pendant le restant de tes jours ?

La vie est incroyable, non ? Je trouve le moyen de tomber sur un des seuls chiens agoraphobes que cette terre ait jamais portés !

— La thérapie par l'exposition, voilà ce que je préconise dans ton cas, Seymour. C'est LA méthode. La *désensibilisation* est la clé de ta guérison, fais-moi confiance.

Seymour penche la tête sur le côté et gémit.

— Qu'est-ce que tu lui racontes ? demande Anya.

Je me redresse.

— Du baratin psy. C'est confidentiel.

Je prends un nouveau biscuit dans ma poche et recule lentement jusque sur le trottoir. Seymour rampe vers moi malgré lui. C'est tout juste si je ne l'entends pas pester contre ses fichues pulsions canines et son incapacité à résister à l'appel du ventre. J'attends qu'il m'ait pris le biscuit des mains pour confier sa laisse à Anya avec un stock de biscuits pour chien. Puis je récupère Giselle.

Une fois en chemin, Seymour ne se montre guère plus vaillant. Il zigzague d'un côté à l'autre du trottoir, sa longue queue touffue rabattue entre les jambes. Chaque fois qu'une voiture passe, il se cabre, terrifié, les yeux rivés sur le véhicule trop bruyant, le corps parcouru de frémissements, les yeux écarquillés au point qu'on en voit le blanc. Je reste tout près de lui, inquiète à l'idée qu'il puisse se dégager de son collier et prendre la fuite.

— Mon pauvre vieux, murmure Anya. J'ai presque envie de le porter.

Mon regard va et vient entre le corps massif et compact de Seymour et la frêle silhouette d'Anya.

— A mon avis, tu n'irais pas loin. Et il faudra bien qu'il apprenne à marcher seul comme un grand un jour, non ?

L'ironie de mes propos ne m'échappe pas. Les joues en feu, je fuis le regard d'Anya et lève les yeux vers le ciel au-dessus de la ligne des maisons de l'autre côté de la rue jusqu'à ce que je repère Sutro Tower, loin là-haut, sur la colline.

Anya ne répond pas. Nous parcourons tant bien que mal deux pâtés de maisons avec un Seymour agité qui manque à plusieurs reprises de se débarrasser de son collier. Puis, petit à petit, il finit par s'aligner non sans hésitation sur l'allure de Giselle. Lorsqu'elle s'arrête pour faire pipi, Seymour se précipite pour suivre son exemple. Giselle ne manque pas de recouvrir la flaque de Seymour de quelques gouttes de sa propre production, mais loin d'en prendre ombrage il trottine à sa suite dès qu'elle a terminé. Son expression soucieuse se détend légèrement lorsqu'il finit par se coller contre elle.

— J'ai l'impression qu'il craque pour Giselle, dis-je.

— Tu crois que les propriétaires de Giselle accepteraient de le prendre chez eux ?

Je réfléchis de nouveau à cette possibilité, mais je ne vois toujours aucun moyen d'aborder le sujet avec Lourdes sans qu'elle fasse pression pour que je l'adopte, moi.

— Je ne crois pas, non.

Anya scrute la rue, cherchant des yeux l'arrière-plan idéal pour ses prises de vue pendant que je concentre mon attention sur les chiens, charmée de voir les pattes de Seymour tricoter deux fois plus vite que celles, beaucoup plus longues, de Giselle. Je ressens comme un avant-goût du bonheur paisible qui m'envahit chaque fois que je me trouve en compagnie de deux chiens tout à leur plaisir de cheminer ensemble. Du coin de l'œil, j'observe Anya et je m'aperçois qu'elle aussi a le sourire aux lèvres. Or il est à peu près aussi fréquent de voir sourire Anya que de tomber sur une licorne au coin d'une rue. *Je mets au défi quiconque oserait me soutenir que les chiens n'ont pas un effet magique sur les humains.*

Anya sort son appareil de son sac.

— Tu crois qu'on pourrait inclure Giselle dans la photo ? Seymour a l'air tellement plus détendu quand il est avec elle.

Je hausse les épaules.

— Je ne vois pas en quoi cela poserait problème. Je veillerai à préciser dans la fiche que lui est adoptable et pas elle. Qui sait ? Peut-être qu'un amateur de caniche ira jusqu'à s'attendrir sur le sort d'un bâtard comme Seymour.

Anya triture son appareil pour changer son objectif. Elle commence par mitrailler les deux chiens en marche. Puis nous les persuadons de prendre place côte à côte devant une grande jardinière où poussent des fleurs rose vif, près de l'entrée d'une maison Craftsman parfaitement entretenue. J'attache les laisses des chiens à la rampe de l'escalier du perron.

Anya donne à chacun des chiens un petit morceau de jambon qu'elle sort d'un sachet en plastique transparent. Elle me tend le reste.

— Je me suis dit que tu pourrais agiter le jambon au-dessus de ma tête pendant que je les photographie. Si *ça*, ça n'attire pas leur attention, rien d'autre ne le fera.

— Super idée, en effet.

Elle s'accroupit pour braquer son objectif sur Seymour et Giselle pendant que je maintiens le sachet en position.

— Très romantique, dis-je, en admirant la scène.

Les deux chiens ont la tête levée et regardent le jambon avec des yeux brillants de convoitise, leurs deux queues agitées par un même frémissement d'impatience. Au bout de quelques minutes, Anya lève son appareil pour me montrer l'écran et fait défiler quelques-unes des photos qu'elle vient de prendre. Seymour et Giselle sont tellement désassortis que leur duo en est attendrissant. L'un à côté de l'autre, ils ont un charme gentiment foutraque, et je constate avec soulagement que le regard de Seymour est plus doux que sur la photo publiée sur le site.

— Elles sont géniales, Anya. Je ne sais pas comment te remercier.

Anya récupère son appareil.

— Tiens-toi prêt à être adopté, Seymour !

Giselle et Seymour quittent la pause devant la jardinière fleurie et se lèvent d'un bond pour récupérer chacun un bout de jambon. Je cède à la tentation et me penche pour embrasser Seymour.

— Quel bon garçon courageux, tu fais !

Derrière moi, je perçois le déclencheur de l'appareil d'Anya. Je me redresse et, au même moment, un grondement de train se fait entendre sur Carl Street, à deux rues de là. Les yeux de Seymour s'écarquillent de terreur et le blanc apparaît. Il se jette sur le côté et sa laisse, toujours attachée à la rampe, se tend. Lorsqu'il se cabre en secouant la tête, son collier glisse vers ses oreilles.

Je tends les mains vers lui.

— Seymour. Tout va bien. Il ne va rien t'arriver, mon vieux.

Mon pouls bat à un rythme assourdissant, mais j'essaie de garder une voix calme et rassurante tout en farfouillant dans mon sac pour en sortir une friandise en guise d'appât. Trop tard. Seymour tire un coup sec et dégage la tête de son collier. Pendant une fraction de seconde, nos regards restent rivés l'un à l'autre.

Ne t'enfuis pas ! Les mots n'ont pas eu le temps d'arriver à ma bouche que déjà Seymour a fait demi-tour et détale sur le trottoir, loin de nous. La crainte pour la sécurité de Seymour doit être plus forte que ma phobie. Dans l'urgence, mon réflexe de protection va prendre le dessus, et je vais m'élancer derrière lui sans la moindre hésitation.

Sauf que pas du tout.

Je reste plantée là, paralysée, le cœur déchaîné comme un animal pris au piège.

Giselle tire sur sa laisse en gémissant pendant qu'Anya pique un sprint. Un groupe d'écoliers qui débouche au coin de la rue effraie Seymour qui fait volte-face, mouline des pattes et se précipite vers la chaussée où les voitures défilent. Anya bondit, fend l'air et le rattrape juste à temps en passant ses bras maigres autour de son ventre. Il se débat, mais elle le tient solidement. Je prends une profonde inspiration. Anya murmure à l'oreille de Seymour, et au bout d'un moment il se calme et tourne la tête pour lui lécher la joue.

Et moi, dans l'histoire, je n'ai pas bougé d'un millimètre. La laisse et le collier de Seymour gisent par terre juste à côté de moi, mais je suis incapable de faire un pas pour les ramasser. Giselle geint, et son regard inquiet va et vient entre Seymour et Anya d'un côté, et moi de l'autre.

Lorsque Anya se retourne dans ma direction, je lis le questionnement dans ses yeux malgré le pâté de maisons qui nous sépare. Au bout d'un moment, elle se redresse, Seymour toujours dans les bras. Enfin, alors qu'elle n'est plus qu'à quelques pas, ma bouche sèche s'humidifie juste assez pour croasser un merci. Je sens peser son regard sur moi pendant que je me dépatouille tant bien que mal pour détacher les laisses de mes doigts tremblants.

Je l'entends murmurer derrière moi :

— Il va falloir qu'on t'apprenne à marcher, c'est tout. C'est la chose la plus simple au monde, non ?

Je ne peux qu'espérer que c'est bien au chien qu'elle s'adresse.

10

Il est 8 heures du soir et, malgré deux verres de vin et le crépitement hypnotique du feu, je suis encore ébranlée par les événements de l'après-midi : la fuite de Seymour et mon immobilisme sidéré en dépit des risques évidents qu'il courait. Je n'arrête pas de penser à la pure panique que j'ai vue dans ses yeux lorsqu'il a croisé mon regard une fraction de seconde avant de faire demi-tour et de détaler. Pourquoi, mais *pourquoi* ai-je été incapable de réagir ? Et qu'est-ce que Seymour a perçu de moi quand nos regards se sont croisés ? Les chiens sont tellement intuitifs qu'avant même de plonger les yeux dans les miens, il avait déjà compris ce que je ressentais — une sorte d'angoisse opaque qui avait aggravé ses propres peurs en les lui renvoyant en miroir.

Je viens de passer une heure à chercher des informations en ligne sur la conduite à tenir pour aider un chien anxieux. Si je n'avais pas déjà pris la décision de ne pas adopter Seymour, tout ce que je viens de lire aurait achevé de me convaincre que, lui et moi ensemble, ce serait un désastre. Je n'ai pas été surprise d'apprendre que, question phobies, chiens et humains sont plus ou moins logés à la même enseigne.

Pour les chiens angoissés ou peureux, le site de la Société pour la prévention de la cruauté envers les animaux — la SPCA — recommande « la désensibilisation systématique avec contre-conditionnement », deux techniques qui, bien sûr, me sont familières. Pour désensibiliser un chien qui a peur des bruits de la ville et refuse de marcher en laisse comme c'est le cas pour Seymour, il faut l'habituer tout en douceur, en commençant par de brèves promenades dans des quartiers paisibles, puis prolonger petit à petit les trajets jusque dans des rues un peu plus passantes, tout en gardant les déclencheurs d'anxiété à distance. Il s'agit en quelque sorte de rester en amont de la peur, de ne pas tant la surmonter que de faire en sorte d'éviter qu'elle ne s'installe.

Je repense alors au premier jour — il y a déjà presque deux semaines — où je me suis risquée à franchir le portail avec Giselle ; comment j'ai commencé par une promenade éclair jusqu'au coin de la rue, en poussant plus loin à chaque balade, surmontant chaque fois une nouvelle mini-étape. Le problème, dans mon cas, c'est que je n'ai pas pu éviter un déclencheur d'anxiété majeur : les situations en hauteur. Ce qui explique peut-être pourquoi je ne suis toujours pas très à l'aise hors de chez moi, même si j'ai déjà accompli des progrès considérables. Mais je vis à San Francisco désormais ; il est illusoire d'espérer échapper aux vues panoramiques. Avec un peu de chance, il en ira de mes vertiges comme de l'arrachage d'un pansement d'un coup sec : plutôt une thérapie par le choc qu'une désensibilisation progressive.

La technique du contre-conditionnement que préconise la SPCA, en revanche, je n'ai pas pensé à la mettre en œuvre dans mon programme de traitement personnel. D'après ce que j'ai lu sur le site, il s'agit de reconditionner le chien pour l'amener à associer une situation anxiogène avec un stimulus positif, comme le jeu ou la nourriture. Pour les chiens, la méthode la plus simple consiste à recourir à la nourriture : si chaque fois qu'un chien se promène dans la rue il reçoit une récompense, il finira par associer la promenade et les bruits de la ville avec une expérience de plaisir.

Il faudrait peut-être que je cache des bouteilles de vin tout en haut de ces parcs abrupts où Anya s'obstine à me traîner ?

Seul bémol : l'alcool n'est pas une forme de contre-conditionnement très indiquée pour l'humain.

En repensant à mes propres randos urbaines, je prends soudain conscience qu'un stimulus positif bien particulier remplit chez moi la même fonction que les friandises chez les chiens : le fait d'aider Anya. Même si elle n'est pas ma patiente, la voir reprendre son appareil photo, sentir nos liens d'amitié se resserrer, l'entendre se confier à moi d'une façon que je n'avais même pas osé imaginer possible pendant notre seule, unique et désastreuse séance de thérapie, m'encourage à continuer à pousser le portail qui donne sur le monde extérieur. J'associe ces marches à pied à l'idée de plaisir, parce qu'elles sont l'occasion pour moi d'assister aux lents mais indéniables progrès d'Anya. L'espoir de la guérison d'Anya, ce sont mes biscuits à moi.

Si seulement je pouvais demander à Grant et Chip de donner une friandise à Seymour ou de jouer avec lui chaque fois qu'un train passe. Très vite, il en viendrait à poser l'équation train = nourriture ou jeu (avec en prime le plaisir qu'on fasse attention à lui !). Mais ils en ont déjà vu de toutes les couleurs avec ce chien. On ne peut pas s'attendre à ce qu'ils se lancent dans une rééducation canine lente et compliquée. Compte tenu de leurs horaires de travail et de la malencontreuse habitude de Seymour de se soulager derrière le canapé, c'est déjà un miracle qu'il ait encore droit à la promenade. Et, si je leur mets trop la pression, ils risquent de tout arrêter en décidant qu'héberger un chien devient trop compliqué pour eux. SuperClebs ne peut pas se permettre de perdre une de ses familles d'accueil.

Mes propres contraintes professionnelles sont plutôt *light* pour le moment et me laissent assez de temps libre pour promener Seymour tous les jours. Quant aux horaires d'Anya, ils sont encore moins contraignants que les miens, et je me demande s'il n'y aurait pas moyen de l'enrôler. Ensemble, nous pouvons être le moteur du programme de désensibilisation et de contre-conditionnement façon SPCA de Seymour. A priori, rien ne l'empêche de continuer à chercher Billy tout en promenant Seymour. Et qui sait ? Peut-être qu'en cours de route elle s'apercevra que ce drôle de chien est irrésistible et qu'il serait bien mieux avec elle dans la grande maison de Rosie, loin du fracas des trains.

Je recommence à cliquer sur divers sites de vétérinaires comportementalistes pour trouver des compléments d'information et peaufiner mes stratégies de traitement lorsqu'un coup frappé à ma porte me fait tressaillir. J'allume la lumière extérieure et jette un œil par le judas.

Henry Ravenhurst se tient sur le seuil.

Je tourne la tête pour voir dans quel état est mon appartement et constate avec soulagement qu'il paraît tout à fait neutre et ordonné. Aucun détail révélateur ne hurle : « Folle qui ne sort jamais sans son chien » ou pire encore : « Cinglée qui ne quitte son appartement que pour aller voir ta sœur. » Et ça tombe bien, je n'ai pas encore enfilé mon pyjama et je porte toujours le pull bleu trop grand et le jean que j'avais mis pour la séance photo avec Seymour. Je me dirige vers la cuisine avec mon verre de vin, avale une dernière gorgée pour y puiser un brin de courage et le pose dans l'évier. Puis je vais ouvrir la porte.

— Bonsoir, Maggie. Désolé de passer aussi tard. Et sans prévenir, en plus.

— Pas de problème, je n'étais pas encore couchée. Tout va bien ?

— Oui, oui.

Henry joue avec la bride de la besace qu'il porte en bandoulière.

— Tout va bien, répète-t-il sans préciser pour autant le but de sa visite.

— Tu veux entrer ?

Il hésite, baisse les yeux sur mes pieds nus. Chaque ongle de mes orteils est verni dans une couleur différente — résultat d'une crise d'insomnie récente.

— Il va falloir te décider dans un sens ou dans un autre, Henry. Mes doigts de pied virent au bleu.

Il sourit.

— Je ne te prendrai que quelques minutes de ton temps.

D'un geste, je l'invite à entrer et referme la porte derrière lui.

— Assieds-toi. Tu veux boire quelque chose ?

Henry prend place dans le fauteuil jaune.

— En fait, j'ai apporté ça, dit-il, l'air vaguement penaud en sortant une bouteille de vin de sa besace.

— Oh ! c'est très égoïste de ta part. Et pour moi tu n'as rien prévu ?

Henry paraît un instant perplexe, puis un sourire éclaire son visage.

— Je suppose que je pourrais partager... Si ça te dit ?

Je m'accorde un peu plus de temps que nécessaire pour farfouiller dans un tiroir de cuisine à la recherche du tire-bouchon, histoire de reprendre un peu mes esprits. Henry est la première personne qui ne soit ni Lourdes, ni Leo, ni un patient à entrer dans cet appartement depuis que je me suis installée. Mon pouls accélère. Pas parce que je suis angoissée cette fois, mais sous l'effet de la nervosité. Il me paraît important de faire le distinguo. Je prends une profonde inspiration et retourne dans le séjour avec le tire-bouchon et deux verres.

— Je dois dire que tu es la dernière personne que je m'attendais à voir débarquer. Et avec une bouteille de vin, en plus.

Je pose les verres et lui tends le tire-bouchon avant de m'installer en face de lui sur le canapé.

L'expression contrite resurgit pendant qu'Henry débouche son cabernet sauvignon.

— La bouteille, c'est pour me faire pardonner, dit-il en versant le vin d'un rouge profond dans un verre avant de me le tendre. Et une façon de te remercier aussi. Maintenant que j'y pense, j'aurais peut-être dû prévoir deux bouteilles, en effet.

Nous faisons tinter nos verres. Le vin, savoureux, me réchauffe. Il est idéal pour une soirée brumeuse comme aujourd'hui, et je le sens qui me monte immédiatement à la tête. Je réalise d'un coup que j'en suis à mon troisième verre ; il faut que je fasse attention.

— Une seule bouteille suffit amplement, dis-je à Henry. Une bouteille de vin peut vouloir dire tout un tas de choses. C'est comme le mot haïtien *aloha* qui veut dire à la fois bonjour, au revoir et…

Je m'interromps tout net. L'autre sens du mot *aloha*, bien sûr, est « Je t'aime ». *Oh, merde. Je crois que je suis déjà pompette.*

Les yeux d'Henry pétillent.

— Ne va pas plus vite que la musique, Maggie. Nous nous connaissons à peine.

Je reprends une gorgée de vin pour masquer ma gêne.

— Revenons à ton mea culpa, donc ?

Henry hoche la tête.

— Il s'est un peu fait attendre, justement. Notre promenade à Kite Hill ayant pris fin plus abruptement que prévu, vu que nous avons dû nous précipiter à l'hôpital.

— Anya m'a dit que Rosie allait mieux, heureusement. C'était une fausse alerte, donc ?

— Elle est sortie de l'hôpital, c'est déjà une bonne chose. Tout ce que j'espère, c'est qu'Anya n'en a pas conclu qu'elle était tirée d'affaire.

Il secoue la tête.

— Mais je ne suis pas venu ici pour parler de Rosie. Je

voulais te dire que j'ai pu me faire une idée de la relation qui s'est nouée entre Anya et toi, pendant cette balade. Elle te considère réellement comme une amie. Elle était de toute évidence absolument opposée à l'idée de faire une thérapie, et tu aurais pu en rester là et la laisser se dépatouiller avec ses problèmes. Mais tu as trouvé un autre moyen de l'aider. Sans accepter d'être payée pour ce que tu fais.

Il baisse les yeux sur ses mains et semble les examiner un instant.

— J'ai honte de la façon dont je me suis comporté avec toi. C'est pourquoi je tenais à venir m'excuser au plus vite.

— Tu voulais juste protéger Anya. Elle a de la chance de t'avoir.

— Eh bien, je sais maintenant qu'elle a de la chance de t'avoir *toi*. Et je suis désolé de ne pas m'en être rendu compte plus tôt. Anya m'a dit que vous vous étiez retrouvées ce matin pour photographier ce chien. Et, lorsque vous vous êtes quittées, elle a passé le reste de la journée sur son ordinateur. Pas à errer au hasard des parcs et des rues à la recherche de Billy, pas allongée sur son lit à fixer le plafond, mais à travailler sur ses photos. L'infirmière de Rosie m'a confié qu'Anya est même descendue à un moment donné pour se faire un croque-monsieur. Lorsque j'y suis passé tout à l'heure pour voir comment allait Rosie, j'ai vu l'assiette vide dans la chambre de ma sœur. Autrement dit, elle l'a mangé, son sandwich. En entier, même.

— Et elle a survécu ?

Il rit.

— On dirait. Elle a mangé un truc qu'elle a elle-même cuisiné et elle n'en est pas morte.

Sa voix se radoucit.

— Sérieusement, je suis soulagé qu'elle recommence à prendre un peu soin d'elle. Et qu'elle ait ressorti son appareil photo du placard, en plus… Chapeau, Maggie.

— C'est elle qui me rend service en faisant ces photos.

— *Maggie...*

Je souris.

— OK. Excuses et remerciements acceptés. Maintenant, puis-je te demander quelque chose ?

— Bien sûr.

— C'est toi qui lui as acheté cet appareil ?

Il hoche la tête.

— Pour ses quatorze ans, oui. Elle t'en a parlé ?

— Non, mais je me suis dit que ça devait être toi. Billy, l'appareil photo... Chaque fois, tu sembles savoir exactement ce dont ta petite sœur a vraiment besoin.

— Sauf dans ton cas. Je n'avais pas saisi qu'il lui fallait une amie.

— C'est toi qui m'as trouvée et qui as organisé notre rencontre. Je ne ferais pas partie de la vie d'Anya aujourd'hui si tu n'avais pas pris l'initiative de l'envoyer chez moi. Je dirais que tu as pourvu à trois besoins sur trois.

Henry sourit. Il se renverse contre son dossier et tourne la tête à gauche et à droite, parcourant la pièce des yeux.

— Où est Giselle ?

— Au-dessus. Elle n'est pas à moi — je crois te l'avoir dit, non ? C'est la chienne de mon amie Lourdes qui vit à l'étage. Cet appartement lui appartient ainsi qu'à Leo, son mari. Je suis leur locataire.

— Tu as mentionné le fait que ce n'était pas ton chien, mais je croyais que c'était un pieux mensonge.

— Qu'est-ce qui te faisait penser une chose pareille ?

— Je me disais que tu devais adorer les chiens et que tu en possédais probablement un. Comment sinon pourrais-tu avoir l'empathie que j'imagine nécessaire pour exercer un métier comme le tien ? Je croyais que Giselle était à toi mais que tu ne voulais pas infliger à tes patients endeuillés la vue de cette chienne vivante et en pleine santé. Donc, dans mon scénario, tu leur disais qu'elle était à quelqu'un d'autre pour ne pas qu'ils se sentent… je ne sais pas moi… envieux ? Amers ?

— Tu as beaucoup réfléchi à la question, on dirait ?

— Oh ! pas plus de quatre ou cinq heures par jour.

Je souris.

— Eh bien, non. Giselle n'est pas à moi. Si on écoute bien d'ailleurs, on devrait l'entendre trottiner là-haut.

Nous gardons le silence un instant, mais aucun son ne nous parvient de l'étage au-dessus. Le feu crépite. Henry lève un sourcil.

— Ton histoire est pleine de trous.

Je ris.

— J'ai un secret, c'est vrai, mais ce n'est pas celui-là.

Troublée, je scrute le fond de mon verre. *Pourquoi ai-je dit ça ?* Henry se contente de sourire. Il a un beau sourire qui inonde son visage de lumière.

— Intéressant. J'enregistre l'information pour disséquer ce scoop un peu plus tard.

Il prend la bouteille pour me resservir, mais je pose la main sur le verre.

— Merci, mais je crois que je vais m'arrêter là. J'ai une séance très tôt demain matin.

Il paraît gêné.

— Ah, d'accord. Je ferais mieux de te laisser, alors.

— Oh ! non, non, rien ne presse.

Je lève mon verre, et le fond de vin restant capte le reflet des flammes dans la cheminée.

— Prenons au moins le temps de finir nos verres.

Il accepte d'un signe de tête et se renverse de nouveau contre son dossier.

— Lorsque j'ai parlé à ton ancien chef de service à l'hôpital, il n'avait pas encore l'air remis de ton départ. Qu'est-ce qui t'a amenée à San Francisco, Maggie ?

— Un besoin urgent de changer d'air. Je suis née à

Philadelphie, j'ai grandi à Philadelphie, étudié à Philadelphie et cela faisait des années que j'occupais le même poste — toujours à Philadelphie, bien sûr... L'idée d'ouvrir mon propre cabinet me trottait dans la tête depuis un moment, et j'avais vraiment envie de me spécialiser dans le deuil animalier. Comme mon amie Lourdes me faisait énergiquement l'article pour son appartement et que...

Je marque une hésitation.

— En fait, j'avais quelqu'un dans ma vie et la relation était, disons, largement moribonde. Cela faisait pas mal de bonnes raisons pour tirer un grand trait sur le passé et prendre un nouveau départ.

— Insatisfaction au travail, superbe appartement à louer à l'autre bout du pays, histoire d'amour déliquescente... Les vents semblaient favorables, en effet.

Je souris.

— Et la tempête m'a portée jusqu'ici.

Je soulève mon verre pour prendre ma dernière gorgée. Puis je me dis qu'Henry pourrait y voir le signe qu'il est temps pour lui de partir et je le repose sans avoir bu.

— Bon. De ton côté, tu as potassé mon CV, cuisiné mon ancien chef de service... Est-il trop tôt pour te demander ce que tu fais dans la vie ?

Henry se met à rire.

— Cela me paraît effroyablement indiscret, mais je vais te répondre quand même. Je suis médecin, mais je n'exerce plus depuis des années. Je travaille avec un associé — un ingénieur — pour mettre au point un nouveau type de matériel médical pour des patients cardiaques. Des investisseurs financent notre travail, et nous sommes sur le point de procéder à un essai clinique dans un centre cardio-vasculaire à Los Angeles.

— D'où le déménagement imminent.

Je m'aperçois en le disant que nous abordons un sujet

délicat, j'espère qu'il ne va pas avoir l'impression que je veux critiquer son choix.

Mais Henry ne paraît pas prendre ombrage de ma remarque. Soit il a oublié, soit il ne m'en veut plus de lui avoir reproché de quitter San Francisco alors que sa grand-mère était très malade et sa sœur dans une mauvaise passe.

— Sur le plan personnel, le timing est vraiment nul, mais il faut que je dirige l'essai clinique. Ce dispositif médical que nous avons conçu… nous pensons vraiment que nous pouvons révolutionner les soins en cardiologie.

Peut-être est-ce le vin qui m'imbibe le cerveau mais, en l'écoutant, je me dis qu'Henry et moi, nous avons les mêmes impulsions professionnelles : dès que nous voyons un cœur blessé, nous nous précipitons pour le réparer. Il baisse les yeux sur son verre — vide, à présent — puis regarde le mien. Je souris et j'avale mon ultime gorgée.

Henry se lève.

— Je vais te laisser.

Je me lève à mon tour, et nous nous dirigeons ensemble vers la porte.

— La prochaine fois, ce serait peut-être bien que je téléphone avant ?

Je ne suis pas certaine de saisir exactement ce qu'il entend par « la prochaine fois », mais j'acquiesce en souriant.

— Ça marche.

Il franchit le seuil puis se tourne vers moi.

— *Aloha,* Maggie Brennan.

— Bonne nuit, Henry.

Il disparaît dans l'allée, et je referme ma porte.

Bien plus tard, alors que je baisse les stores dans ma chambre, je surprends mon reflet dans la vitre obscure et je m'aperçois que je souris encore.

11

Les photos du duo Seymour-Giselle prises par Anya sont aussi fantastiques que je l'avais escompté. Sur la meilleure de toutes, la fourrure dorée de Seymour est éclatante, sa gueule est entrouverte, et il semble sourire en regardant l'appareil, révélant une langue rose et une rangée de belles dents blanches. Son grand nez noir luisant de santé équilibre presque ses longues oreilles. Il a l'air joueur et heureux. Une pointe d'anxiété subsiste dans ses yeux couleur miel foncé, mais cela lui donne une profondeur qui, je l'espère, saura attendrir plus qu'inquiéter. Toute chienne de race qu'elle est, Giselle est éclipsée par Seymour, ce qui sert notre cause. Des deux, c'est Seymour la star incontestable.

Je télécharge la nouvelle photo sur le site de SuperClebs et, pour la énième fois, je fignole un peu la biographie de Seymour. Ce n'est pas pour donner une idée fausse de lui, bien entendu. Cela ne servirait qu'à l'enfoncer, le pauvre, s'il devait être pris puis rejeté de nouveau parce que j'aurais un peu trop escamoté ses problèmes dans ma description. Mais je décide qu'il y a moyen de révéler les failles de Seymour tout en mettant en avant ses nombreuses qualités : sa gentillesse, la confiance qu'on lit dans ses yeux, sa capacité à s'entendre avec les autres chiens.

Je fais de nouvelles recherches sur le golden retriever et sur le basset hound et incorpore une ou deux caractéristiques du tempérament de chacune de ces races dans la description de Seymour. Je découvre même que ce mélange particulier porte un nom, « le basset retriever », et que ces chiens sont très recherchés par des personnes qui apprécient de trouver le caractère du golden chez un chien plus petit et peut-être un peu moins bourré d'énergie.

Qui l'eût cru ? me dis-je en cliquant sur les photos de basset retriever qui apparaissent sur mon écran. Notre Seymour a le profil des chiens hybrides dits de « designer ». Il se range dans la même catégorie fashion que les « labradoodles » — croisés de labrador et de caniche — ou que le « cockapoo », produit du mélange du même caniche et de l'épagneul. Je consigne cette étonnante information dans le portrait de Seymour et je précise en commentaire que le basset retriever est adoptable, mais pas le caniche de la photo.

J'envoie un mail à Sybil pour lui expliquer tout cela et l'informer que la fiche de Seymour a été remise à jour.

A priori, saint Grant et saint Chip sont prêts à l'héberger encore quelque temps, et je crois vraiment que Seymour devrait bientôt éveiller l'intérêt des adoptants.

Je lui détaille par la même occasion les nouveaux lots que j'ai réussi à décrocher pour ses enchères. Plus que trois semaines avant le gala SuperClebs, et je sais qu'elle est très occupée par les derniers préparatifs.

Comme à son habitude, Sybil me répond dans la minute.

La photo est parfaite ! Quelle chance extraordinaire d'avoir trouvé une photographe non seulement talentueuse, mais capable de saisir la personnalité d'un chien et de la faire ressortir de cette façon. Et bénévolement, en plus ! Crois-tu que ton amie Anya serait d'accord pour photographier les sept chiens que nous mettrons aux enchères pour le gala ? Je pensais que nous pourrions agrandir ses photos au format poster (peut-être en noir et blanc ?) et les exposer dans l'espace qui nous sera dévolu pour la réception. Nous veillerions bien sûr à parler d'elle au micro et à faire circuler ses coordonnées ou l'adresse de son site ou tout ce qu'elle voudra — je suis certaine que ses photos susciteraient un grand intérêt. Pour l'instant, notre budget ne nous permet pas de la payer, mais cela pourrait être intéressant pour elle de collaborer avec nous en échange de l'excellente publicité que le gala engendrerait pour elle ? Peut-être même serait-elle d'accord pour nous offrir une séance photo à mettre aux enchères ? Ou est-ce que j'en demande trop ? Tu me connais, Maggie, lorsqu'il s'agit de chiens, je deviens d'une cupidité effarante !

L'idée est géniale sur bien des plans, autant pour SuperClebs que pour Anya. Je réponds à Sybil que je transmettrai la demande.

Quelques minutes plus tard, un nouveau mail de Sybil tombe :

Le plus tôt sera le mieux, le compte à rebours a commencé. Le temps n'est plus très loin où nous trinquerons pour nous féliciter de la réussite du gala. Sans toi, je n'y serais jamais arrivée, Maggie, et j'ai vraiment hâte que nous bavardions enfin en *live*. Un verre de champagne à la main, cela va de soi !

— Et pourquoi n'irais-tu pas à ce truc ? me demande Lourdes lorsque je lui parle de la soirée organisée par SuperClebs. Je croyais que le rideau était tombé sur *La Psy agoraphobe* ?

Je me visualise aussitôt ensevelie sous le poids d'un énorme rideau de scène en velours.

— Je confirme, la guérison est en bonne voie. Mais pour le gala, c'est différent. Tu sais bien que les fêtes n'ont jamais été mon truc.

Lourdes lève les yeux au ciel.

— Ouais, d'accord. Mais chaque fois que je te traînais de force, du temps où on était à la fac, tu t'éclatais, reconnais-le.

Tu devrais aller à ce rassemblement de *dog addicts*. Peut-être que tu rencontrerais un mec.

— Et tu voudrais que j'y aille comment ? Ton caniche scotché à la hanche ?

Giselle, fine mouche, trottine jusqu'à la table de cuisine où nous sommes assises et pose la tête sur mes genoux.

— Quand on veut, on peut, Maggie.

Leo étant de sortie avec des amis, j'ai dîné avec Lourdes et les enfants que je l'ai aidée à coucher. Nous sommes à présent attablées face à face et nous nous livrons à l'activité qui nous réussit le mieux : descendre une bouteille de vin en grignotant des pop-corn à l'ail et au parmesan, une recette de mon invention datant de l'époque où nous étions encore étudiantes. Au fil des ans, c'est devenu pour nous une sorte de « lieu refuge » thérapeutique en forme d'apéro.

Le visage de Lourdes s'éclaire.

— Si tu ne veux pas aller à ce gala, accepte au moins que je te fasse rencontrer un des amis de Leo ! On pourrait l'inviter à dîner — un petit repas sympa à deux couples. Tu n'aurais même pas à sortir de la maison. Allez, hop ! Problème résolu. Maintenant que tu reprends du poil de la bête, je pense qu'il serait temps que tu recommences à t'intéresser aux mecs d'un peu plus près. Mas il faut que tu en rencontres plein, OK ? Ne t'installe pas dans une relation suivie avant d'être certaine que le type te plaise, cette fois. Ne va *surtout* pas précipiter les choses.

— Comment ça « être sûre que le mec te plaise » ? Il me plaisait, John.

— Tu l'aimais bien, oui. Tout comme tu aimais bien Rich et Simon et… comment il s'appelait celui d'avant ?

— C'était aussi un Rich. Rich Premier.

— Oui, voilà. Rich Premier. Vachement aimable, lui aussi.

J'envoie une boule de pop-corn en l'air et je la rattrape avec les dents.

— Et en quoi, au juste, l'amabilité est-elle un problème ?
Lourdes paraît découragée.

— Tu *sais* en quoi c'est un problème. Je te le répète depuis
plus de dix ans. Ce n'est pas parce qu'un garçon est « sympa »
que tu dois à tout prix rester accrochée à lui jusqu'au Jugement
dernier. Avoir de l'affection pour quelqu'un, ce n'est pas
forcément l'aimer.

— Je les ai tous aimés, Lourdes. Je les aimais *bien* et je
les aimais tout court.

— Rich ? Tu aimais Rich ?

— Lequel ?

Je secoue la tête.

— Peu importe, de toute façon. J'ai aimé les deux Rich.

— Bon, d'accord. Mais même l'amour, ce n'est pas toujours
l'*amour* avec un grand A. Il faut que tu apprennes à arrêter
les frais quand c'est le bon moment. Toutes ces relations à
la con dans lesquelles tu t'enfermes finissent toujours par
traîner en longueur. Tes amours me font penser à ces films
français soporifiques, avec zéro scénario, zéro intrigue. Les
personnages ne font que causer, causer et causer. En échan-
geant parfois quelques blagues auxquelles tu te sens obligée
de rire pour t'assurer que tu es encore vivante.

Je me marre.

— Surtout ne prends pas de gants avec moi, Lourdes.
N'hésite pas à me parler franchement.

Comme d'habitude, son analyse de ma vie sentimentale
est assez pertinente. J'ai une nette tendance à rester enlisée
dans des histoires qui ne vont nulle part. Lourdes considère
qu'il en va des hommes comme de la conduite automobile :
si on est suffisamment réveillé au volant, il y a moyen de
voir le panneau « voie sans issue » à temps et de modifier
son itinéraire. Malheureusement, en amour, je suis de celles
qui se laissent bercer par le ronron régulier de la relation
et s'accommodent du voyage, séduites par le charme du

paysage et le confort d'un habitacle bien chauffé. *Endormie au volant* : voilà comment Lourdes me voit. Et c'est vrai que mes relations avec les hommes semblent toutes se terminer par un réveil brutal assorti d'un gros « boum ».

Lourdes, partie sur sa lancée, s'emballe.

— Tiens, prends John, par exemple… Vous étiez ensemble depuis un mois à peine quand tu m'as dit que ça ne durerait pas entre vous. Résultat : tu trouves le moyen de rester avec lui huit mois de plus. Tu n'es pas un chien. Rien ne t'oblige à rester fidèle au premier bipède venu sous prétexte qu'il t'invite à dîner.

— Je sais, je sais… Tu as raison.

Lourdes me regarde, la bouche exagérément ouverte.

— Pardon ? Ai-je bien entendu ? Je crois que le vin affecte mon audition.

Je mets mes mains en porte-voix et fais mine de hurler, tout en chuchotant, comme sur une scène de théâtre. Surtout ne pas réveiller les filles.

— *Tu as raison, Lourdes.*

Satisfaite, elle prend une gorgée de vin en m'observant d'un œil scrutateur par-dessus le rebord de son verre.

— Mais dis-moi, toi…

Elle appuie les coudes sur la table.

— Tu n'aurais pas déjà rencontré quelqu'un par hasard ?

Pour je ne sais quelle raison, je pense à la façon dont Henry porte ses chemises — ni trop larges ni trop ajustées. Je pense à la ligne de sa mâchoire, parfois hérissée de quelques jours de barbe et parfois non. Je pense à mon incapacité à déterminer si je l'aime mieux avec les joues lisses ou légèrement assombries. Il a l'air de quelqu'un qui prend soin de son aspect physique sans en faire une obsession pour autant. Je n'avais encore jamais réfléchi à la question, mais je découvre que je trouve l'absence de vanité très sexy chez un homme.

— Et merde. Je suis grillée. Tu as du nez, Lourdes. Vern

et moi, nous avons finalement succombé à l'attirance torride qui ne cessait de croître entre nous depuis des mois.

Giselle, lassée de ma distraction et de mes molles caresses, pousse un soupir sonore et regagne son panier. Lourdes m'examine du coin de l'œil.

— *Vern ?* Qui est Vern ?

— Mais notre Vern, voyons. Le facteur. Il préfère que l'on dise « préposé », cela dit. C'est un homme intense, au charisme fou. Et tu sais que j'ai toujours eu un faible pour l'uniforme.

Lourdes hausse les épaules.

— Pfff… Arrête tes conneries, Maggie. Il est sexa, notre préposé intense !

— Avec les mollets d'un triathlète de vingt ans.

— Et trois cheveux qui se courent après sur le caillou.

— L'amour est aveugle.

— Bon d'accord… Mais, lorsque tu caresses le crâne chauve de Vern, à qui penses-tu *pour de vrai* ?

Je renonce à feinter. Cela ne sert à rien d'essayer de cacher quelque chose à Lourdes. Tôt ou tard, elle finit toujours par m'arracher tous mes secrets.

— Ce n'est rien. Juste un truc idiot. Une petite attirance pour un proche de la fille que j'aide… Henry, le frère d'Anya. Ce serait probablement contraire à l'éthique, d'ailleurs. Il ne se passera rien.

Lourdes lève très haut les sourcils.

— Contraire à l'éthique ? Je croyais qu'elle n'était pas ta patiente.

— Techniquement, elle ne l'est pas, non. Mais nous nous sommes connues dans un contexte thérapeutique. C'est un peu compliqué.

Je hausse les épaules. Je ne considère pas vraiment Anya comme une patiente. Pas une patiente *patiente* en tout cas, même si, il faut bien l'admettre, elle n'est pas tout à fait une amie *amie* non plus.

— Ce serait juste bizarre.

Lourdes avale une dernière gorgée de vin puis gesticule avec son verre vide.

— La vie *est* bizarre, Maggie ! Belle et bizarre ! Si cet homme te plaît, fonce ! Balance tes saloperies de vitamines prophylactiques ! Salis-toi les mains ! Sors de chez toi ! Envoie péter tes phobies et promène-toi en robe à bretelles sous la pluie ! Lâche-toi, bordel ! Attrape la grippe ! Vis ta vie ! Envoie balader toutes ces putains de normes, de craintes, de barrières !...

Je lui arrache son verre des mains en secouant la tête.

— Oups ! Outrage aux bonnes mœurs. Je te reprends l'antenne... Envoyez les pubs !

Plus tard ce soir-là, je rédige un mail à l'intention de Grant et de Sybil pour les informer que je souhaite apprendre à Seymour à marcher en laisse dans l'espoir de faciliter son adoption en réduisant son anxiété. Grant me répond sur-le-champ qu'il s'engage à me faire faire une clé de leur appartement demain matin à la première heure et que je suis libre de prendre Seymour n'importe quand, aussi souvent que je le voudrais. Son soulagement est palpable.

J'écris ensuite à Anya pour lui demander si cela l'ennuierait que Seymour se joigne à nos expéditions quotidiennes. Les marches que je fais avec elle ne seront pas des « mini-étapes » pour Seymour non plus. Mais la plupart du temps elles nous mènent dans des parcs, et je pense que Seymour appréciera les grands espaces sans voitures. Quant au vertige, il sera plus un problème pour moi que pour lui.

> Si tu penses que la présence de Seymour nous ferait perdre trop de temps, je me débrouillerai pour le sortir à un autre moment.

Anya aussi me répond très vite.

Aucun problème pour embarquer Seymour avec nous. Ce paquet de nerfs a besoin d'un maximum de soutien moral.

12

J'arrive chez Grant et Chip dûment escortée par Giselle et les poches débordantes de produits de « contre-conditionnement » divers et variés. Giselle a mangé les derniers biscuits de Toby, et je n'avais plus en stock qu'un reste de vieilles croquettes sans intérêt. J'ai donc pillé la cuisine de Lourdes sans vergogne pour constituer mes provisions de friandises. Mon butin se compose d'un paquet de biscuits bio au beurre de cacahuètes et à la mélasse appartenant à Giselle, de tranches de jambon, de nuggets de poulet en cubes que Lourdes garde dans son congélateur pour Portia et Gabby, et même de fines lanières de saumon, vestiges d'une salade composée. J'ai pris le double de la quantité nécessaire car je veux que Giselle ait sa part — ce serait injuste de récompenser un chien en laissant l'autre sur sa faim. Sans compter que Giselle a largement mérité toutes les douceurs que je pourrais lui offrir.

Grant est clairement très pressé de partir travailler et, lorsque je sonne en bas de l'immeuble, il descend au pas de course avec Seymour déjà en laisse. Aussitôt, je m'accroupis, lui dis qu'il est un bon chien et lui donne d'emblée un des biscuits grand chic de Giselle. Il tremble un peu mais remue doucement la queue. Le blanc de ses yeux n'est pas trop visible. Ça doit être bon signe.

Grant me tend un double de sa clé.

— Sérieusement, vous pouvez passer prendre Seymour

191

quelle que soit l'heure. N'hésitez surtout pas, faites comme chez vous.

Qu'après une seule et brève rencontre Grant soit disposé à me confier les clés de chez lui est assez surprenant. Ils doivent vraiment être *très* pressés de régler le problème Seymour. Et Grant a sûrement repéré en moi la cynophile inconditionnelle. D'après mon expérience, entre *dog addicts*, on a tendance à se faire confiance.

Je pousse un grand ouf de soulagement lorsque Giselle, Seymour et moi laissons Carl Street derrière nous sans qu'aucun train se soit fait entendre. Je bifurque dans une des rues calmes de Cole Valley, et nous poursuivons notre chemin en direction de chez Anya pendant que j'occupe les chiens en leur proposant de la viande, des bouts de poisson et des en-cas au beurre de cacahuètes. Je croise les doigts pour que l'estomac de Seymour résiste à ce buffet garni. Il ne manquerait plus qu'il laisse un cadeau puant derrière le canapé de Grant quand je l'aurai reconduit dans son foyer temporaire. Mes deux canins restent collés à mes jambes et lèvent vers moi un regard si intense qu'il leur arrive de s'emmêler les pinceaux et de trébucher. On ne peut pas dire que leur façon de marcher en laisse soit un modèle du genre, mais Seymour est tellement focalisé sur la nourriture qu'il paraît à peine s'apercevoir de ce qui se passe autour de lui dans la rue. Ses oreilles frémissent et ses yeux s'écarquillent un peu plus à chaque voiture qui passe, mais si je lui donne une friandise à intervalles réguliers il continue de marcher à mon rythme. Et il n'essaie pas une seule fois de se dégager de son collier en tirant à reculons.

En arrivant chez Anya, nous la trouvons assise, maussade, sur les marches du perron. Giselle court la saluer en remuant la queue, et je suis ravie de voir Seymour lui emboîter le pas. Mais Anya les gratifie juste d'une caresse indifférente avant de se lever.

— Qu'est-ce qui se passe, Anya ?

— Rosie dort dans le séjour. Je ne voulais pas que la sonnette la réveille, alors j'ai préféré t'attendre dehors.

— Comment elle va ?

Anya cligne très vite des paupières et détourne les yeux.

— Depuis l'hôpital, elle n'est plus comme avant. Elle passe beaucoup de temps à dormir.

— Son médecin pense qu'elle peut quand même rester à la maison ? Elle n'est pas en danger ?

— Non, non. Il a dit que c'était bon. Qu'il fallait juste qu'elle ait une infirmière à plein temps pour s'occuper d'elle. June dort sur un matelas à côté de son lit.

Une infirmière à domicile vingt-quatre heures sur vingt-quatre, ça doit coûter un bras. Rien d'étonnant à ce qu'Henry soit à ce point déterminé à maintenir le cap sur sa carrière et à partir à Los Angeles.

— Et toi, Anya ? Tu le vis comment ?

Ses yeux se remplissent de larmes. Elle les essuie du revers de la main.

— C'est pas la joie. J'ai l'impression que tous ceux que j'aime me lâchent en même temps.

Ce type d'aveu direct et sincère témoigne à la fois d'une grande ouverture aux autres et d'une lucidité accrue envers elle-même. Giselle glisse sa truffe sous sa main, et Anya recommence à la caresser distraitement.

— Je suis désolée, Anya. Tu dois avoir l'impression d'être très seule, mais ce n'est pas tout à fait le cas. Henry quitte San Francisco, mais il ne sort pas de ta vie pour autant. Il restera là pour toi, même à distance. Tu peux compter sur lui. Et je suis sûre que tes deux autres frères te soutiendront aussi. Quant à moi, je suis là un bon moment. Sauf si tu ne veux plus me voir, bien sûr.

— Toi, t'es cool, c'est sûr, marmonne Anya.

Encouragée, Giselle recommence à agiter la queue. Le visage d'Anya recouvre sa détermination.

— Et puis on va bientôt retrouver Billy. Ça aide.

Je souris mais ne réponds rien.

Anya lève les yeux et scrute le trottoir derrière moi.

— Henry revient aujourd'hui. Il a appelé hier pour demander s'il pouvait venir avec nous.

Alors qu'elle prononce le mot « nous », son regard sonde brièvement le mien, et je me demande si Henry lui a parlé de sa visite chez moi.

— C'est sympa de sa part. Peut-être que vous devriez plutôt aller marcher tous les deux, non ?

Je ne veux pas leur imposer ma compagnie si Henry a envie de passer des moments en tête à tête avec sa sœur avant son départ. Mais, alors même que je lui propose de les laisser tranquilles, je croise les doigts pour qu'Anya repousse ma suggestion.

— Nan… Tiens, quand on parle du loup.

Nous allons à la rencontre d'Henry et le rejoignons au milieu de l'allée. Il me sourit.

— Salut tout le monde ! J'ai la berlue ou il y a un chien en plus, ce matin ?

Je lui explique que Seymour est le chien qu'Anya a photographié pour SuperClebs.

— J'essaie de l'habituer à marcher en laisse dans la rue en espérant que cela le rendra plus adoptable.

Henry s'accroupit devant Seymour et relève ses grandes oreilles en une caresse affectueuse.

— Mais qui pourrait te résister, à toi ? Même tel que tu es maintenant ?

Seymour lui lape le visage de sa longue langue rose. Henry rit en faisant mine de tomber en arrière.

J'ai bien peur d'être en train de fixer Henry avec un sourire un peu trop ébloui. Ce qui est sûr en tout cas, c'est que je lutte pour ne pas le relever et lui rouler un patin. Je choisis plutôt de demander :

— Les chiens sont autorisés dans ton futur appart, à Los Angeles ?

Henry se redresse et fait non de la tête avec un petit sourire triste. Nous sortons de la propriété pour nous engager sur le trottoir lorsque la porte de la maison voisine s'ouvre en grand. Huan apparaît sur le seuil.

— Hé, salut ! Je peux venir avec vous ?

Anya hausse les épaules sans dire ni oui ni non. Mais Henry lui adresse un grand sourire et lui fait signe de nous rejoindre.

Le visage d'Huan s'illumine, et il s'élance vers nous. Il s'immobilise devant Anya et relève la mèche noire qui lui tombe sur les yeux. Malgré son T-shirt noir au logo de skate-board, il a la même classe que s'il portait une chemise impeccablement repassée. Il se dégage de cet ado une telle impression de sérieux et de gentillesse qu'il est difficile de résister à la tentation de passer la main dans ses cheveux de jais et d'ébouriffer sa tignasse.

— On va trouver Billy, lance-t-il d'un air déterminé. J'adore ce chien.

Il se tourne vers moi.

— Mes parents n'ont jamais voulu que j'aie un animal. Mon père dit qu'il est allergique, mais je crois que c'est pas vrai. A mon avis, il avait surtout peur qu'un chien me distraie de mon travail scolaire.

— Ton père, c'est un naze, marmonne Anya.

Henry lui jette un regard choqué.

— Anya !

Mais Huan le prend avec humour.

— Ce n'est pas grave. Elle a un peu raison, tu sais.

Son visage devient écarlate.

— C'est un naze, mais avec des bonnes intentions.

Anya roule des yeux.

— Ça fait des semaines que je cherche Billy. Tu n'as pas un peu l'impression d'arriver après la bataille, Huan ?

— Filtre, Anya, ordonne Henry calmement.

— Quoi ? Qu'est-ce que ça veut dire encore ?

— Tu n'es pas obligée d'exprimer toutes les pensées qui te passent par la tête.

— Tu prônes l'autocensure, maintenant ?

Henry hoche la tête.

— Oui. Mais j'appelle ça le respect.

Anya hausse les épaules, mais je vois qu'elle est mal à l'aise. Lorsqu'elle se tourne vers Huan, elle paraît presque timide.

— Très bien. Je serais absolument enchantée que tu te joignes à nous. Nous allons à Tank Hill.

Elle pivote aussitôt vers moi, paume ouverte. J'essaie de lui refiler la laisse de Seymour, toujours dans l'espoir de susciter un rapprochement, mais elle attrape celle de Giselle et s'éloigne de sa démarche raide et précipitée.

Huan s'élance derrière elle.

— Top. J'adore Tank Hill.

Il s'adapte au rythme d'Anya, et Henry et moi les suivons à quelques mètres de distance.

Je réalise que c'est la première fois que je me retrouve en dehors de chez moi sans le soutien de Giselle. *Allez hop. Reconditionne-toi !* Je recommence à gratifier Seymour en lui distribuant de minuscules bouts de saumon. Avec un peu de chance, ça va nous aider à oublier l'un et l'autre que Giselle est en train de nous lâcher.

J'entends Huan dire à Anya :

— J'aurais bien voulu t'aider à chercher Billy plus tôt. Mais je ne savais pas trop si t'étais d'accord pour qu'on vienne avec toi.

Pauvre gamin. Cela fait probablement des semaines qu'il la regarde partir tous les matins en rassemblant son courage pour lui demander s'il peut venir. Cela me paraît à la fois touchant et douloureusement évident qu'il en pince pour elle.

Je me tourne vers Henry, contente qu'il soit là pour offrir un dérivatif supplémentaire.

— Kite Hill, Tank Hill... Il y a combien de collines, au juste, dans cette ville ?

— Techniquement, sept, comme à Rome. Mais ce sont juste les principales. Elles n'incluent pas la série des Kite Hill, Tank Hill, etc. Le nombre exact est toujours resté un peu flou, mais si on les compte toutes on doit dépasser la quarantaine.

Je me dépêche d'ouvrir le sac contenant le jambon coupé en lanières, à présent que Seymour a terminé le saumon. Difficile d'imaginer que j'adorais la puissance méditative de la marche à pied avant la mort de T. « Tu t'es encore perdue en route ? » ironisait John lorsque Toby et moi revenions d'une de nos balades à rallonge. « Mais non. Je suis juste allée démêler les nœuds que j'avais dans la tête. » C'était ça, l'effet que me faisaient les promenades avec Toby — elles gommaient les faux plis de la journée.

Je me rends compte que ma liberté et ma tranquillité intérieure perdues me manquent. *Quand je serai guérie, j'irai vagabonder tous les jours dans ces collines, avec ou sans chien.* Je suis surprise par la soudaine intensité de mon désir — le besoin très fort de revenir à la case « moi-même ».

— Il va être content quand il va découvrir où on va, commente Anya en se retournant pour regarder Seymour qui, malgré son ventre plein, a toujours la queue peureusement fourrée entre les jambes. Les chiens adorent ce parc.

Tank Hill n'est qu'à quelques pâtés de maisons de mon appartement, mais je ne suis jamais montée là-haut avec Toby car Lourdes m'avait avertie qu'il ne serait peut-être pas en mesure d'affronter une telle montée. Nous empruntons une série de rues sinueuses et abruptes pour quitter Cole Valley. Au bout d'un moment, le bitume cède la place à un chemin de terre tortueux qui s'élève dans le parc herbeux et nu. L'air est épais et humide. A Philadelphie, j'aurais dit que la pluie était imminente, mais j'ai appris qu'à San Francisco il fallait se garder d'émettre la moindre prédiction. Le temps d'arriver au sommet de la colline et nous serons probablement déjà entrés dans un nouveau microclimat, radicalement différent du précédent.

Je dois reconnaître que ces étranges petits parcs sauvages qui ponctuent la ville ont quelque chose de magique. A un moment vous êtes dans la rue, coincé entre deux rangées de maisons serrées, et le suivant vous vous retrouvez au milieu d'un paysage d'herbe et de rochers offrant une vue dégagée sur la ville, dans une direction ou une autre — voire parfois, à mon grand désarroi, dans toutes les directions à la fois. Tank Hill, blotti au creux de la pente qui grimpe jusqu'à Twin Peaks, encerclé par des rues qui semblent protéger plus que révéler le parc secret autour duquel elles s'enroulent, fait partie de ces précieux refuges cachés dont San Francisco regorge.

— Il y avait un réservoir d'eau ici, dans le temps, explique Henry. D'après Rosie, il a été démantelé dans les années cinquante.

Nous venons d'atteindre une petite plate-forme naturelle au sommet de la colline, et tout le monde est hors d'haleine après une grimpette soutenue. Même Seymour semble momentanément privé d'énergie. Il se laisse tomber par terre à mes pieds et halète, les oreilles balayées par la brise humide. Il lève le museau et hume l'air, flairant une piste encore chaude.

— Regarde, dit Henry en pointant du doigt quelque chose derrière moi.

Il désigne la vue sur la ville, celle-là même que je m'efforce soigneusement d'éviter. Je prends une profonde inspiration et me retourne lentement. Nous sommes perchés sur un promontoire rocheux, rougeâtre et escarpé. Il domine une pente si abrupte qu'elle n'est même pas visible de là où nous

nous tenons. A l'est, je reconnais les contours boisés du Buena Vista Park et j'identifie la longue étendue verte du Golden Gate Park au nord-ouest. Un vent fort monte vers nous depuis la côte engloutie par un brouillard qui dissimule aussi presque entièrement le pont du Golden Gate. Quelques segments apparaissent puis disparaissent ici et là au gré des nuages argentés qui roulent et se pourchassent dans le ciel éternellement changeant. La terre de l'autre côté de la baie se cache derrière une morne étendue de brume grise. Juste au moment où le vertige me fauche les genoux et que je vacille, persuadée que je vais basculer dans le vide, j'entends la voix d'Henry près de mon oreille.

— Tu la vois ?

Il me montre quelque chose en direction de Cole Valley, juste au-dessous de nous. J'essaie de me focaliser sur la ville à mes pieds, mais tout se brouille — en partie à cause du vertige et en partie parce que la coulée de brouillard gagne du terrain. Ma gorge se serre ; quelque chose se tord et pince dans ma poitrine. J'ai envie de vomir.

Une.

Deux.

Mais Henry est là, derrière moi, et c'est comme si sa présence me stabilisait. Il pose une main sur mon bras et tend l'autre par-dessus mon épaule, toujours en pointant du doigt vers une direction précise.

— Juste là. Tu vois ce carrefour ? La quatrième maison en partant du bas ; la blanche, juste en face du grand palmier.

Mes yeux hagards suivent péniblement la ligne de son bras jusqu'à son doigt, puis mon regard plonge au-delà, dans les rues de Cole Valley qui, miraculeusement, retrouvent petit à petit leur netteté.

— Oh !

C'est la maison de Lourdes. Ma porte bleue est cachée, mais je vois la haie, le trottoir, la petite surface de verdure qui entoure la maison, le potager en carrés surélevés dans le jardin à l'arrière et même le pointillé gris de l'allée japonaise. *Ma petite oasis.* Vue de l'intérieur, la maison me fait l'effet d'un cocon douillet, sûr et protégé du monde. D'ici, je vois qu'elle est tassée entre ses voisines et que les rues encombrées, les trottoirs, les bâtiments, les gens et la vie grouillent autour d'elle.

En scrutant la vallée, je prends conscience que le haut de Tank Hill, exposé aux quatre vents, est probablement plus proche de l'oasis que mon appartement.

J'en ai assez vu et je voudrais bien regarder ailleurs, mais la main d'Henry repose sur mon bras, et la pression, la chaleur de ce contact sont assez apaisants pour que je reste encore quelques instants de plus face à la ville. Seymour est allongé à mes pieds, les yeux rivés sur l'horizon. Il n'a pas l'air inquiet.

Une voix s'élève, et nous nous retournons en même temps, Henry et moi. Anya et Huan se sont éloignés et longent le bord opposé du promontoire. Anya place les mains en porte-voix, et son cri désespéré monte vers le ciel, s'étend, plane au-dessus de la ville. Le vent avale ses mots, mais je sais qu'elle appelle Billy. Huan la regarde, immobile. Quelques minutes plus tard, ils reviennent vers nous.

J'interroge Anya des yeux.

— Tu as vu quelque chose ?

Elle fait non de la tête. Son humeur semble assombrie, et elle continue à fouiller du regard le lacis de rues qui s'étend à nos pieds. Je me dis que le moment n'est pas plus mal choisi qu'un autre pour lui parler de l'idée de Sybil au sujet du gala. A défaut de lui remonter le moral, ça lui changera au moins les idées.

— La personne qui dirige SuperClebs a été très favorablement impressionnée par ta photo de Seymour.

Je poursuis en lui expliquant que Sybil aimerait qu'elle

photographie les chiens qui seront mis aux enchères à l'occasion de la soirée de collecte de fonds.

— Elle veut agrandir les photos et les exposer pour faire la déco de la salle. Ça pourrait te faire une super pub.

— Une super pub pour quoi ?

— Eh bien, euh…

Je lui adresse un rapide sourire coupable, consciente que les regards d'Henry et d'Huan sont aussi posés sur moi.

— … j'ai peut-être laissé croire à Sybil que tu étais une photographe professionnelle… Mais seulement parce que tu as toutes les qualités requises pour en être une. Je t'ai vue à l'œuvre pendant le shooting — une vraie pro. Je dois dire que tu m'as impressionnée. On t'a mis un chien peureux et compliqué à photographier entre les mains, et tu as réussi à tirer le portrait d'un animal heureux et sûr de lui. Comme le dit Sybil, tu as transformé Seymour en un authentique SuperClebs.

Je m'interromps le temps d'un nouveau sourire.

— Donc j'ai pensé que c'était peut-être le bon moment pour envisager de te mettre à ton compte en tant que photographe. Si le projet t'intéresse, le gala serait un excellent moyen de te faire connaître. Tu pourrais même offrir une séance photo comme lot à mettre aux enchères. Ce serait une bonne façon de te faire de la pub. Une fois que les gens t'auront vue au travail, ça t'ouvrira plein de portes.

Henry et Huan ne cachent pas leur enthousiasme pour le projet et encouragent Anya avec force exclamations et sourires. Mais son expression à elle est moins aisément déchiffrable, donc je continue sur ma lancée :

— Si tu veux, je pourrais t'aider à créer ton site web professionnel. C'est tout ce dont tu aurais besoin pour démarrer. Pour le reste, a priori tu as déjà tout l'équipement nécessaire.

Anya tapote le sol de la pointe d'un de ses gros boots.

— Ouais… Peut-être… Faut voir.

Je décide de faire abstraction de ses hésitations.

— Il y a juste une contrainte de temps. Il faudrait commencer tout de suite, en fait. Le gala est dans trois semaines, et il y a six chiens à photographier, tous placés dans des familles d'accueil différentes un peu partout à San Francisco.

Anya hausse les épaules.

— Le temps, c'est pas ce qui me manque, en ce moment. Ça devrait pouvoir se faire.

— Vrai ? Anya, tu nous rends un super service, là ! Sérieux. Sybil sera drôlement contente. Mais l'essentiel, c'est que tu vas aider ces chiens à trouver leur famille d'adoption définitive le plus vite possible.

Du coin de l'œil, je vois Huan couver Anya d'un regard d'adoration à peine dissimulé.

— J'ai l'impression que tu avais une tonne de matériel sur le dos lorsque tu as photographié Seymour. Si tu connais quelqu'un qui peut t'aider à transporter tout ça quand tu iras photographier ces chiens, n'hésite pas à te faire accompagner.

Anya hausse les épaules.

— Oh ! ça ira. Ce n'est pas si lourd que ça.

— Dans tous les cas, un assistant pourrait t'être utile pour canaliser les chiens — certains risquent d'être plus énergiques que Seymour. Et puis c'est toujours commode d'avoir quelqu'un pour faire couiner un petit jouet au-dessus de ta tête quand tu veux que le chien prenne la pose… Ce genre de trucs, quoi…

Je laisse ma phrase en suspens en jetant un regard appuyé à Huan. Et lui intime mentalement l'ordre de se manifester. *Allez, go ! C'est le moment ou jamais, Roméo !*

Huan finit par capter un de mes coups d'œil éloquents et écarquille les yeux.

— Oh ! Je… euh… je pourrais venir avec toi. Si tu as besoin d'aide, tu sais que tu peux compter sur moi, Anya.

— Je me débrouille très bien toute seule.

Huan me jette un regard interrogateur, et je l'encourage d'un signe de tête.

— Ouais, je sais. Mais ça m'intéresserait d'assister à ces séances. Et je vais être assez cool au niveau de mes cours, ces trois prochaines semaines.

Anya accueille l'argument avec une moue narquoise.

— C'est ça, oui. Avec un double diplôme en informatique et en économie à passer à la fin de l'année, je parie que tu peux rester les doigts de pied en éventail toute la journée… Mais bon, fais comme tu veux. Si tu as envie d'aider, vas-y. Tu finiras peut-être par adopter un chien, à force. Et par faire criser ton vieux père. Assume-toi, camarade ! Envoie bouler l'autorité !

Huan se met à rire. Et Giselle, on ne sait trop pourquoi, à japper. Nous sursautons tous les quatre, ce qui nous fait sourire, même Anya. Je n'ai pas besoin de tourner la tête pour savoir que le regard d'Henry est posé sur moi.

C'est là que la pluie commence à tomber.

Anya essuie une goutte sur son nez.

— Merde.

Aucun d'entre nous ne bouge. Ma vue s'embue, mes cils se mouillent. Je tourne les paumes vers le ciel et regarde les gouttes rebondir au creux de mes mains. Quand me suis-je tenue pour la dernière fois debout sous la pluie, à prendre le temps de la sentir tomber ? Quand j'étais gamine ? Jamais, si ça se trouve, ma mère avait toujours tellement peur que je tombe malade. Anya, Huan et Henry s'élancent vers le chemin, mais moi je reste plantée au sommet de Tank Hill. Henry s'immobilise et tourne la tête vers moi.

— Tu viens, Maggie ?

Je hausse les épaules en riant et bascule le visage vers le ciel. Le rire d'Henry monte vers moi, m'enveloppe. Je secoue la pluie de mes cheveux comme un chien qui s'ébroue et cours vers lui.

Déjà, la terre trempée du sentier se transforme en une boue épaisse. Devant Anya, Giselle s'affole, bondissant d'un côté à l'autre du chemin comme pour éviter de se salir les pattes. Seymour trottine, tranquille, au milieu des flaques, soulevant de joyeuses éclaboussures sous ses grosses pattes pataudes. Il dégage une forme d'insouciance heureuse : son sourire canin, sa langue pendante frisent l'extatique. Mes yeux s'embuent de nouveau en le voyant comme ça. Toby aurait lui aussi adoré dévaler une pente herbeuse sous la pluie. La tristesse et la joie se succèdent en moi, tandis que notre petite bande court à perdre haleine. Nous glissons, dérapons, essuyons de nos yeux la pluie qui nous aveugle. Lorsque Henry trébuche, je le rattrape par le coude et nous continuons à nous tenir tout en courant sur le chemin ; nos semelles dérapent dans la boue, nous perdons l'équilibre, puis le retrouvons. Mon cœur cogne comme un fou dans ma poitrine, mais c'est un affolement joyeux. En dessous de nous, la ville mouillée forme une immense aquarelle où les teintes se fondent et les contours s'adoucissent.

Nous retrouvons le bitume des rues en pente et courons de plus belle jusqu'à Cole Street où nous nous laissons tomber, à bout de souffle, autour d'une table, sous l'auvent de la boulangerie française au coin de la rue. Henry disparaît à l'intérieur et revient quelques minutes plus tard avec des chocolats chauds sur un plateau et une pile de serviettes en papier. Tout en nous essuyant le visage, nous regardons la pluie ruisseler sur l'auvent et la vapeur s'élever de nos tasses. Giselle se roule en boule sous la table, et Seymour en fait autant, se couchant avec un grognement de vieux bonhomme comique avant de se caler entre mes pieds et Giselle.

Lorsque Huan et Anya entrent à leur tour dans la boulangerie pour choisir des pâtisseries pour Rosie, l'atmosphère se transforme. Notre petite table à l'abri de la pluie sous l'auvent orange, le murmure mouillé des pneus glissant lentement sur l'asphalte, les lumières floues des boutiques alentour, tout cela devient terriblement romantique. Henry et moi échangeons des sourires. Ma chemise encore trempée me colle à la peau. Je devrais avoir froid, mais je suis bien.

Le regard d'Henry cherche le mien.

— En fait, je me demandais si on ne pourrait pas se retrouver pour dîner quelque part, un de ces soirs.

Je me mords l'intérieur de la joue, cherchant comment répondre à sa question sans passer pour une malade mentale. Donc sans lui expliquer que, si je sortais dîner avec lui, il y aurait de fortes chances pour que je me mette à trembler, à haleter ou à ressentir un besoin irrépressible de piquer un sprint pour rentrer chez moi.

— Ou se faire une toile plutôt, suggère-t-il face à mon silence. Ou... juste boire un verre ?

— Nous ne devrions peut-être pas compliquer la situation, Henry. A cause de ma relation avec Anya, je veux dire.

— Mais tu n'es pas sa psy.

— Je sais, mais...

Henry m'adresse un sourire figé.

— Non, non, c'est bon. Oublie ce que je viens de te dire.

Il détourne la tête pour regarder droit devant lui, les yeux rivés sur le trottoir.

Il va s'en aller, Maggie. Même moi, je ne peux pas faire abstraction de ce « détail ». Je vois le scénario d'ici : je tombe amoureuse d'Henry, nous continuons à nous voir en pointillé pendant un an, en essayant de fonctionner à distance, puis nous finissons par reconnaître l'un et l'autre que le panneau « voie sans issue » était là, sous nos yeux, depuis le début.

Mais qu'est-ce qu'ils fabriquent, Anya et Huan ? Je change de position sur ma chaise et écarte mes pieds de Seymour. Il lève les yeux vers moi et fronce les sourcils. Apparemment, mon état le préoccupe. « Qu'est-ce qui ne va pas ? » semble demander son regard. Ses immenses oreilles se balancent d'avant en arrière, sa grosse truffe noire frémit, ses yeux s'écarquillent. Il reçoit tous mes signaux cinq sur cinq.

Je fuis son regard inquiet. La pluie qui tombe toujours à torrents forme d'étroits ruisseaux noirs et boueux qui longent le trottoir. Je sens Seymour changer de position à mes pieds et j'entends son soupir de vieillard lorsqu'il repose la tête sur ses pattes, mais je continue de scruter la pluie et je commence à compter mes respirations.

13

Malgré la nouvelle photo de Seymour et sa promotion au rang de « chien de designer », aucun adoptant potentiel n'a manifesté le moindre intérêt pour lui. Sybil et moi décidons par conséquent de l'inclure dans le petit groupe de chiens vedettes que nous proposerons à l'adoption le jour du gala de SuperClebs. A en croire Sybil, lors des collectes de fonds précédentes, tous les chiens présentés ont trouvé leur nouvelle demeure avant la fin de la soirée. Donc normalement ce sera du tout cuit. Pour autant que l'on puisse avoir ce genre de certitude dans l'univers du chien-perdu-à-placer. Si Seymour ne trouve pas son foyer définitif dans les semaines qui viennent, ce sera pour le soir du gala.

Anya m'a invitée à partager un second petit déjeuner dominical en famille. Cette fois-ci, pas d'œufs brûlés, écrit-elle. Apparemment, c'est au tour d'Henry de se mettre aux fourneaux. A la fin de son mail, elle ajoute en post-scriptum :

> S'il te plaît, viens avec Seymour et Giselle. Rien que pour le plaisir d'emmerder Clive.

Lorsque Grant m'ouvre sa porte, le dimanche matin, Seymour sort spontanément de derrière le canapé et trottine vers moi. Il a la tête si basse et si soumise que ses oreilles traînent par terre, mais son drôle de corps allongé frétille, et il me regarde avec une joie incontestable dans les yeux.

Je me baisse pour lui donner la première de la longue série de friandises de contre-conditionnement qu'il recevra aujourd'hui.

— Salut, petit bonhomme.

Giselle lui renifle bruyamment l'oreille, et la queue de Seymour remue plus vite. Grant ne cache pas son étonnement :

— Seymour ! Tu es sorti de toi-même de ton antre ! Il a vraiment flashé sur toi, Maggie.

Je lève mon sac rempli d'appâts.

— Le chemin du cœur d'un chien passe par son estomac.

J'informe Grant de notre projet d'inclure Seymour dans les enchères du gala. Il se décompose.

— Donc il reste ici jusque-là ?

— Ça te console si je te dis que Sybil est sûre et certaine qu'il sera adopté le soir du gala ?

Grant soupire.

— OK. Ça nous fait une date butoir. On peut encore tenir le coup deux semaines et quelques, pas vrai, Seymour ? Ce sera juste une seule corvée de supermarché supplémentaire pour acheter cette super litière pour chiens dont nous sommes tous fans.

Malgré le sarcasme, je vois que Grant est soulagé : sa réputation de garder tous ses chiens d'accueil jusqu'à leur adoption définitive ressortira sans tache de cette épreuve.

Nous parvenons, Giselle, Seymour et moi, à quitter Carl Street au pas de course sans voir ni entendre de train. Je continue de distribuer de petits bouts de viande aux deux chiens pendant tout le trajet jusque chez Anya et j'ai le plaisir de constater que Seymour n'a plus la queue entre les pattes. Il ne se déplace pas encore avec la même assurance insouciante que Giselle mais, pour être honnête, nous sommes deux dans ce cas. Je m'estime déjà heureuse d'être dehors et qu'aucun pépin ne soit venu enrayer nos progrès.

Anya m'ouvre sa porte et annonce d'emblée la couleur :

— Pour une raison mystérieuse, Henry ne nous fait pas ses gaufres habituelles. Il nous a concocté un genre de quiche compliquée avec une salade composée. Le tout avec des fraises ! Quand on commence à ajouter des fruits à une laitue, c'est clair que c'est pour épater la galerie. Il s'est décarcassé comme s'il attendait une altesse royale.

Elle me jette un regard éloquent que je fais mine de ne pas remarquer. De la salle à manger, on entend aboyer une voix masculine :

— A table !

Anya soupire.

— C'est Clive qui gueule... Je compte sur vous deux pour être le plus odieux possible, murmure-t-elle à l'adresse des chiens.

Dans la salle à manger, je trouve Rosie en position assise dans son lit médicalisé. Clive et Terrence sont installés de part et d'autre du lit de la malade. Rosie paraît plus menue que lors de notre première rencontre, mais elle a l'air de me reconnaître et elle esquisse un faible sourire. Ses cheveux sont enroulés dans un beau turban rouge brodé de fils dorés.

— Qu'est-ce que vous en dites, de ce turban, Maggie ? Quitte à rester confinée dans mon lit, j'ai pensé que je devais au moins porter un truc un peu chic et choc. Je ne voudrais pas qu'on m'accuse de m'affadir au point de disparaître.

Je souris.

— Vous ? Impossible ! Et je l'adore, votre turban.

Terrence me salue d'un petit signe de la tête.

— Bonjour.

Lui aussi paraît différent de l'homme que j'ai vu la dernière fois — il est plus pâle, le bord des paupières rougi et les yeux injectés de sang. Je me demande s'il a passé des nuits entières à veiller Rosie lorsqu'elle a été hospitalisée en début de semaine.

Clive et moi échangeons un « bonjour » d'une impeccable neutralité. Henry pousse les portes battantes, s'aperçoit de ma présence et m'adresse un rapide sourire hésitant.

— Salut, Maggie.

Il pose sur la table une quiche dorée dont le fumet m'emplit les narines.

— Mm... Elle a l'air délicieuse.

Anya me fait signe de m'asseoir à la même place que la dernière fois. Giselle et Seymour se partagent l'espace réduit entre ma chaise et celle d'Anya, et je leur glisse à chacun un biscuit.

Henry contemple son œuvre.

— J'espère qu'elle est bonne. C'est un premier essai. Mais je crois que j'en ai fait pour un régiment.

Il pose un regard interrogateur sur Terrence.

— Qu'as-tu fait de Laura et des filles ? Tu les caches ou quoi ? On ne les voit plus jamais.

— Elles ont la grippe toutes les trois et n'ont pas bougé du canapé depuis le début du week-end. J'essaie de garder mes distances avec elles pour éviter la contagion. Je ne veux surtout pas transmettre la maladie à Rosie.

Sa grand-mère ne tourne même pas la tête vers lui. Je crois d'abord qu'elle ne l'a pas entendu, mais son commentaire suivant me détrompe :

— Comme si on pouvait se tenir à distance de sa propre famille ! Si j'attrape la grippe, j'attrape la grippe.

— Mais nous voulons te garder en bonne santé, Rosie.

La voix de Terrence est plaintive, presque geignarde. C'est plus fort que moi : il me fait de la peine, ce bon gros Terrence. On a l'impression qu'il passe son temps à essayer de s'attirer les faveurs de sa grand-mère et qu'il échoue à tous les coups.

Clive plante un couteau dans la quiche tout en observant Terrence du coin de l'œil.

— Tu as une mine de déterré, en tout cas. Malgré tes vaillants efforts, tu dois être aussi grippé que le reste de ta famille. Merci d'être venu partager tes microbes.

Terrence passe la main sur son visage et soupire.

— C'est juste de la fatigue. Je fais beaucoup d'heures en ce moment.

— C'est un peu obligé lorsqu'on se paie le luxe de vivre dans une grande maison à Saint Francis Wood, rien qu'en vendant du matelas. Qui l'eût cru ? Et moi, pauvre hère, qui me suis cassé la tête pendant des années pour aller jusqu'au bout de mes études de droit.

— On ne peut pas vraiment dire que tu sois à la rue, Clive.

— Mais il suffit de nous regarder pour voir que je suis moins bien nourri que toi.

Clive part d'un grand rire, et le visage poupin de Terrence vire à l'écarlate.

Rosie secoue la tête.

— Vous comptez continuer à vous chamailler comme ça, tous les quatre, quand je mangerai les pissenlits par la racine ? Ou c'est juste un numéro que vous faites en mon honneur ?

Un silence total tombe autour de la table. Tous les regards sont tournés vers elle. C'est Clive qui finit par répondre.

— Bien sûr que c'est pour toi qu'on le fait. On a tous envie que tu fasses attention à nous, Rosie.

Ces mots lui valent un sourire de la part de sa grand-mère. Elle tente de lever le bras pour lui caresser la joue, mais sa main retombe sans force sur ses genoux. Clive l'attrape et la serre et, pendant une fraction de seconde, je vois sa lèvre inférieure trembler de manière à peine perceptible.

Plus écarlate que jamais, Terrence se tourne vers moi.

— Pardonnez-moi, mademoiselle Brennan, mais je suis un peu perdu. Etes-vous ici en tant que soignante ?

— Non. Pas du tout, se hâte de répondre Henry.

Il s'éclaircit la voix.

— Anya et Maggie sont amies.

Je confirme d'un signe de tête.

— C'est plutôt Anya qui m'apporte une aide professionnelle à *moi*. Elle a pris de superbes photos de chiens à adopter par l'intermédiaire d'une association dont je suis…

Terrence m'interrompt en tournant un regard surpris vers sa sœur.

— Tu as le temps de faire du bénévolat, Anya ? En plus de ton boulot dans la boutique d'encadrement, de tes études de photographie et de tes recherches de Billy ?

Anya, comme je le constate avec plaisir, a déjà fait un sort à la moitié de sa part de quiche. Les cernes noirs sous ses yeux s'atténuent, et sa peau pâle se teinte par moments de légères touches rosées.

— J'ai arrêté de suivre mes cours. Et je ne travaille pas en ce moment, répond-elle calmement. Tu le sais très bien.

Terrence hausse la voix.

— Non, il ne me semble pas me souvenir de cela. Tu t'es fait virer de ton travail ? Que s'est-il passé encore ?

— Elle fait un break, explique Henry.

— Un break ? Alors qu'elle fait un petit mi-temps tranquille ? Super.

— Peut-être que ça te ferait du bien à *toi* de lever un peu le pied, Terrence, rétorque Anya.

— C'est sûr que j'aurais besoin de vacances. Mais j'ai des factures à payer. Des responsabilités à assumer.

Je n'ai pas le sentiment, en écoutant Terrence, qu'il cherche à faire preuve de cruauté. Il a l'air épuisé au point de ne plus savoir ce qu'il dit. Ses épaules sont affaissées, et ses avant-bras volumineux reposent comme deux troncs d'arbres abattus de chaque côté de son assiette. Son regard fait le tour de la table, et il cligne lentement des yeux.

Anya secoue la tête.

— C'est juste une impression ou Terrence est vraiment mal luné ce matin ?

— Il a l'air stressé, observe Henry.

Clive balaie l'argument d'un grand mouvement de fourchette.

— Terrence est *toujours* stressé. La différence, c'est qu'il le cache mieux que ça, d'habitude. Sous sa moustache, je pense.

Rosie émet un petit rire fragile, et l'on entend siffler ses bronches.

— Clive ! proteste-t-elle en riant et en toussant. Tu es un horrible personnage.

De nouveau, Clive lève sa fourchette à la manière d'un chef d'orchestre, fait une petite courbette et sourit.

Terrence, lui, refuse de lâcher le morceau — et le morceau, c'est moi, en l'occurrence.

— Pardonnez-moi d'insister, mais je voudrais juste me faire une idée un peu plus nette de la situation. Vous êtes psychothérapeute spécialisée dans le deuil animalier, et Anya a perdu un animal de compagnie. Mais vous n'êtes pas sa psy, juste une amie ? Vous vous tapez toutes ces longues marches à pied avec elle au nom d'une radieuse amitié tombée du ciel ? Et je suis le seul, dans cette famille, à trouver ça étrange ?

Son regard fait le tour de la table. Henry fronce les sourcils.

— Mais qu'est-ce qui te prend, Terrence ? Tu es agressif.

Je lui adresse un sourire reconnaissant. C'est sympa de voler à mon secours, mais je n'ai pas besoin d'être protégée. Enfin... sauf par un chien de temps en temps, si vous voyez ce que je veux dire. Je me baisse pour caresser Giselle, mais c'est la truffe de Seymour qui vient se placer sous ma main. Probablement dans l'espoir d'y trouver une friandise.

— Ça va, Henry. Je sais que Terrence ne veut que le bien d'Anya.

Ladite Anya lève les yeux de son assiette.

— Maggie me croit, elle, au moins. Elle pense comme

moi que Billy a été volé. Ça fait du bien que quelqu'un soit de mon côté, pour changer.

Je tourne les yeux vers elle et déglutis. Terrence plante son regard dans le mien.

— C'est vrai ? Vous croyez que quelqu'un a volé son chien et vous êtes convaincue qu'il est encore en vie ?

Anya soupire avec impatience.

— Puisque je te le dis !

— C'est à ta nouvelle amie Maggie que je pose la question.

Tous les regards se tournent vers moi.

— Eh bien, je…

Ma voix se perd dans un murmure indistinct. Je sens Seymour me lécher la main et je me baisse pour lui tapoter la tête en espérant qu'ils passeront à autre chose.

— Maggie ? insiste Anya. Dis-lui.

Clive secoue la tête.

— Allez-y, Maggie, c'est l'heure du parler vrai. Délivrez donc cette pauvre fille de ses illusions. Vous savez aussi bien que nous que personne n'a jamais volé ce chien. Il s'est sauvé, et on ne le reverra pas.

Anya lâche sa fourchette qui tombe avec fracas sur son assiette.

— Arrête, Clive !

Je respire un grand coup.

— Anya… Je t'ai dit depuis le début que je ne peux pas savoir si Billy est vivant ou non, mais que j'ai envie de t'aider dans un cas comme dans l'autre.

Anya me regarde fixement.

— Mais je pensais que tu me croyais. Que tu m'aidais *vraiment* à chercher Billy. Tu as dit qu'à ma place tu agirais comme moi.

— C'est vrai. Si j'étais dans la même situation, j'aurais sans doute la même réaction que toi. C'est tout à fait exact.

— Mais… mais tu penses que je ne vais pas le retrouver. Tu penses qu'il est mort.

— Je ne sais pas ce que je pense, pour être honnête. Comment avoir une certitude au sujet d'un événement sur lequel je ne dispose d'aucune information objective ?

— Tu pourrais aussi me croire, simplement parce que je te dis que *moi* je sais.

Le regard d'Anya défie le mien. Elle secoue la tête, et ses cheveux sombres lui tombent sur le visage, sans qu'elle se soucie de les repousser.

— Ça me fait chier que tu sois venue avec moi sans croire au retour de Billy. Je ne suis pas une gamine qu'il faut calmer avec une sucette ! Et je ne suis pas une malade mentale non plus, merde !

Là encore, Henry prend ma défense.

— Qu'est-ce que ça change que Maggie pense que Billy a été volé ou non ? Tu ne peux pas lui en vouloir d'avoir une vision réaliste des choses, Anya. Depuis que vous vous êtes rencontrées, elle a été sincère avec toi et t'a toujours soutenue contre vents et marées.

Anya se lève d'un bond. Giselle et Seymour redressent le museau et se tendent. Je sens ma poitrine se nouer.

— Sincère ? éructe-t-elle. Tu crois que Maggie est sincère avec moi, Henry ? Qu'elle l'est avec *toi* ? Tiens, prends ce caniche, déjà, pour commencer. Tu crois qu'elle le dresse pour en faire un chien de thérapie ?

Son rire dur et sans joie entaille le silence consterné comme une lame.

Non. Non. Non.

— Anya, s'il te plaît…

J'essaie de la raisonner, mais ma voix est trop faible. Impossible de prononcer un mot. Je voudrais respirer à fond, mais je suis à court d'air.

— Anya, ma chérie, s'exclame Rosie, défigurée par l'inquiétude.

Terrence prend la main de sa grand-mère et lui murmure quelque chose à l'oreille.

— *Arrêtez* de me regarder comme ça, tous ! hurle Anya. Vous êtes là à me dévisager comme si j'étais dingue ! Vous croyez que je ne le vois pas, peut-être ? Que je ne le sens pas ? Mais c'est *elle* la décalquée du cerveau, pas moi.

Elle pointe un doigt accusateur vers ma pauvre tête.

— Tu la vois, Henry, cette soi-disant psy à laquelle tu t'es adressé pour qu'elle *me* soigne ? Tu crois qu'elle est franche du collier, elle ? Eh bien, je vais vous la dire, moi, la vérité : Maggie est incapable de faire un pas hors de chez elle si elle n'est pas accompagnée par un chien. Et, même quand elle est avec son caniche, elle fait des crises d'hyperventilation. Elle panique, devient toute pâle et tombe par terre. Faut voir un peu le spectacle !

Je sens son regard qui me brûle l'arrière du crâne, mais je reste figée, les yeux rivés sur Seymour et Giselle. Malgré mes efforts frénétiques, impossible de réorganiser mes pensées au milieu du brouillard de honte, d'embarras et de panique qui déferle en vagues noires et me paralyse de la tête aux pieds.

Le cœur serré, j'entends Anya poursuivre son déballage.

— Ce serait comique si ce n'était pas aussi pathétique. Elle est censée aider les autres ? M'aider moi ? C'est elle, le cas pathologique. Vous pensez peut-être que je suis obsédée par Billy ? Elle, elle n'est même pas capable de *parler* de son chien mort. C'est à ce point-là qu'elle ne tourne pas rond. Vrai ou faux, Maggie ? Apparemment, c'est l'heure de vérité, ce matin. Alors allons-y. Tu ne crois pas que Billy a été volé, tu ne crois pas qu'il est vivant quelque part et tu es persuadée que ton opinion fait autorité, mais tu es *folle, folle, folle* !

Je me lève, et ma chaise crisse bruyamment sur le vieux parquet ; ma main tremble en attrapant la laisse des deux chiens. J'ai la bouche sèche. Je voudrais être capable de rester et de me défendre — admettre mes failles, mes peurs irrationnelles, mes tempêtes de panique et expliquer ce que je sais être vrai : malgré mes faiblesses et mes zones de fragilité, et peut-être même grâce à elles, je peux être une aide pour les autres. Si ma peur me rend faible, elle me donne aussi de la force. Mais mon regard fait le tour de la table, et je ne vois que des visages empreints de perplexité, de colère ou d'une sollicitude désolée. Je suis incapable de prononcer un mot. C'est à peine si j'arrive à respirer.

Je me tourne vers Anya, ses joues ruissellent de larmes. Elle éclate en sanglots, et Henry se lève pour la prendre dans ses bras.

— Je suis désolée.

C'est tout ce que je parviens à murmurer. Les chiens trottinent tête basse à mon côté tandis que je me dirige vers la porte. Sitôt le seuil franchi, nous nous mettons à courir.

— Maggie ! s'écrie Lourdes en m'ouvrant la porte. Ça va ?

Elle s'approche pour me faire la bise, mais je lui tends la laisse de Giselle.

— Désolée… Gastro tonitruante… Il vaut mieux que tu gardes tes distances.

— Une gastro ? s'étonne Lourdes. Mais tout à l'heure encore tu étais en pleine…

Je me rue déjà vers mon appartement.

Dans la salle de bains, je me récure les mains dans le lavabo, les joues inondées de larmes, en tentant de ne pas penser à la façon dont Seymour a couru la queue entre les pattes jusque chez Grant et Chip. J'essaie de ne pas penser que je ne lui ai pas donné une seule friandise, que je n'ai rien fait ou dit pour le rassurer et que c'est un miracle qu'il n'ait pas tenté de retirer son collier. Qui suis-je pour prétendre pouvoir aider ce pauvre chien ? *Et Anya ?* Dire que j'ai eu la prétention de vouloir la sortir de ses difficultés… J'ingurgite une pleine poignée de vitamines, les sens racler l'intérieur de ma gorge une à une, puis je me traîne dans mon salon et m'effondre, épuisée, dans mon fauteuil.

Toby me manque. Il aurait poussé sa truffe sous ma main, encore et encore, jusqu'au moment où j'aurais recommencé à le caresser. Puis il se serait débrouillé pour grimper sur mes genoux parce qu'il avait beau être grand et lourd, il se prenait parfois pour le genre de toutou qu'on prend dans ses bras. J'aurais ri sous le poids de son affection et écouté les battements de son cœur, rassurée de les savoir stables, réguliers, inaltérables.

Mais je me serais trompée. Il n'était pas inaltérable.

Pas immuable.

C'était son cœur qui nous avait conduits chez le vétérinaire. On était tombés en panne de médicaments contre la dirofilariose — les vers du cœur. Que serait-il arrivé si je n'avais pas été aussi pressée de quitter Philadelphie ? Je serais passée chez son véto et j'aurais pris de quoi le traiter pour un an. En me contentant d'acheter les boîtes de médicaments à la réception, sans me demander s'il était judicieux de prévoir un traitement pour une année complète, malgré l'âge avancé de Toby. Evidemment qu'il aurait vécu encore une année entière et bien plus, même. J'aurais acheté les cachets sans demander une consultation et j'aurais gagné, quoi ? Un mois de plus avec Toby ? Quelques semaines supplémentaires ? Ou aurais-je fini par remarquer ce que j'avais été trop occupée pour voir pendant mon premier mois à San Francisco ? Que Toby fonctionnait au ralenti ? Qu'il souffrait sans se plaindre ?

Le nouveau véto, à San Francisco, m'avait paru sympa. Il était beau, même — détail auquel j'avais été sensible jusqu'au moment où il avait froncé les sourcils en appliquant son stéthoscope sur le poitrail de Toby. Il lui avait ouvert la bouche pour examiner ses gencives. Avait passé des mains attentives sur tout son corps en lui parlant gentiment, lui disant qu'il était un très beau garçon et un vrai toutou-gentleman. Lorsque ses mains avaient atteint les hanches de Toby, il s'était tu. Toby se léchait le museau — un signe que je connaissais et qui signifiait qu'il avait mal. Le pli entre les sourcils du véto s'était creusé davantage et, tout à coup, mon cœur s'était mis à me faire mal.

— Comment va l'appétit de votre chien ? avait-il demandé. A-t-il eu des problèmes d'incontinence ? Paraît-il léthargique ?

— Non, non, non, lui avais-je assuré en sentant ma certitude s'ébranler à chaque réponse.

J'avais fini par poser la question terrifiante :

— Qu'est-ce qu'il a ? Il est malade ?

Il ne pouvait pas me répondre... tout de suite. Il y aurait d'abord des examens à effectuer. Des radios à passer. Serait-il possible de lui laisser Toby pour l'après-midi ?

Pendant trois heures, je suis restée dans la salle d'attente. Je n'ai pas ouvert mon téléphone, pas feuilleté de magazine, ni papoté avec la réceptionniste. Je ne suis même pas sortie chercher un café ou quelque chose à grignoter. Je restais là, assise. Chaque heure s'étirait sans fin, longue comme le jour. Je savais que la mauvaise nouvelle viendrait — si ce n'était pas cet après-midi-là, ce serait dans un mois ou dans un an. Le compte à rebours avait commencé.

Il est là, le grand problème, avec les chiens. On doit caser l'équivalent d'une vie entière d'amour dans un laps de temps trop court. Il nous faut les regarder mourir. Nous devons rester sur la rive et les laisser partir.

Lorsque le véto a fini par m'appeler dans la salle de consultation, Toby m'a accueillie avec son habituelle mine réjouie et son regard brillant.

— C'est un cancer, m'annonça le vétérinaire. Une tumeur osseuse et, selon toute vraisemblance, il souffre beaucoup.

Pire encore : les radios montrent que le cancer s'est déjà répondu dans les poumons.

Mes mains se sont immobilisées sur le dos de Toby. J'ai commencé à sangloter.

— Mais il allait parfaitement bien ! Ce n'est pas possible qu'il ait mal !

La voix du vétérinaire me parvenait comme de loin.

— Certains chiens sont ainsi. Ils ne montrent rien. Ils souffrent, mais continuent comme avant, tant qu'ils en ont la force.

Il marqua une pause.

— Mais la douleur de Toby, je regrette d'avoir à vous le dire, ne saurait être tenue pour négligeable.

Je secouai la tête. Cet homme ne pouvait pas comprendre. *Moi*, je connaissais Toby. S'il avait été mal en point, je l'aurais senti. Mais, au moment même où je protestais, je revoyais la façon dont il courait, en allongeant juste un peu le pas, l'arrière-train tout raide. Je pensais à la façon dont il gémissait en se couchant et au fait qu'il mettait deux fois plus de temps à se relever qu'avant. Pour qu'il puisse dormir le soir sur mon lit, je devais le soulever dans mes bras. Mais c'était parce qu'il prenait de l'âge ! A la rigueur, il avait peut-être une pointe d'arthrose — mais il ne souffrait pas. Pas d'un *cancer*. Toby restait le même : il continuait à agiter la queue, son regard luisait toujours d'enthousiasme et son esprit gardait la même vivacité que le jour de notre première rencontre, treize ans plus tôt.

— Il est difficile pour nous de comprendre ce qui se passe chez ces chiens qui ne montrent pas grand-chose — jusqu'au moment où nous avons ce truc-là sous les yeux, poursuivit le véto.

Je savais qu'il me désignait les radios, mais je ne pouvais pas les regarder. Pas une seconde fois.

— Ces images ne laissent pas la moindre place au doute.

Que votre chien souffre est une certitude. Et la douleur ne fera qu'empirer — très vite.

Son ton était catégorique mais, sous l'affirmation, affleurait aussi une question. Je savais ce qu'il était en train de me dire à sa manière amicale, assurée et grave. Je savais ce qu'il me demandait.

Je ne pouvais pas me détacher de Toby. Mes mains le caressaient sans relâche pendant que je lui parlais dans ma tête. *Pardon, mon Toby, pardon… Je ne savais pas… Je n'ai pas su voir.* J'aurais pu lui demander pourquoi il ne m'avait rien dit. Mais je ne lui ai pas posé cette question. Parce que j'étais sûre qu'il m'avait exprimé sa souffrance à sa manière et que je n'avais pas su l'entendre, distraite par mes espoirs, mes projets, par le défi que représentait mon changement de vie. Parce que j'avais eu besoin de son soutien à mon côté, j'avais laissé souffrir mon ami. Et failli à tous mes devoirs envers lui.

Même maintenant, dans la douleur, Toby fixait sur moi son beau regard de toujours, plein de dignité et de joie. Sa queue battait doucement contre le banc sur lequel j'étais assise. J'ai pensé qu'il essayait de me rassurer, mais il y a tant de choses qu'il a pu tenter de me communiquer en cet instant.

Alors que j'étais une fille plutôt bien ancrée dans la réalité, dont la profession tournait autour du deuil et qui connaissait la durée de vie moyenne d'un chien de la taille de Toby, je découvrais qu'une part de moi avait vécu dans l'illusion que mon chien vivrait éternellement.

J'avais fait du déni de réalité.

Je savais, parce que mes patients me l'avaient confié par la suite, que je n'étais pas la seule dans ce cas. Nous pensons, que parce que nos chiens sont chaque jour à nos côtés, parce qu'ils sont nos meilleurs amis, parce que l'amour que nous leur portons est si pur, si joyeux, si beau et si profond, que *notre* chien sera celui qui défiera les lois de la statistique.

Aurais-je dû être sous le choc en comprenant que mon Toby avait atteint la fin de sa vie ? Non. Et pourtant j'étais restée paralysée. Incrédule. Anéantie.

A une amie confrontée à la même épreuve, j'aurais su quoi dire. Comme j'ai pu trouver les mots pour aider mes patients lorsque j'ai ouvert mon cabinet, la semaine même qui a suivi la mort de Toby. « Là est notre responsabilité. C'est le prix à payer pour notre choix d'aimer un chien, de partager sa vie. Nous devons nous incliner quand vient le moment de lui dire adieu. »

J'ai gardé mes bras autour de Toby lorsque le vétérinaire a planté la seringue. Et j'ai senti le chien que j'aimais se faire lourd dans mes bras. Je retrouvais son poids que je connaissais bien — lorsqu'il s'appuyait contre moi sur le canapé ou se calait contre mes jambes pendant nos promenades, ou qu'il dansait sur mes pieds, surexcité, chaque fois que je rentrais à la maison. Ce poids familier entre tous, je l'éprouvais contre moi pour la dernière fois. Je cherchais à mémoriser la sensation de sa longue fourrure, noire et douce sous mes paumes. La forme de son museau. La chaleur humide de sa barbe grise, le beau brun de ses yeux, son regard heureux et plein d'amour, même maintenant, à l'heure de notre séparation dernière.

Nous nous étions rencontrés lorsque j'avais dix-neuf ans, et j'en avais désormais trente-deux. Qu'aurait été ma vie sans Toby ? Percevait-il en cet instant tout ce qu'il avait représenté pour moi ? Sentait-il à quel point je l'aimais ?

Son souffle ralentissait.

Pendant treize ans, nous étions restés côte à côte, jour après jour. Et maintenant, brutalement et inopinément, notre vie commune s'arrêtait. Je n'étais pas prête à continuer sans Toby, mais je ne voulais pas lui transmettre ma peur. C'était lui qui m'avait appris le courage, lui qui m'avait enseigné à aller de l'avant et à toujours voir le bel éclat du monde même lorsque mon ciel intérieur était gris.

Je lui parlais à l'oreille, encore et encore, l'accompagnais de mes mots et de ma voix.

— Tu es un si bon chien, mon Toby… Tu m'as tant donné…

Je sentis son ultime expiration, la chaleur de son dernier souffle glisser sur mon bras puis se dissiper — fragile buée d'amour, comme un dernier cadeau.

14

La tête vide, les yeux rivés sur le feu, je flotte dans un flou post-lacrymal et ne tourne même pas la tête lorsqu'on sonne à ma porte.

— Je suis toujours archi-patraque, Lourdes. On se voit demain, plutôt ?

Deuxième coup de sonnette. Je grogne et me lève. Mon corps entier est courbatu d'avoir couru sans m'arrêter de chez Anya à chez moi, et j'ai tellement pleuré que ma poitrine est comme calcinée de l'intérieur. A un moment au cours de la soirée, je me suis servi un verre de vin, mais il est resté intact sur la table basse. Je prends trois inspirations profondes, puis soupire en ouvrant la porte.

— Sérieux, Lourdes, je ne suis pas en état de…

Je me retrouve nez à nez avec Henry. La tristesse et la fatigue que je lis sur son visage font écho au blues et à la lassitude qui m'habitent.

— Je suis désolé, Maggie. Je n'aurais pas dû te laisser partir comme ça ce matin, mais Rosie était bouleversée et elle a eu une grosse quinte de toux. Je ne pouvais pas m'en aller en la laissant comme ça.

— Oh non ! Elle va mieux ?

— Sur le plan santé, elle est stabilisée pour le moment. Mais elle s'inquiète pour Anya. Rosie sait qu'elle n'en a plus pour très longtemps. Et elle ferait n'importe quoi pour voir les problèmes d'Anya résolus.

J'ouvre la porte un peu plus grand.

— Tu veux entrer ?

Il hoche la tête, passe devant moi et se laisse tomber sur le canapé. Attentive à garder mes distances, je choisis le fauteuil qui lui fait face. Je suppose qu'il est venu me reprocher de lui avoir caché mon instabilité mentale et d'avoir abusé de sa confiance. Peut-être compte-t-il même rappeler mon ancien chef pour l'informer de mon comportement et lui conseiller d'y réfléchir à deux fois avant de recommander de nouveau mes services à un patient potentiel. Je connais les sentiments protecteurs d'Henry envers sa sœur. Il ne peut qu'être furieux contre moi.

Même si, pour le moment, il a surtout l'air abattu.

— Anya a tendance à passer en mode agression quand elle est blessée. Elle n'aurait pas dû te balancer tout ça ce matin.

— C'était son droit le plus strict. A part le fait que je ne suis pas folle, tout ce qu'elle a dit était vrai.

Mon aveu n'a pas l'air de surprendre Henry.

— La question n'est pas là. Elle n'avait ni à le crier sur les toits ni à l'exprimer de cette façon. Tu as essayé de l'aider.

Je baisse les yeux et contemple mes mains.

— Avec des résultats pas très probants.

— Tu as fait plus et mieux que n'importe qui d'autre jusqu'ici.

Il soupire, plante son regard dans le mien.

— Je ne vais pas te raconter d'histoires, Maggie. Si j'avais su avec quels problèmes tu te débattais en ce moment, je n'aurais pas fait appel à toi pour aider ma sœur. Mais on n'en est plus là, maintenant. Je te *connais*. Et je t'ai vue à l'œuvre avec Anya. J'ai vu ce que tu faisais pour elle. Tu as su l'écouter, comprendre la place que tient la photographie dans sa vie. Tu l'as convaincue de ressortir ses appareils. Cela fait plusieurs jours que je l'entends parler de SuperClebs et de l'idée qu'elle pourrait peut-être s'établir comme photographe indépendante. Te rends-tu compte seulement de ce que ça représente ? Qu'elle recommence à s'investir dans quelque chose, à se projeter dans l'avenir, indépendamment de Billy ? Personne ne savait plus par quel bout la prendre, dans cette famille. Et toi, tu as trouvé le moyen de la remettre sur les rails. Tu l'as *vraiment* aidée, Maggie. Et tu l'aides toujours. C'est un vrai soulagement pour moi… pour nous tous.

Je lui adresse un sourire sans enthousiasme. Il part bientôt pour Los Angeles, tant mieux s'il s'en va un peu moins inquiet pour sa sœur.

Du menton, Henry désigne le verre de vin sur la table basse.

— Tu crois que je pourrais avoir le même ?

Je hoche la tête.

— Je t'aurais proposé à boire plus tôt, mais je croyais que tu étais venu ici pour m'accabler. Il n'aurait pas été très malin de te verser du carburant pour alimenter des récriminations contre l'horrible personne que je dois être à tes yeux.

Lorsque je me lève pour chercher la bouteille de vin dans la cuisine, Henry m'attrape la main au passage.

— Je ne te considère pas comme une « horrible personne », d'accord ? Rien n'est plus éloigné de la vision que j'ai de toi.

Je regarde sa main qui repose sur mon bras. La chaleur des flammes gagne ses yeux. *Dans moins d'un mois, il aura quitté San Francisco, tu y penses ? Lourdes te dirait que c'est la loose garantie.* Je m'écarte pour me détacher de lui et poursuis mon chemin jusque dans la cuisine. Au retour, je lui tends son verre de vin en faisant bien attention à ne pas laisser mes doigts effleurer les siens.

— Merci.

Il change de position sur le canapé, et je le vois hésiter, comme s'il avait une question sur le bout de la langue qu'il n'était pas sûr de pouvoir poser.

— J'aimerais bien en savoir un peu plus au sujet de tout ce

qu'Anya a dit ce matin, mais rien ne nous oblige à en parler. Nous pouvons aussi boire un verre tranquilles en regardant le feu. Je n'ai rien contre le silence en bonne compagnie. C'est même la forme de silence que je préfère.

Est-ce la bienveillance dans ses yeux ? Ou la certitude qu'il est sur le départ, que mes chances de le revoir sont quasi inexistantes et qu'il n'y a de toute façon rien à perdre ? Je respire à fond et je déballe tout.

— Ma mère est agoraphobe. Ça fait vingt-cinq ans qu'elle ne quitte la maison que shootée aux tranquillisants. On peut donc dire qu'elle m'a appris tout ce que je sais.

Je souris à Henry pour lui montrer que je plaisante, mais il continue de fixer sur moi un regard qui ne vacille pas. Je hausse les épaules.

— Bon, d'accord. La petite dose d'humour psychiatrique en guise d'entrée en matière, ça ne passe pas, apparemment. A ne pas renouveler.

Cette fois, il me rend mon sourire.

— C'est surtout que cela n'a rien de drôle.

— Ouille. Chez nous autres psys, « Cherchez la mère ! » est pourtant le grand mot d'ordre.

Le sourire d'Henry se fait plus prononcé.

— Je suis juste surpris que tu sois disposée à plaisanter sur le sujet. Les blagues d'agoraphobes, c'est plus ou moins toujours de l'humour maison, si je puis m'exprimer ainsi ?

J'éclate de rire.

— Voilà. C'est à peu près ça.

— En tout cas, j'aimerais que tu m'en dises plus sur tes phobies, déclare-t-il en reprenant son sérieux. Tu accepterais de poursuivre ?

— J'ai l'impression de m'entendre. Dois-je comprendre que je suis en train de me faire psychanalyser ?

Il se frotte le menton d'une main et fait mine de prendre des notes de l'autre.

— Mm... La patiente utilise le recours à l'humour comme stratégie d'évitement, marmonne-t-il.

Je lui raconte alors comment ma mère a choisi de truffer mes journées d'activités, pensant, grâce à cette stratégie, m'éviter d'hériter de ses phobies. J'ajoute que je la soupçonne maintenant d'avoir toujours pris des chiens à la maison dans le même but. Je lui parle de mon acrophobie et lui révèle comment je l'ai cachée à mes parents par crainte de les inquiéter ou de les décevoir. Je poursuis avec ce que j'ai appris durant mes études de psycho, que mes peurs actuelles ne sont pas très dissemblables, au fond, des phobies dont souffre ma mère — toutes sont des troubles paniques qui trouvent leur source dans l'angoisse avec un grand A. Mon agoraphobie est certes récente mais, si je fais un retour sur moi-même, je vois bien que des courants souterrains d'anxiété ont coulé en moi presque toute ma vie.

J'enchaîne ensuite sur Toby : comment nous nous sommes adoptés mutuellement, notre complicité. Je retrace pour Henry le rôle que mon chien a joué dans ma vie entre vingt et trente ans, comment son exubérance et sa sociabilité ont transformé ma vision du monde et m'ont aidée à m'ouvrir aux autres et à la vie, me poussant même à prendre la décision de changer de boulot et de quitter enfin la côte Est.

Pendant tout ce temps, Henry écoute avec attention, et à aucun instant son regard ne se départ de sa profonde bienveillance.

Après le récit de la mort de Toby, j'en viens au moment où, en traversant le parc à la sortie du cabinet du vétérinaire, je subis une attaque de panique si terrifiante que j'ai la certitude qu'elle ne peut déboucher que sur la mort ou la folie. C'est la peur de revivre cette expérience cataclysmique qui me boucle chez moi ensuite pendant cent jours.

— Au début, je me suis dit que c'était le choc affectif lié à la disparition brutale de Toby. Je pensais que c'était juste ma souffrance qui me clouait dans mon appartement. Je dis à mes patients qu'ils ne doivent pas être trop sévères envers eux-mêmes durant la phase douloureuse qui suit la mort d'un être aimé, que c'est OK de se laisser aller au chagrin, qu'on peut s'autoriser à le vivre sans retenue. Au nom du deuil que j'étais en train de vivre, je me suis trouvé une foule d'excuses pour justifier mon repli. Mais dès le départ c'était bien plus que de la tristesse : il y avait aussi la peur. Une peur irrationnelle mais débilitante.

Je m'interromps et soupire en scrutant le contenu de mon verre. Je n'ai toujours pas bu une seule gorgée.

— Ce n'est pas facile à expliquer.

— Je suis sûr qu'il doit être très difficile d'en parler. Tu t'en sors très bien.

— C'est ma rencontre avec Anya et mon désir de l'aider qui m'ont donné l'impulsion nécessaire pour chercher… une voie de sortie, si l'on peut dire. J'ai appris que le recours aux chiens était un moyen très efficace pour aider les agoraphobes. J'ai donc emprunté le chien de Lourdes et commencé à l'emmener faire de courtes promenades. Giselle n'est pas et ne sera sûrement jamais un chien de thérapie. Mais elle m'est d'un grand secours.

— Quand on regarde bien, *tous* les chiens sont des chiens de thérapie, tu ne crois pas ?

Mille fois déjà, j'ai tourné cette pensée dans ma tête, mais c'est la première fois que je l'entends formulée de façon aussi concise et percutante. Cet homme doit aimer profondément les chiens, me dis-je, pour avoir fait pareil constat.

— Absolument. Je suis cent pour cent d'accord avec toi.

— Alors, quel effet ça fait ? Quand la panique frappe, je veux dire ?

Je ferme les yeux pour réfléchir.

— C'est comme d'être enfermée dans un endroit clos où il y a très peu d'air. J'ai la sensation de perdre mon orientation et d'être saisie d'un violent vertige. Un peu comme si des murs se resserraient autour de moi, sauf que les murs, c'est ma peau, en fait, qui rétrécit — autour de mon cou, de ma poitrine, de mon cœur, de mes veines.

— C'est joyeux... Et tu ressens ça chaque fois que tu es dans la rue ?

J'ouvre les yeux et secoue la tête pour chasser ces sensations lugubres.

— Non, plus maintenant. Je vais beaucoup mieux, même si je n'ai pas encore tenté de quitter la maison sans Giselle. C'est plus dur quand je suis en hauteur et qu'il y a du vide autour. Ou quand je ne suis pas sûre de retrouver mon chemin pour rentrer. Autant te dire que San Francisco n'est pas une ville simple à vivre pour moi en ce moment. Mais... tu connais la Sutro Tower ? Là-haut, sur Twin Peaks ?

Henry hoche la tête.

— Quand j'étais petit, je trouvais que l'antenne ressemblait au trident de Poséidon. Je m'imaginais plein de scénarios compliqués où San Francisco était le royaume sous-marin du Vieillard de la mer et où il laissait son trident derrière lui quand l'océan se retirait. Même encore maintenant, à chaque tremblement de terre, une part de moi continue de croire que le dieu de la Mer est responsable des secousses. J'imagine que quelque part dans l'océan il fait signe à son trident et que la terre en tremble de peur.

Je souris.

— Il serait temps de lui rendre sa canne, à ce papy coléreux, avant qu'il ne fasse de trop gros dégâts.

— Nulle fureur plus redoutable que celle d'un vieux dieu grec gâteux.

— Joli. Mais, malgré tout mon respect pour le panthéon grec, j'espère que Poséidon ne récupérera jamais la Sutro Tower. Je me sens mieux dès que j'ai cette grosse antenne, là-haut, dans ma ligne de mire. Elle me réoriente. Je la cherche toujours des yeux quand je me balade. Les jours les plus difficiles sont ceux où le brouillard l'avale tout rond. Enfin voilà, tu connais maintenant les deux armes secrètes de mon combat anti-panique : Giselle et la tour-antenne.

Henry hausse les épaules.

— Tout cela me paraît très cohérent. Et tes secrets sont en sécurité avec moi.

Je le sens sincère. Ce que je lui ai raconté semble faire sens à ses yeux, et j'ai vraiment l'impression qu'il ne me prend pas pour une folle intégrale. Je me cale dans mon fauteuil, et c'est comme si une chape de plomb m'était tombée des épaules.

Henry boit une gorgée de vin.

— Puisque la présence d'un chien t'aide à tenir l'angoisse à distance, tu aurais intérêt à en reprendre un autre, non ? Ou c'est encore trop tôt ?

— J'y pense. Mais pas tout de suite. Je ne suis pas encore prête. Je crois que, quand le moment sera venu, je le sentirai. En attendant, j'ai Giselle. Elle est mon chien de transition.

— Elle a l'air joyeuse. Solide.

En plus de ses nombreuses qualités, je dois lui reconnaître un vrai talent pour cerner les personnalités canines.

— Giselle est une crème, oui. Et toi ? Comment se fait-il que tu n'aies pas de chien ? Il est clair que tu fais partie de la grande fraternité cynophile.

— Pour te dire la vérité, j'ai toujours considéré que Billy était un peu mon chien aussi. Anya, c'est sûr, se tapait le gros des corvées en matière de soins, promenade, nourriture, etc., mais j'étais le tonton gâteau de service.

— Billy te manque, à toi aussi. Je ne m'en étais pas rendu compte. Je suis désolée.

Henry hausse les épaules, l'air de dire : « Que veux-tu y faire ? »

— Il mérite un happy end, ce pauvre Billy. Il a fait un bien fou à Anya. Il était là, pour elle et avec elle, qu'il pleuve ou qu'il vente. Pour une petite fille qui avait perdu ses deux parents, c'était énorme.

Son regard se détourne un instant du mien. Et c'est presque comme si je sentais en moi le poids qui tombe soudain sur ses pensées.

— C'est intéressant, observe-t-il au bout d'un temps de silence. Je crois que la mort prématurée de nos parents nous a transformés tous les quatre en des versions légèrement différentes des personnes que nous étions — ou que nous serions devenues. Clive s'est replié sur un certain cynisme. Depuis dix ans, il passe d'une femme à l'autre et les ex s'enchaînent en cascade. Je crois qu'il est encore trop terrifié par la menace de la perte pour s'autoriser à tomber amoureux. Terrence, lui, a pris la direction inverse. Il s'est marié, a eu des enfants et ne vit que pour sa famille. Il ferait n'importe quoi pour Laura et les filles. Quant à Anya, elle est devenue une petite personne particulièrement indépendante et ombrageuse. C'est en la voyant se refermer petit à petit sur elle-même que j'ai eu l'idée de lui offrir Billy. Je pensais qu'un chien aiderait à remédier au problème.

— Et toi ?

Henry me jette un regard interrogateur.

— Quelle autre version de toi-même es-tu devenue ?

— Ah !

Il se passe les doigts dans les cheveux et ressort hirsute de l'opération. Et prend un air stressé.

— Le Warrior éternellement défait ? Le Soucieux ?

Je ris et secoue la tête.

— Toi, tu es le Gardien. Celui qui Lie.

— Anya m'accuserait plutôt d'être de la superglu. Je suis un peu surprotecteur à son goût.

— Exact. J'ai souvenir d'un fou furieux bondissant de derrière un buisson pour me crier dessus la première fois que je suis venue la voir.

Henry se tasse en riant.

— Encore désolé, vraiment.

— Pas de souci. Ça m'a poussée à donner le meilleur de moi-même.

Son sourire s'évanouit.

— Ce n'est pas seulement pour Anya que je m'inquiète. Je me sens responsable aussi pour Billy. C'est dur de ne pas savoir ce qu'il lui est arrivé. Dur aussi de ne pas imaginer le pire.

Nous ouvrir l'un à l'autre ainsi semble inévitable, comme s'il était écrit que cela devait arriver. C'est dur, de plus en dur, de me souvenir qu'il part et que je suis censée juguler mon attirance croissante pour lui.

— J'ai eu du mal à empêcher que la mort de Toby ne jette une ombre sur les souvenirs que je garde de sa vie. Et c'est sûrement encore plus difficile quand on ne sait pas ce qui est arrivé à son chien, lorsqu'un point d'interrogation plane sur son sort.

Henry se renverse contre son dossier. Il me dévisage d'un regard souriant.

— Ça fait du bien de parler avec toi, Maggie. Ça doit être agréable d'avoir cette capacité à réconforter les gens.

— Parce que je te réconforte ? Je pensais juste te témoigner de la sympathie.

— Est-ce que le résultat n'est pas le même ?

J'admets que c'est parfois le cas.

— Réconfort ou pas réconfort, je me sens mieux quand je suis avec toi. J'ai envie de penser que c'est un privilège réservé à moi seul, mais je suppose qu'il y a un tas de gens pour qui ta présence est un précieux soutien.

— Merci. Un compliment est toujours bon à prendre.

Je souris, mais mon cœur bat vite, très vite. *Ne pas oublier que quand les gens se mettent à vous faire des compliments, c'est signe qu'ils sont sur le point de vous quitter...*

Je finis quand même par raccompagner Henry jusqu'à la

porte, mais il n'a pas l'air d'avoir envie de partir. Je ne suis pas non plus particulièrement pressée de lui dire au revoir car nous restons face à face, et aucun de nous deux ne tend la main vers la poignée. Son regard toujours plongé dans le mien, Henry effleure la courbe de mon épaule, descend le long de mon bras, attrape ma main et l'amène à ses lèvres. Je lis un désir très fort dans ses yeux mais aussi une question. Il est prêt à s'arrêter dès que je le lui demanderai. Il appuie les lèvres sur la petite saillie juste au-dessous de mon pouce, toujours en me regardant. Il retourne alors ma main et pose un baiser au creux de ma paume. Puis de mon poignet. Ses doigts sont caressants sur ma peau lorsqu'il relève ma manche pour laisser glisser ses lèvres le long de mon avant-bras.

Il va partir.

Je me le dis et me le répète.

Mais je suis incapable de dire stop, incapable de soustraire mon regard au sien. Je peux à peine respirer, je ne cligne même plus des paupières, tout est suspendu jusqu'au moment où ses doigts viennent se perdre dans mes cheveux.

Mes yeux se ferment.

Nous nous embrassons.

Je n'ai aucune idée du temps qui s'est écoulé lorsque Henry interrompt le baiser.

— Les restaurants qui acceptent les chiens, ce n'est pas ce qui manque à San Francisco, observe-t-il comme s'il reprenait le fil d'une conversation. Je connais un tas d'endroits où nous pourrions aller. Il n'y a pas que le cinéma dans la vie.

Je souris. Il passe lentement son pouce sur mes lèvres en me tenant le menton avec les doigts.

— Il est tellement beau, ton sourire, murmure-t-il.

Alors, nous nous embrassons encore un peu.

15

Anya ne m'appelle pas et ne m'envoie pas le moindre texto de toute la semaine. Pas plus qu'elle ne répond à mes mails. Je me force à continuer à prendre Giselle pour aller chercher Seymour et faire quelques tours de quartier avec les deux chiens en laisse. A présent que je n'ai plus la mission d'aider Anya, je sais qu'il suffirait d'un rien pour que l'angoisse reprenne le dessus et que je recommence à passer des jours, puis des semaines sans sortir de chez moi. Alors je me force à penser à Seymour et je me dis que ma nouvelle mission, c'est lui.

Tard dans l'après-midi du jeudi, après mon dernier rendez-vous de la journée, je reçois un appel de Sybil, phénomène surprenant car elle communique plus volontiers par mail. En voyant son nom s'afficher sur l'écran, je décroche sans hésiter. Elle est affolée.

— Ah, Maggie ! Tu ne peux pas savoir comme je suis soulagée que tu sois chez toi. J'ai dû m'absenter deux jours pour aller à Tahoe... je t'expliquerai, c'est une longue histoire... et je viens de recevoir un appel au sujet d'une chienne attachée devant le Whole Foods qui est près de chez toi. Un des gardiens du parking dit qu'elle était déjà là quand il est arrivé ce matin et qu'elle y est restée toute la journée, la malheureuse. C'est un pitbull, donc je parie que personne n'ose l'approcher. Il y a neuf chances sur dix pour qu'elle soit parfaitement adorable, mais tu sais à quel point les gens

237

ont l'indécrottable manie de considérer d'office ces chiens comme des dangers publics. Le gardien voulait appeler la police, mais un employé du supermarché lui a dit d'essayer d'abord de faire appel à nous.

Sybil s'interrompt juste le temps de reprendre son souffle.

— Même si je pars tout de suite, je ne pourrai pas y être avant plusieurs heures. Il y aurait moyen que tu fasses un saut là-bas pour voir un peu où ça en est ? Si ça t'ennuie de garder la chienne cette nuit, je peux m'arranger. J'ai déjà une famille d'accueil informée, un couple qui adore les pitbulls. Je leur demanderai de la récupérer chez toi dans la soirée. L'essentiel, c'est de la sortir de ce parking et d'éviter qu'elle entre dans le Système.

Le Système, pour Sybil, c'est la SPA de San Francisco. Le Système n'est pas en soi une mauvaise chose pour un chien. Il y est sûrement mieux que dans la rue. Et c'est un refuge où les animaux sont laissés en vie tant qu'ils sont considérés comme adoptables. Mais la famille d'accueil est une étape plus calme, commode et rassurante dans le parcours d'adoption d'un chien abandonné.

— Il pleut là-bas, vers chez toi ? poursuit Sybil, hors d'haleine. Le type du Whole Foods m'a dit qu'il tombait des cordes. Pauvre chienne.

Je jette un œil par la fenêtre. Il ne pleut pas trop fort. La chienne doit être transie, mais les averses diluviennes que j'ai entendues s'acharner contre les vitres la nuit dernière se sont calmées depuis ce matin. Espérons que la pauvre bête n'a pas passé la nuit entière attachée sur ce parking ! Je tends l'oreille pour m'assurer de la présence de Giselle là-haut et j'entends le cliquetis familier de ses griffes sur le parquet.

— OK. Pas de problème, Sybil. Je m'en occupe. Il pleuviote mais sans plus. Je vais faire un tour là-bas et tâcher de récupérer la chienne.

— Super. Merci mille fois, Maggie ! Tu me soulages d'un

grand poids. Je rappelle Ty… c'est le gardien du parking… pour le prévenir que tu arrives. Tu penses pouvoir y être dans combien de temps ?

— Un quart d'heure, à peu près. Ce n'est pas très loin de chez moi.

— Tu veux que je m'arrange avec la famille d'accueil pour qu'ils passent prendre la chienne chez toi ce soir, alors ?

J'hésite un instant.

— Je veux bien, oui. Je pense que ce sera mieux comme ça.

Les jambes coupées, je frappe chez Lourdes. Cela fait trois fois déjà que je tambourine à sa porte. *Rien. Pas la moindre réaction.* J'ouvre mon téléphone et j'essaie de nouveau le portable, puis le fixe. Toujours aucune réponse. Je me mettrais des baffes parfois. Ce n'est pas parce que j'ai entendu Giselle que Lourdes ou Leo se trouve à la maison avec elle. *Quelle idiote, mais quelle idiote !* Depuis mon arrivée ici, il est question que Lourdes me fasse faire un jeu de clés pour les cas d'urgence, mais l'intention ne s'est jamais concrétisée. Je place la main en visière au-dessus de mes yeux et scrute à travers la fenêtre à côté de la porte. Giselle est assise dans l'entrée obscure, le museau levé vers moi, la queue frétillant doucement. Un pli perplexe marque son front. Inutile de l'énerver en continuant de frapper ; il est clair qu'elle est toute seule à la maison et, elle a beau avoir une intelligence brillante, elle ne va pas réussir à m'ouvrir pour autant.

Mon moral en prend de nouveau un coup lorsque je tombe sur la boîte vocale de Sybil en la rappelant. Oh, non ! Je coupe, incapable de laisser un message. Comment formuler une explication ? *Euh… Désolée, Sybil. Il faudra que cette chienne trempée et abandonnée aille dans le Système. Je ne suis pas capable de faire le trajet jusqu'au supermarché.*

Non. Je ne laisserai pas un chien abandonné livré à lui-même sous la pluie. Pas plus que je n'ai pu laisser Anya sortir de ma vie sans avoir au moins tenté de l'aider. Il y a des choses plus importantes que mes propres problèmes, comme les gens et les chiens malheureux par exemple. Je relève la capuche de mon manteau et descends le perron de chez Lourdes pour me lancer seule dehors sous la pluie.

Si seulement c'était aussi simple.

Si seulement il suffisait de vouloir.

Dès que j'ouvre le portail et que je sors sur le trottoir, les pavés se mettent à tanguer et à entamer leur danse vertigineuse sous mes pieds. Ma gorge se serre, et je sens une horrible pression dans ma poitrine, comme le début d'une crise cardiaque. Suffocante, j'attrape un montant de la clôture et m'y cramponne si fort que des échardes s'enfoncent dans ma peau.

Une.

Deux.

J'essaie l'autosuggestion et tente de me représenter Giselle à mon côté, me soutenant de sa présence, tirant sur sa laisse pour m'obliger à avancer. Mais la panique est trop forte, et je sens que je vais tourner de l'œil au beau milieu du trottoir. Personne ne réussira à me faire croire qu'un cœur humain peut continuer à battre à cette vitesse démoniaque sans lâcher. D'une démarche chancelante, je me replie et fais claquer le portail derrière moi. La maison de Lourdes est floue dans le brouillard gris de l'après-midi. Je me dirige au radar vers sa silhouette rassurante, en glissant sur les dalles mouillées. Mes semelles claquent fort sur les marches du perron. Enfin, je me retrouve au sec sous la marquise. Je m'effondre en position assise, les genoux contre la poitrine. *Allez, c'est fini. Respire, ma fille. Respire.* Mon corps entier bout de honte et de panique.

A l'intérieur de la maison, Giselle lance un aboiement plaintif. Je secoue la tête pour me remettre les idées en place.

Qui appeler au secours ? *Henry.* S'il a un moment, il acceptera peut-être de récupérer la chienne pour moi. J'essaie son numéro, mais il ne décroche pas. Nouvelle tentative pour joindre Lourdes. Re-boîte vocale.

— Mais où sont-ils tous passés, merde ?

Je frappe le téléphone contre ma paume.

A qui d'autre m'adresser ? Un de mes patients ? C'est exclu, pour des raisons évidentes. Je fais défiler ma liste de contacts et m'aperçois qu'ils sont tous à Philadelphie. Mon cercle d'amis, à San Francisco, est pathétiquement restreint.

A la fin, je me retrouve avec un seul nom sur ma liste : Anya Ravenhurst.

Je sais qu'elle ne décrochera pas si je l'appelle. Henry a promis qu'il essaierait de la convaincre de me téléphoner pour que nous puissions parler de ce qui s'est passé, mais je n'y crois pas trop. Elle considère que je lui ai menti au sujet de Billy. Et je doute qu'elle me pardonne ma « trahison » de sitôt. Je lui ai envoyé un mail pour lui dire qu'elle a vu juste, que je suis effectivement agoraphobe, qu'il m'est impossible de quitter mon appartement sans Giselle et que je ne lui tiens pas rigueur de ses sentiments négatifs envers moi. Je lui ai écrit que je continuais à espérer des retrouvailles entre Billy et elle, et que je serais heureuse de me joindre de nouveau à ses recherches si elle le souhaitait.

Elle n'a pas répondu.

Maintenant, Anya est mon dernier espoir. Je lui envoie un texto en espérant que le message s'affichera sur son écran et qu'elle le lira avant d'avoir le temps de s'en empêcher.

Urgent. Chienne abandonnée devant le Whole Foods dans le Haight. Impossible de la récupérer moi-même. Famille d'accueil prête à venir la chercher chez moi dans la soirée. Peux-tu aider ? Stp appelle-moi asap.

Quelques secondes plus tard, mon téléphone sonne. Je le regarde, pétrifiée par un mélange d'incrédulité et de soulagement. Mais, lorsque je prends l'appel, le ton d'Anya est froid et directif.

— OK. Je vais t'aider, mais à condition que tu viennes avec moi. J'arrive chez toi à pied, et nous irons chercher cette chienne ensemble.

— Anya, non, écoute-moi… J'apprécie que tu sois prête à m'aider, mais je ne peux pas t'accompagner. C'est impossible. Tu as reçu mon mail, je pense ? Tout ce que tu as dit sur moi est vrai. Je souffre d'un trouble panique qui m'empêche de sortir de chez moi. Giselle est enfermée chez elle, alors je suis coincée ici.

Anya pousse un soupir d'impatience. De toute évidence, mes angoisses ne l'impressionnent pas plus que ça.

— Tu ne seras pas seule. Tu me mettras en laisse si ça peut te rassurer. J'arrive tout de suite.

— *Non !* Non, Anya, tu ne comprends pas, je…

Je regarde mon téléphone. La communication est coupée. La tête bourdonnante, je reste assise là, à frissonner, le dos calé contre la porte de Lourdes. J'ai envie de rentrer chez moi, d'enfiler des vêtements secs, d'allumer le feu et de descendre un mégaflacon de vitamine C en une seule prise. Mais je n'ai même pas la force de bouger. Un premier éternuement me secoue de la tête aux pieds. Puis un deuxième… et un troisième. Giselle écrase son nez contre la vitre, la tête penchée sur le côté pour mieux m'observer, une expression perplexe sur la figure. *Même* si le virus du rhume est en train de malmener mon système immunitaire (probablement le signe avant-coureur d'une attaque grippale en règle), *même* si je sais qu'Anya s'apprête à débouler ici pour me tirer *manu militari* hors de mon périmètre de sécurité, je n'arrive pas à m'empêcher de sourire en voyant sa touffe de barbe à papa abricot aplatie contre le carreau.

Ah, les chiens.

Dix minutes plus tard, Anya pousse le portail et fonce droit sur moi, à son habituelle allure de TGV. Elle a les joues rosies par la marche et, sous un chapeau de type Indiana Jones, une mèche épaisse de cheveux sombres qui lui colle au front sous l'effet conjugué de la sueur, de la pluie et du sébum. Elle tient un collier et une laisse à la main. Je me relève au moment où elle gravit les marches au pas de charge.

Elle me tend le collier.

— Tiens, prends ça. On y va.

Je la regarde, effarée.

— Anya ! Je ne vais pas te tenir en laisse !

— Je l'ai prise pour attacher le chien, Maggie. Celui que nous allons récupérer.

Mon rire rend un son plutôt hystérique, même à mes propres oreilles.

— Oui, bien sûr, je suis bête. C'est super d'y avoir pensé.

— Tu croyais vraiment que je me laisserais mettre un collier ?

— Non ! Enfin, je... je ne sais pas. Peut-être. Je n'ai pas les idées claires. Ce que tu me demandes est impossible. Je ne peux pas...

Anya croise les bras sur sa poitrine.

— Tu viens avec moi.

— S'il te plaît, laisse-moi au moins t'expliquer. Je comprends tout à fait que je n'aie pas la cote avec toi en ce moment, mais si tu pouvais trouver un autre moyen de me le faire payer... Je ne *peux* pas sortir dans la rue comme ça. Je vais faire une mégacrise d'angoisse. Quand ça m'arrive, ma respiration se bloque et mon rythme cardiaque s'emballe, ce qui suscite un violent vertige avec perte d'équilibre. Si je m'évanouis, ma tête pourrait heurter le sol. Je ne sais jamais ce qui va se passer.

Anya me regarde, impassible, sans même se fendre d'une réponse.

Soupir.

— OK. Tu es en colère contre moi, et je le comprends

tout à fait. Mais c'est à cette chienne abandonnée que nous devons penser maintenant. Et si tu allais juste la chercher en vitesse et que tu te défoulais contre moi ensuite ? Il n'y a personne d'autre à qui je peux demander ce service, Anya. J'ai vraiment besoin de toi.

— Je suis là, non ? Tu me demandes de l'aide, la voici. Ce n'est pas tout à fait celle que tu voudrais, mais on n'a pas toujours le luxe du choix, dans la vie.

Derrière moi, j'entends les petits reniflements de Giselle qui hume nos deux présences à travers le jour sous la porte. Mon regard quitte celui d'Anya pour aller naviguer jusqu'au portail. Aussitôt, mes habituels symptômes de pré-panique s'enflamment : l'affolement dans ma poitrine — comme le battement d'ailes effaré d'un oiseau pris au piège. Le tremblement des doigts. La gorge qui se contracte. Mes mains se crispent, et je serre les poings. Je m'applique lentement à les détendre sous le regard attentif d'Anya.

— C'est ça ou rien, Maggie. Je ne reviendrai pas sur ma décision. Soit nous sauvons cette chienne ensemble, soit elle reste là où elle est.

Je reste muette, et sa voix change de nuance. S'adoucit très légèrement à la marge.

— Sérieux, ça ne me choquera pas si tu pleures ou si tu trembles. Tu peux t'aplatir, te dégueuler dessus, faire dans ton froc ou te tortiller par terre comme une vraie folle échappée de l'hôpital psychiatrique, ça ne me fera ni chaud ni froid. Tu m'as vue hurler le nom de Billy sur tous les sommets de la ville, et je n'en ai pas fait une maladie. Est-ce que ta présence m'a empêchée de faire ce que j'avais besoin de faire ? Non. Alors, c'est pareil pour toi, Maggie. Tu laisses venir ce qui vient. Et si tu tombes en convulsion par terre, eh bien, je te ramasserai. Je suis plus forte que les gens ne le pensent. Je serai à côté de toi et je ne te lâcherai pas. Nous allons marcher jusqu'au Whole Foods et nous reviendrons par le même chemin. Tu auras à peine le temps de t'en apercevoir que tu seras de retour chez toi, bien au chaud. En ayant sauvé un chien qui a besoin de toi. Ça compense largement les emmerdes auxquelles tu vas avoir droit dans la demi-heure qui vient, non ? C'est ce que je me dis quand je suis perchée dans les collines et que je hurle le nom de Billy… que je vais le retrouver et que dès qu'il sera là j'oublierai tout ce merdier.

Pendant tout le temps où elle me parle, je garde les yeux rivés sur le portail. Si je ne sauve pas ce chien, pourrai-je encore me regarder en face ? Je sais que mes peurs sont irrationnelles. Je sais que ce qui m'empêche de parcourir cette courte distance à pied n'est pas une incapacité *physique*. Je tourne les yeux vers Anya.

— Bon. OK. On y va.

Sans me laisser le temps de changer d'avis, elle m'attrape par le coude, dévale les marches du perron et cavale le long de l'allée jusqu'au portail. Je me cabre dans un sursaut de peur.

— Pas si vite, Anya !

Mais nous sommes déjà sur le trottoir.

— On va y arriver, tu vas voir. Un pied devant l'autre. Allez, go ! Ça fait déjà assez longtemps que cette chienne se morfond toute seule sous la pluie sur son putain de parking.

Si seulement je pouvais marcher les yeux fermés. Je choisis d'avancer en fixant la pointe de mes chaussures. Nous réussissons à parcourir un demi-pâté de maisons. Et là, patatras, je trébuche. Anya me rattrape, mais la sensation de chute me contracte la gorge si violemment que je suis au bord de la suffocation. J'arrache la capuche de ma tête et aspire à toute vitesse de petites goulées d'air sifflantes. La pluie recommence à tomber plus fort, il fait de plus en plus froid. L'eau glacée s'infiltre sous mes vêtements et me coule dans le dos.

A côté de moi s'élève la voix sèche et déterminée d'Anya.

— OK. Tu fais quoi, normalement, quand il t'arrive ce genre de trucs ?

— Je… compte… mes respirations.

— Tu comptes tes respirations ?

Je lui jette un regard noir.

— Bon, d'accord. Compte tes respirations. Tu le fais, au moins ? Tu n'as pas l'air de compter, là… Allez, allez ! Action.

Je ferme les yeux et tente de repousser la tentation de faire demi-tour et de battre en retraite jusqu'à mon appartement. Le sol gondole sous mes pieds. En moins d'une minute, je pourrais être chez moi. *Quelqu'un d'autre finira bien par la récupérer, cette chienne. La pluie n'est pas si froide. Et le Système la prendra en charge. Elle s'en sortira, même sans mon intervention.*

Dégoûtée de moi-même, je fais taire la petite voix insidieuse qui chuchote ses messages tentateurs.

Une.

Deux.

Trois.

Quatre.

Ma vision gagne en netteté. Le sol se stabilise. Je me redresse. Sans perdre une minute, Anya me reprend le coude et repart à grands pas, mettant encore un peu plus de distance entre mon appartement et moi. La Sutro Tower est derrière nous. Je me retourne pour repérer sa présence rassurante, mais mon antenne favorite a disparu, avalée tout cru par les nuages de pluie.

Anya me tire par le bras. Et décide que converser me changera les idées. Ou écouter, plutôt. Pour ce qui est de parler, elle s'en charge. Me raconte que, depuis la dernière fois que nous nous sommes vues, elle a déjà photographié deux autres chiens destinés à être mis aux enchères au gala SuperClebs. Les deux fois, Huan l'a accompagnée. Sans se montrer utile à grand-chose, il faut bien le reconnaître. Mais elle pense qu'il pourrait se décider à adopter un des deux chiens en question — un petit modèle rigolo, bas sur pattes, qui ressemble à une saucisse — et qui s'est pris pour lui d'une affection immédiate. (*Richard Nixon,* me dis-je, me souvenant de la photo du chien sur le site.) Le truc, c'est qu'il faudrait qu'Huan se bouge les fesses et se décide à aller vivre ailleurs que chez ses parents. Bon, d'accord, elle est mal placée pour lui jeter la pierre. Mais quand même... Il y a une sacrée différence entre la coloc avec une grand-mère âgée et malade et un squat chez des parents valides. Huan trouve un repas prêt tous les soirs, et son linge propre et repassé lui arrive dûment plié tous les mardis. Cela dit, Anya se montre quand même très impressionnée par sa petite velléité de rébellion : adopter un chien.

Elle m'annonce que Rosie paraît encore plus faible que le week-end dernier. Qu'Henry, Clive et Terrence commencent à envisager de la faire entrer en maison médicalisée. Anya déteste cette idée, mais elle n'est pas aveugle. Elle sait que la santé de Rosie ne s'améliorera pas. Et sa grand-mère, ça ne la dérangera probablement pas plus que ça de partir de chez elle. Même à leur grande maison de famille, elle n'est pas vraiment attachée.

— On dirait que tous les changements arrivent en même temps dans ma vie, commente Anya tristement.

Elle pense que, lorsqu'ils finiront par parler à Rosie de ce projet de maison médicalisée, sa grand-mère se moquera d'elle pour avoir voulu s'y opposer. Rosie a toujours préféré adhérer au changement plutôt que de le combattre.

— C'est une vraie vadrouilleuse, ma grand-mère. « Une maison, c'est juste une *chose.* » Voilà ce qu'elle me disait toujours. « Ce n'est pas comme si une maison pouvait te rendre l'amour que tu lui portes. Au hit-parade de tes affections, mets toujours les cœurs qui battent en haut de ta liste. »

L'expression *cœurs qui battent* se fraie un chemin dans le fouillis opaque de ma conscience pendant que j'avance à grands pas, les yeux rivés sur mes pieds. Anya continue de parler et passe du coq à l'âne, comme on saute de pierre plate en pierre plate pour traverser un gué.

— Ah oui, tiens, on a discuté par mail avec Sybil pour mettre au point un pack « Une séance photo avec votre chien » qui sera mis aux enchères pendant le gala. Tu as raison, elle est vraiment cool, Sybil. Elle veut que je vienne avec un gros paquet de cartes de visite et que j'en distribue aux gens pendant la soirée. Je crois que je vais jouer le jeu : Anya Ravenhurst, photographe animalier. Le semestre prochain, je m'inscris à une formation en création d'entreprise. Il faudra quand même que je reprenne mon job dans la boutique d'encadrement, parce que ça va prendre du temps avant que je gagne ma vie avec mes photos. Peut-être que ça ne me rapportera jamais rien, d'ailleurs. Mais au moins ça m'aidera à ne pas déprimer complètement pendant que je vendrai mes putains de cadres. On est arrivées.

Je lève le nez des pavés et cligne des yeux.

— Hein ?

— Objectif atteint. On est au supermarché.

Je regarde autour de moi et je me mets à rire. Non, vous ne rêvez pas : je ris. Je n'arrive tout simplement pas à y croire. J'ai dû tomber dans une sorte d'état second à force d'écouter Anya monologuer. Mais le résultat est là : j'ai réussi à marcher dans la rue, sans chien et sans paniquer. Mes quelques manifestations d'angoisse ne m'ont pas paralysée.

Anya me lâche le coude, et nous nous hâtons côte à côte sur le parking. Une petite chienne croisée pitbull, la robe blanc et brun trempée par la pluie, est allongée à même le trottoir mouillé. Elle est attachée à une borne à vélos par une courte corde rouge et rugueuse. Quelqu'un a placé, juste à sa portée, un bol qui déborde à présent d'eau de pluie. La chienne observe notre progression sur le parking comme si elle savait que nous venions pour elle. Elle frissonne presque sans arrêt, et ses os maigres pointent sous sa fourrure. Ses yeux sombres restent plongés dans les miens. Ses mâchoires disproportionnées se serrent à notre approche, et ses oreilles blanches, légèrement repliées, se dressent de chaque côté de la tête, ce qui lui enlève déjà beaucoup de son côté intimidant. Elle me fait penser à la Sœur volante.

Soudain la chienne bondit et se met à aboyer en tirant sur sa corde. Lorsque je m'immobilise à quelques mètres d'elle, elle se calme et agite la queue avec enthousiasme. Ses oreilles en forme de cornette s'aplatissent, et elle tire la langue à plusieurs reprises comme si elle essayait de me lécher à distance.

Je lui parle doucement en m'approchant.

— Bonjour, toi.

Une fois devant elle, je lui tends le dos de ma main. Elle la renifle et la lèche. Son corps entier se dandine en guise de salut.

Avec un large sourire, je caresse sa tête trempée.

— Eh ben... Tu es loin d'être aussi redoutable que tu t'en donnes l'air, hein ? Zut, j'aurais dû apporter une serviette, dis-je en tournant la tête vers Anya.

— On n'est pas loin de chez toi. Elle sera au sec et au chaud dans moins de dix minutes.

Anya s'accroupit à côté de moi et sort une poignée de biscuits pour chien de sa poche.

— Tiens. J'ai au moins pensé à prendre ça.

Le chien les engloutit si vite qu'on a de la peine à croire qu'ils étaient là quelques instants plus tôt. Anya en profite pour fixer le collier autour de son cou et y attache la laisse. Elle tâte le nœud de la corde rugueuse.

— On ne va jamais réussir à le défaire. Il nous faudrait des ciseaux.

L'un des gardiens du parking s'aperçoit de notre présence et approche à grands pas.

— Elle est à vous, cette chienne ?

Je me redresse.

— Non, mais nous allons l'emmener. Vous êtes Ty ? C'est Sybil de SuperClebs qui nous envoie. Je suis Maggie.

— Ah ben, c'était moins une. Elle s'est mise à aboyer après les clients, et mon patron allait appeler la police.

— On peut vous emprunter des ciseaux pour couper la corde ? demande Anya.

Ty part au petit trot jusqu'au magasin pour aller en chercher. Nous libérons la chienne, remercions Ty pour son aide et repartons sous la pluie. Anya me tend la laisse.

— Tu la veux ? Tu l'as bien méritée.

J'hésite. Tout en moi aspire à prendre cette laisse, à m'en entourer la main pour sentir la force de traction du chien m'ancrer, me focaliser, me propulser vers l'avant. Mais j'ai réussi à faire tout le trajet aller en me passant de ces sensations. Et j'ai survécu, oui ou non ?

— Nan. Prends-la, toi.

Anya hoche la tête et n'insiste pas. La pluie nous frappe sur le côté maintenant, et nous nous plions en deux, courant presque sur le trottoir qui longe la rue partant du Golden Gate Park. Du coin de l'œil, je vois la bouche noire du tunnel qui mène à l'allée où j'ai eu mon attaque de panique, le jour de la mort de Toby. En quelques pas, nous dépassons l'obstacle. Le tunnel est derrière nous et, malgré la pluie, une sensation de chaleur se lève en moi, comme la douceur orangée de l'aurore éclaircit le ciel après la nuit.

La chienne ne semble pas voir d'inconvénient à marcher en laisse entre Anya et moi. Elle trottine gentiment en remuant la queue. Tous les deux ou trois pas, elle lève la tête vers l'une ou l'autre et nous contemple avec ce que je jurerais être du soulagement dans les yeux. Elle est énergique, mais sans avoir l'enthousiasme bondissant et sans limites du chiot. Elle doit avoir entre trois et quatre ans. Pour une chienne de sa taille, c'est un bon âge. Elle a atteint le stade où un chien devient réellement lui-même alors que les premiers signes de vieillissement sont encore loin. C'est probablement aussi l'âge que doit avoir Seymour.

— On va l'appeler comment ? demande Anya en pressant le pas sous la pluie.

Les oreilles blanches de la chienne claquent au rythme de sa marche. Et si on plisse les yeux en regardant la tache de fourrure marron sur son front, on a l'impression qu'elle a une frange.

— Mm… Je vote pour Sally. Avec ses oreilles en cornette elle me rappelle Sally Field, l'actrice qui joue la nonne dans *La Sœur volante*.

Anya me regarde d'un œil opaque.

— *La Sœur volante ?* C'est quoi encore ce truc-là ?

Je ris.

— Une vieille sitcom des années soixante de laquelle ma mère a toujours été curieusement fan.

Anya hausse les épaules et sort une nouvelle friandise pour chien de sa poche.

— Tiens, avale donc ça, Sally-Sœur-volante.

Arrivées chez moi, nous nous débarrassons de nos manteaux mouillés, et je frictionne Sally avec une serviette. Ce massage lui plaît, et elle agite sa croupe de gauche à droite en se calant contre moi avec un petit jappement joyeux pendant que je la sèche. Elle fait partie de ces chiens qui ont l'air hilares quand ils sont heureux : leurs lèvres remontent, et leur sourire brille jusque dans leurs yeux. Je sors les gamelles de Toby et sa nourriture et les passe à Anya. Elle ne me demande pas pourquoi je les ai gardés. Je sais qu'elle sait que je n'ai pas encore eu la force de m'en débarrasser. Elle verse des croquettes à Sally pendant que j'allume le feu dans le salon, puis je mets de l'eau à chauffer pour le thé. En attendant l'ébullition, j'envoie un texto à Sybil pour l'informer que nous avons pu récupérer la chienne. Elle me répond dans la minute.

Comme par hasard, elle est joignable sur son téléphone, maintenant…

Sybil m'exprime sa gratitude à sa manière expansive et confirme que la famille d'accueil passera chercher la chienne dans deux heures. Vient ensuite un post-scriptum : *Au fait, j'ai transmis tes coordonnées cette semaine. A une certaine Linda, adoptante SuperClebs. Chien de dix ans vient de mourir. Anéantie par le chagrin.*

Dans le salon, je trouve Anya assise par terre devant le feu. Sally est étalée contre elle, la tête posée sur une de ses cuisses fines, les yeux mi-clos. A mon approche, la chienne frappe le sol de sa queue, mais ne soulève pas le museau. A côté d'elle, la gamelle de nourriture a été nettoyée jusqu'à la dernière miette. Je tends un mug de thé à Anya et m'effondre avec le mien dans le fauteuil jaune. Je bois mon thé à petites gorgées et sens la chaleur passer dans ma gorge et ma poitrine. La pluie au-dehors chante sa petite musique paisible, et une jolie buée recouvre les vitres. Anya caresse rêveusement la tête de Sally. Sa main s'immobilise quelques instants, puis recommence. La chienne bouge une oreille, s'étire et soupire profondément.

— Tu ne voudrais pas l'adopter, par hasard, Anya ?

— Je ne pourrais pas faire ça. J'aurais l'impression de trahir Billy.

— Rien ne t'empêcherait de poursuivre quand même tes recherches. Et, si tu le retrouves, tu aurais deux chiens au lieu d'un. Ta maison est assez grande.

Anya secoue la tête.

— Billy me suffit. Peut-être qu'un jour j'aurais envie d'avoir un chien supplémentaire mais, pour le moment, je fonctionne plutôt en duo qu'en trio.

Pour le moment, elle n'est ni en duo ni en trio : elle est toute seule. Mais il ne me paraît pas utile de lui en faire la remarque.

— Je comprends ce que tu veux dire. C'était pareil pour Toby et moi. A nous deux, on formait une équipe.

Je me tais un instant, les yeux rivés sur les flammes, réfléchissant à la meilleure façon de procéder.

— Je veux que tu saches que j'ai toujours pensé que c'était normal de garder espoir, pour Billy. Je ne t'ai jamais raconté de craques à ce sujet.

Je respire un grand coup.

— En même temps, ça fait six semaines maintenant qu'il a disparu. Je sais que ce n'est pas ce que tu as envie d'entendre et je ne dis pas que tu devrais arrêter tes recherches, mais un chien en ville, tout seul...

— Il n'est pas seul.

— Mais...

— Je te dis qu'il n'est pas seul.

Sally ouvre les yeux. Sans même lever la tête, elle réussit à darder sur moi un regard qui énonce distinctement : « On est vraiment obligées de parler de sujets qui fâchent ? J'ai une sale journée dans les pattes, moi, les filles. »

— Puisque Billy ne s'est pas sauvé, il a forcément été volé. Et, s'il a été volé, il n'est pas seul.

Dans la voix d'Anya, je perçois une profonde certitude. Le fait qu'elle ne soit ni en colère ni sur la défensive me donne à réfléchir. Comment peut-elle être sûre de son fait à ce point ?

— Y a-t-il quelque chose que tu ne m'as pas dit au sujet de la disparition de Billy, Anya ?

Elle secoue la tête, perplexe.

— Non, je ne t'ai rien caché.

Je la crois. Mais, pour la première fois, je me demande s'il n'y a pas un détail — un élément crucial — qu'elle aurait enregistré de façon inconsciente et qui serait à l'origine de sa certitude qu'elle finira par retrouver Billy. Et si sa quête obsessive, sa colère, sa révolte n'étaient pas liées au chagrin du deuil, mais à une information cachée à laquelle sa conscience n'aurait pas accès ? C'est bien ainsi, après tout, que fonctionne l'intuition : une part obscure de notre cerveau rassemble des faits, tire des conclusions qui peuvent paraître infondées, mais qui s'appuient en réalité sur une série d'indices trop subtils pour avoir été enregistrés par la conscience.

Je laisse tomber le sujet pour le moment, mais je suis bien décidée à l'aborder plus tard avec Henry. Je me rends compte que, dans mon empressement à soutenir Anya (tout en essayant de me guérir moi-même au passage), je ne me suis jamais arrêtée à la possibilité qu'elle puisse avoir tout simplement raison. *Mais qui aurait bien pu vouloir lui voler son Billy ?*

— C'est vrai qu'elle est chouette, cette Sally, observe Anya en caressant l'oreille de la chienne. Pourquoi tu ne la prendrais pas, toi ? Ou Seymour, sinon ? Vous êtes super complices, lui et toi… C'est à cause de Toby que tu ne veux pas ?

Je fais oui de la tête.

— Je ne suis pas prête. Ce serait une erreur, je pense, d'adopter un nouveau chien trop vite.

Anya me regarde.

— Je sais que tu es la pro du deuil animalier et que tu en connais un rayon sur les étapes à respecter et tout et tout. Mais peut-être que parfois, à force de faire de grandes théories, on oublie les solutions simples ? Et si c'était justement de l'amour d'un chien que tu avais besoin pour te sortir de tes problèmes ? Je ne dis pas que Toby est remplaçable. Je sais bien qu'il ne l'est pas. Et que tu n'auras jamais un autre chien comme lui.

— C'est vrai.

Il y a quelque chose d'infiniment poignant dans la certitude douce-amère qu'aucun autre chien, jamais, ne sera comme Toby. C'était un chien merveilleux et unique qui ne cessera jamais de me manquer.

— Seymour ne serait pas du tout comme Toby. Il ne prendrait pas sa place mais, pour toi, il pourrait être comme… comme…

Anya ferme un instant les yeux pour chercher ses mots.

— … comme un gilet de sauvetage, voilà ! Il pourrait te maintenir la tête hors de l'eau.

— On pourrait dire la même chose pour toi et Sally.

— Mais Billy n'est pas mort. Toby, si.

Comme je ne réponds pas, Anya reprend le fil de son raisonnement.

— Tu ne te remettras probablement jamais de la perte de Toby.

Elle dit ça d'un ton tranquille, comme si elle me tendait un médicament amer qu'il faut avaler parce qu'il n'y a pas d'autre choix.

Même si mes yeux se remplissent de larmes, je ne me sens pas anéantie pour autant. Peut-être parce que je viens de faire l'aller-retour jusqu'au Whole Foods sans faire une crise de panique. Ou alors, tout simplement, parce que le temps fait son œuvre et que le constat que Toby ne cessera jamais de me manquer ne me fait plus aussi mal qu'au début.

— C'est vrai. Tu as raison.

Quelque chose se dénoue en moi alors que je prononce ces mots. Un sentiment d'acceptation apparaît. Nous portons avec nous nos amours et nos défaites. Et, même si nous ignorons de quoi demain sera fait, nous apprenons en chemin comment continuer à aller de l'avant quand même. Grâce à qui ou grâce à quoi — à un chien ou à un humain —, peu importe.

16

Linda Giovanni pleure avant même d'avoir atteint mon canapé. Je lui tends ma boîte de mouchoirs en lui souriant tristement. Même en larmes, elle est très belle. Ses cheveux couleur de miel doré tombent sur une épaule en une cascade d'un naturel très étudié, et ses jolies pommettes saillantes dessinent une courbe parfaite vers ses boucles d'oreilles en saphir. A priori pas le style de femme que j'aurais imaginée adopter un chien bâtard. Ce qui prouve qu'on ne peut jamais rien savoir avant d'avoir posé la question.

Donc je questionne.

— Linda... Vous voulez bien me parler de Morty ?

Elle prend un mouchoir et s'essuie les yeux, étalant son mascara.

— Je l'ai adopté il y a sept ans grâce à SuperClebs. Il devait avoir à peu près trois ans, à l'époque.

Linda fouille dans son sac, trouve son téléphone portable et me le tend. Je découvre la photo d'un bouledogue au bas du visage affaissé et aux yeux noirs à moitié cachés par des paupières lourdes — une version pré-liftée de Sylvester Stallone. Difficile de ne pas sourire en le voyant. Ils ont dû en faire tourner des têtes, ces deux-là : Morty avec ses bajoues baveuses et sa mâchoire prognathe se dandinant à côté de la longiligne Linda, tout en finesse et en élégance racée.

Ce Morty, je l'adore d'emblée.

— Quel amour, ce chien.

La lèvre de Linda tremble.

— C'était une crème.

Elle reprend son téléphone, le regarde un instant puis le laisse tomber dans son sac.

— Je le considérais comme mon enfant. Ou mon meilleur ami. Les deux à la fois, je pense.

Ma nouvelle patiente s'interrompt, froisse le mouchoir dans sa main.

— Lorsque je l'ai adopté, j'avais trente-six ans et une vocation de célibataire qui semblait me coller à la peau. J'avais plus ou moins renoncé à rencontrer l'homme de ma vie, convaincue que le modèle adapté à mon cas n'existait pas. La maternité, j'avais fait une croix dessus aussi. Pour être franche, je n'étais même pas sûre de vouloir devenir mère. Alors je me suis dit qu'en guise de famille, un chien ferait l'affaire. Et là... eh bien, je suis tombée raide amoureuse de Morty.

Elle baisse les yeux.

— Je sais que cela paraît stupide.

— Pas à mes yeux.

Linda soupire.

— Certaines personnes ont besoin de faire du yoga ou du running, ou du juicing, ou je ne sais quoi encore. Moi, il me suffit d'entendre respirer doucement mon chien endormi à mes côtés. J'ai besoin de voir sa poitrine se soulever et retomber, de me laisser bercer par le mouvement doux et régulier de son souffle.

Le visage de Linda, si lisse un instant auparavant, se mue en un paysage de plis et d'ombres, comme un drap de lit tombé au sol.

— J'adorais m'occuper de lui, poursuit-elle d'une voix étranglée. J'aimais la façon dont il m'aimait. Je travaille pour le musée De Young, mes fonctions consistent à trouver des mécènes. Pendant quelques mois, jusqu'à ce que mes amis réussissent à me convaincre que je perdais les pédales, j'étais décidée à quitter mon emploi pour en trouver un autre qui me permettrait d'emmener Morty.

Elle secoue la tête.

— C'était une drôle de période, mais avoir Morty dans ma vie pimentait mon existence. Il était très amusant, mon chien.

— Ah oui ? De quelle manière ?

Linda lève les yeux au plafond et sonde sa mémoire.

— Il était incroyablement expressif ! Ça paraît difficile à croire, mais il me suffisait de le regarder pour savoir exactement ce qu'il pensait. Il ne pouvait pas parler, bien sûr, mais il communiquait vraiment… bien mieux que certaines personnes que je connais !

Elle rit. Renifle. Porte son mouchoir à ses yeux.

— Mais le plus étonnant, c'est que deux mois après avoir adopté Morty, j'ai rencontré Mario, mon mari. Un an plus tard, nous avons eu un petit garçon. Aujourd'hui, nous sommes aussi parents d'une petite fille. J'aime mes enfants plus que tout au monde mais, honnêtement, je ne suis pas certaine que j'aurais su être mère si Morty n'était pas entré dans ma vie. Aimer ce chien a fait de moi une autre personne. Ça m'a ouvert le cœur à tout le reste : l'amour, la vie, la famille.

De nouveau, son visage se chiffonne, et les larmes ruissellent.

— Il me manque, c'est horrible. Je me sens… anéantie, plongée dans un grand vide. Et j'ai l'impression que mon entourage ne comprend rien à ce qui m'arrive.

Ses mots sont hachés, à demi masqués par un sanglot. Je hoche la tête.

— C'est ce qui rend effectivement la perte d'un chien si compliquée à vivre. Certaines personnes ont du mal à mesurer l'importance du lien qui nous unit à nos animaux. Il est difficile de s'autoriser à vivre son deuil lorsqu'on a l'impression que les autres nous jugent. Mais l'amour, c'est l'amour. Et perdre son chien, c'est perdre quelqu'un qu'on aime.

Linda se tamponne de nouveau les yeux. Je poursuis :

— Morty était un membre de votre famille à part entière. Et un maître de vie qui vous a ouverte à vous-même. Son départ laisse un vide immense. C'est bien naturel de vous sentir dévastée par le chagrin.

Linda baisse la voix.

— Parfois, j'ai l'impression de l'entendre encore. C'est comme si son collier fantôme me tintait tout le temps dans les oreilles. J'ai l'impression d'être hantée.

— C'est parfaitement normal, comme réaction.

Combien de fois avais-je entendu un chien aboyer dans la rue et cru une fraction de seconde que c'était Toby ?

Elle sourit tristement. Avec gratitude.

— Sybil m'avait dit que vous comprendriez.

Son regard fuit le mien ; elle déglutit.

— Je me demande si je n'aurais pas dû réclamer une seconde opinion. Le vétérinaire m'a dit qu'il était temps de le laisser partir, alors je me suis conformée à son avis, mais j'ai peut-être pris ma décision trop vite. J'ai ce doute horrible qui me tenaille et me tient éveillée la nuit. Est-ce que je me suis assez battue pour lui ? A-t-il reçu les meilleurs soins ? Après tout ce qu'il a fait pour moi…

Linda plaque la main sur sa bouche pour étouffer un nouveau sanglot. Je la regarde droit dans les yeux.

— Je *sais* que vous avez pris le meilleur soin de Morty. Le fait que vous soyez encore si inquiète à ce sujet le prouve. Mais la meilleure façon de vous débarrasser de la culpabilité, c'est de la verbaliser. Nous allons parler jusqu'à ce que nous soyons venues à bout des remords et des regrets et qu'il ne reste plus que l'amour. L'amour que vous avez toujours ressenti pour Morty et que vous continuerez à éprouver. Et avec l'amour, la gratitude.

Linda hoche la tête, et je lui demande de m'en dire un peu plus sur son chien.

— Morty s'entendait bien avec vos enfants ?

— Oh oui.

Elle semble s'égayer un peu.

— J'ai bien peur qu'il ne se soit toujours pris pour un membre de la fratrie.

Je souris, me détends dans mon fauteuil et m'abandonne au plaisir de l'écoute.

Lorsque Anya m'envoie un texto le lendemain matin pour me proposer de l'accompagner dans sa marche-Billy du jour, je décide de la rejoindre sans Giselle ni Seymour. Je n'ai pas encore tenté de sortir sans chien et sans humain pour me soutenir, mais je me sens gonflée à bloc depuis la mission de sauvetage de Sally. Partir seule à pied chez Anya apparaît comme l'étape suivante logique dans mon parcours de guérison. Et je sais que c'est une bonne idée de me lancer maintenant, en surfant sur cet élan positif. Je pousse le portail et m'engage résolument sur le trottoir, en régulant ma respiration chaque fois qu'un début de symptôme de pré-panique montre le bout de son nez. Je me récite les consignes classiques et je réussis à les appliquer : penser positif, détendre les bras le long de mon corps, relâcher mes épaules chaque fois qu'elles se contractent.

Il a encore plu à verse durant la nuit, et ce matin la ville entière baigne dans la luminosité électrique qui suit parfois l'éclosion du soleil après un déchaînement d'orage. Je respire l'odeur tiède qui monte des pavés humides et me remplis les poumons des senteurs d'après la pluie.

Lorsque j'atteins la grande maison victorienne de Rosie, Anya, Henry et Huan se tiennent déjà devant la grille. A leur vue, mon cœur se gonfle, et j'allonge le pas. Henry me sourit. Ce sourire de nature très intime porte en lui le souvenir de ce qui s'est passé chez moi, la semaine dernière. Je le lui rends en rougissant. Anya nous a à l'œil, et je détecte une lueur amusée dans ses yeux. Ce qui confirme ce que hélas je savais déjà : sur mes joues pâles, la moindre rougeur flambe à la manière d'un véritable incendie.

Anya cherche des yeux mon habituelle fidèle compagne.

— Et Giselle ?

— A la maison. Je suis en mode *no dog*, aujourd'hui. Je marche en solo.

Anya et Henry haussent leurs sourcils noirs de conserve, et leur ressemblance saute soudain aux yeux. Je souris de voir le frère et la sœur si semblables.

— Et je suis arrivée sans encombre. Admirable, non ?

— C'est génial, Maggie, commente Henry.

Seul Huan paraît déçu.

— C'est bête qu'elle ne soit pas là, Giselle. On va au Corona Heights Park. Elle aurait adoré.

Anya lui balance un coup dans l'épaule.

— Maggie aussi va *adorer*. Les gens n'ont pas forcément besoin d'un chien pour apprécier une balade.

Huan se frotte l'épaule, l'air perplexe. Je souris à la perspective d'un nouveau parc.

— Corona Heights ? Je ne le connais pas, celui-là. Super.

Ma liberté chèrement réacquise me booste le moral.

Nous nous mettons en route et, très vite, deux couples se forment, Anya et Huan prenant la tête de notre petite troupe. Quand je suis sûre qu'ils ne peuvent nous entendre, je les désigne d'un signe du menton en jetant un regard à Henry.

Il fronce les sourcils.

— Quoi ? Anya et Huan ? Lui a toujours eu un faible pour elle, depuis qu'ils sont tout gamins. Mais Anya ne veut rien savoir. Je crois qu'il restera à jamais relégué au rôle de bon pote sympa de service.

— Mm… Pas sûr. Pour moi, il se passe quelque chose, là. Il y a du déclic dans l'air.

Henry recommence à les observer. Ils sont à peu près de la même taille et avancent à une allure parfaitement synchro, le pas déterminé d'Huan faisant pendant aux longues enjambées d'Anya. Leurs deux têtes sont très légèrement inclinées l'une vers l'autre. Le rire tranchant d'Anya s'élève et vient flotter jusqu'à nos oreilles.

— Tu as peut-être raison, admet Henry d'un air réjoui. En parlant de déclic, je t'ai apporté… Oh, merde…

Il me regarde et reste en suspens à mi-phrase, la mine assombrie. Je lui fais le coup des battements de cils pour qu'il retrouve le sourire.

— Quoi ? Un cadeau ? *Just for me ?* Top !

— *Just for you*, oui. Mais je viens de réaliser que tu n'en as plus besoin.

— Si c'est une bouteille de vin, je peux t'assurer que phobique ou pas, je reste preneuse. C'est un besoin permanent chez moi.

Henry sourit, et je le vois se détendre de nouveau.

— Non, cette fois, ce n'est pas une bouteille de vin.

Il glisse la main dans la poche de son manteau et en sort une réplique en métal de la Sutro Tower d'à peine sept centimètres de haut. Le genre de reproduction vendue dans les magasins pour touristes.

— J'ai pensé à l'emballer, mais ça m'a paru compliqué vu sa forme.

Je la lui prends des mains pour l'examiner.

— Tu m'as dit qu'elle te faisait du bien chaque fois que tu la voyais, cette tour-antenne, se hâte d'expliquer Henry. Que grâce à elle tu te sentais moins perdue. Donc j'ai pensé que tu pourrais la glisser dans ton sac de manière à l'avoir sous la main même les jours de grand brouillard. Mais maintenant que tu te débrouilles sans chien et sans antenne, j'ai l'air crétin, avec ce truc.

Il secoue la tête.

— C'était un cadeau ridicule, de toute façon.

Henry fait un geste pour me la reprendre, mais je referme les doigts sur ma Sutro Tower miniature et lui attrape la main dans la foulée.

— Ah non. Je n'en ai peut-être plus besoin, mais je l'aime quand même. Tu ne peux pas offrir une réplique miniature d'une tour-antenne à une femme pour la lui reprendre aussitôt après.

Il rit. Au même moment, nos regards se portent vers le haut de la rue. Anya et Huan tournent à l'angle et disparaissent de notre champ de vision. Nos mains se tiennent toujours, repliées sur l'antenne. Henry passe son bras libre autour de ma taille, et sa paume vient se poser au creux de mon dos. Il m'attire contre lui, et nous nous embrassons.

Lorsque le baiser prend fin, il montre son cadeau en souriant.

— Je sais bien que c'est idiot.

— Pas du tout, non. Elle me fera penser à toi.

Même une fois que tu seras parti.

Anya et Huan nous attendent en bas du parc de Corona Heights. Nous traversons une courte étendue d'herbe jusqu'à un espace clôturé aménagé spécialement pour les chiens. Aucun signe de Billy, comme tout le laissait prévoir. Ce que je n'avais *pas* prévu en revanche, c'est la vue. Je suis sûre qu'aucune aire de jeux canine au monde ne bénéficie d'un point de vue panoramique aussi extraordinaire. Au-delà de la clôture, tout le centre de San Francisco et l'étendue gris-bleu de la baie où se détachent les arches argentées de Bay Bridge s'offrent au regard. Par réflexe, je baisse les yeux au sol, mais je me reprends. Je respire à fond à plusieurs reprises, déglutis puis regarde droit devant moi pour absorber le paysage. Rien. Juste un petit frisson à peine perceptible ; une très légère accélération cardiaque.

Dans l'enclos pour chiens, un énorme saint-bernard galope pesamment en compagnie d'un boxer agile qui bondit comme un ressort. Un cocker anglais leur fait la chasse en jappant.

Et là, je le vois enfin, mon porte-bonheur : un chiot. C'est un bébé labrador noir, tout droit sorti d'une pub de nourriture pour chien, avec un ventre rond et une robe brillante. Il essaie de rattraper les chiens adultes, mais il est pataud, maladroit, et ses pattes trop grosses pour lui s'emmêlent. Aux anges, je le regarde en riant. Et, quand je lève les yeux vers Henry, je vois qu'il sourit aussi.

Nous nous détournons et emboîtons le pas à Anya et Huan sur un chemin en pente raide qui monte vers un affleurement de roches rouges inscrivant leur silhouette inégale sur le bleu pur du ciel. Prises dans la trame aérée du tissu urbain, collines et vallées s'élèvent et retombent, striées de rues, de bâtiments et de maisons qui scintillent au grand soleil. A l'ouest, au sommet de Twin Peaks, la Sutro Tower darde ses pointes rouge et blanc vers les hauteurs du ciel. Je caresse des doigts la version miniature bien au chaud dans la poche de ma veste.

Anya fait le tour du sommet rocheux, la main en visière pour se protéger les yeux du soleil, et fouille du regard la ville à ses pieds. Puis elle lance son appel.

— Biiilly !

Sa voix est toujours empreinte de la même angoisse, déchirante et familière. Huan l'observe, immobile à quelques pas d'elle. D'un coup, il franchit la distance qui les sépare, place les mains en porte-voix et hurle à son tour :

— Biilllly !

Sa voix roule le long de la pente comme un grondement de tonnerre et surprend en plein vol quelques corneilles noires, provoquant un battement d'ailes paniqué et un unique croassement perçant. Anya tourne violemment la tête vers Huan. Sur ses traits passe une rapide succession d'émotions. La douleur se fait surprise, puis perplexité, qui se mue à son tour en un sentiment plus doux — la gratitude, peut-être. Ou l'acceptation.

A mon tour, je lève les mains et lance mon appel à la ville tout entière.

— Biiiillly !

Muette, Anya me regarde faire à distance. Je lui crie :

— Tu as raison. Ça fait du bien.

Je perçois alors la présence d'Henry à mon côté. Lui aussi place les mains devant son visage.

— Billy ! hurle-t-il. Billy !

Anya secoue la tête en essayant de ne pas sourire.

— Au fait, vous deux : vous n'êtes pas obligés de vous cacher ! Ça ne me dérange pas qu'il y ait un truc entre vous. Je vous aime l'un et l'autre.

— Et nous aussi on vous aime l'un et l'autre, lui crie Henry en désignant Huan.

Anya jette un coup d'œil à son ami et gratifie son frère d'un regard exaspéré.

— N'importe quoi, marmonne-t-elle.

Les joues en feu, elle commence à dévaler le chemin.

Huan gratouille un instant par terre de la pointe de sa chaussure en souriant tout seul.

Puis il s'élance à sa suite.

Sur le chemin du retour, Anya et Huan de nouveau loin devant nous, je demande à Henry s'il est possible que Billy ait effectivement été volé. Il paraît surpris par ma question.

— Non. Bien sûr que non. Qui pourrait vouloir voler un vieux chien sans valeur ? Anya a réussi à te convaincre ?

— Non, ce n'est pas vraiment ça. Imaginer qu'il s'est sauvé paraît beaucoup plus plausible…

— Mais ?

— C'est juste que… Anya est tellement certaine que

quelqu'un l'a volé. Ce qui m'interpelle, c'est qu'elle soit depuis le début dans cette certitude *tranquille* qu'il est encore vivant quelque part. Je me demande si elle ne sait pas inconsciemment quelque chose. Et si ce n'est pas ce savoir inconscient qui est à la base de sa théorie au sujet de Billy.

— Hou là… C'est complexe, ton histoire.

Je soupire.

— Je ne suis pas sûre de bien comprendre moi-même où je veux en venir. En fait, je crois que je souhaitais juste savoir si tu pensais que quelqu'un dans l'entourage d'Anya pourrait vouloir… Je ne sais pas… la punir ? lui faire du mal ?

Les yeux d'Henry s'écarquillent.

— J'espère bien que non.

Il réfléchit un instant.

— Honnêtement, j'ai l'impression qu'elle n'a pas assez d'amis pour avoir des ennemis, même si cela peut paraître bizarre de formuler les choses comme ça. Elle ne connaît pas grand monde et a toujours préféré sa propre compagnie à celle des autres. Pour autant que je sache, elle n'a gardé aucun contact du lycée. Donc à part ses collègues de la boutique d'encadrement, Huan, Rosie, Clive, Terrence et moi…

— Clive et elle ont l'air d'avoir des rapports très tendus ?

— Oui, mais ça a toujours été comme ça. Ils s'envoient régulièrement les pires vacheries à la tête, mais ça ne va pas plus loin. Clive charrie Anya, c'est vrai. Mais jamais il n'irait jusqu'à lui piquer son chien.

— Et Terrence ?

Henry secoue la tête.

— Terrence ne ferait pas de mal à une mouche.

— L'infirmière, alors ? Comment s'appelle-t-elle déjà ? June ?

Il me regarde d'un œil sceptique.

— June ? Et ça lui aurait rapporté quoi, à l'infirmière de ma grand-mère, d'enlever ce pauvre vieux chien ?

— Mais je n'en sais rien ! Aucune idée ! C'est juste que

je me débats avec une espèce de sentiment tenace que nous passons peut-être à côté de quelque chose. Anya est *archi-sûre* que son chien est vivant. Qu'est-ce qui fait qu'elle est convaincue à ce point ? Elle connaît Billy mieux que n'importe qui d'autre, non ? Si elle affirme qu'il ne se serait jamais sauvé, et encore moins éloigné de la maison, est-ce qu'on ne doit pas l'écouter et essayer de se creuser les méninges pour chercher une autre explication ?

Je me passe la main dans les cheveux.

— Accepterais-tu au moins d'en toucher un mot à Clive et à Terrence ? Je ne sais même pas ce que je veux que tu leur demandes, mais qui sait ? Il en sortira peut-être quelque chose. Et nous saurons que nous avons fait le tour de toutes les possibilités avant ton départ pour…

Le reste de ma phrase se perd dans un murmure. Anya et Huan nous attendent à quelques pas sur le trottoir devant la maison.

Le visage d'Henry se fait grave.

— A ce sujet, justement. Je voulais te dire que…

Mais Anya l'interpelle :

— Hé, Henry ! Pour quelqu'un censé passer sa vie à travailler, tu n'es jamais très pressé de partir bosser quand Maggie est dans le secteur.

Henry regarde l'heure sur son téléphone et fait la grimace.

— Oh merde, oui. Il faut que je file. On en reparle plus tard, OK ? Et je…

Il hésite en jetant un coup d'œil à Anya.

— … je réfléchirai à ce dont tu viens de me parler.

— Merci.

Une fois Henry parti au volant de sa voiture, je demande à Anya et à Huan s'ils ont d'autres chiens à photographier cette semaine.

— Oui. Encore deux, me répond Huan avec enthousiasme. Plus que quelques jours avant le gala de samedi.

Il s'interrompt, l'air embarrassé.

— Enfin, je dis ça, mais c'est Anya la photographe. Moi, je sers juste à agiter un jouet qui couine et à transporter le matériel et les biscuits pour chien. Le vrai travail, c'est Anya qui le fait. C'est elle, l'artiste.

— Ouais, bon, t'as ton utilité quand même, lui concède Anya d'un air détaché.

Huan rayonne.

— Bon, faut que je retourne à mes révisions. Gros exam demain. On se voit samedi pour le gala, alors ? Je suis invité aussi, Anya m'a proposé de venir.

— Ah, c'est une bonne idée. A très vite alors, dis-je en restant délibérément très vague.

Huan, tête baissée sur la poitrine, se hâte en direction de chez lui. Lorsqu'il arrive devant sa porte, il se retourne pour faire un signe. Anya lève la main en retour mais la laisse retomber aussitôt en voyant que je l'observe.

— Quoi ? Qu'est-ce qu'il y a ?

— Rien.

Je souris.

Anya croise les bras sur sa poitrine.

— Tu vas y aller à ce truc de collecte de fonds de SuperClebs, au moins ? Sybil compte sur toi. C'est toi qui as plus ou moins organisé la soirée, si je comprends bien ?

— Non, non, pas du tout. Je me suis juste mise en contact avec quelques sponsors pour obtenir une partie des lots qui seront mis aux enchères.

— Oui, enfin, bon... Cela ne répond toujours pas à ma question. Tu y vas ou tu n'y vas pas, alors ?

Je soupire.

— Non, Anya. Je n'irai pas. Je ne l'ai pas dit à Sybil, mais les fêtes et moi... ça fait deux.

— Quitter ton appartement, ce n'était pas trop ton truc non plus la semaine dernière. Et regarde-toi maintenant.

— Là, c'est différent. Je n'ai jamais été à l'aise dans ce genre de manifestation. Mais ne t'inquiète pas, ce sera super bien organisé. Sybil est une pro de la collecte de fonds. Tu devrais passer une bonne soirée.

— Moi ? Tu rêves ? Si tu n'y vas pas, je n'y vais pas.

— Anya, non ! Tu ne peux pas faire ça ! C'est l'occasion ou jamais pour toi de lancer ta carrière de photographe. Ne la laisse pas passer à cause de moi.

— C'est déjà décidé, de toute façon. Tu crois que j'ai une tête à fréquenter les cocktails et les galas ? Avec toi, j'y serais allée, mais…

— Anya, arrête. Tu ne peux pas recourir à la même stratégie chaque fois que tu veux m'obliger à faire quelque chose. Tu n'as pas pour mission de me guérir de toutes mes névroses !

Anya émet un rire bref.

— Ah non ? Sans déconner… De toute façon, c'est vrai que ça ne m'excite pas d'aller à ce gala. Je ne connaîtrai personne à part toi et Huan. Et on va s'ennuyer comme des rats morts, si on n'est que lui et moi. Comme je ne saurai pas quoi faire de ma peau, je vais compenser en tapant dans la boisson. Et une fois bourrée, je ferai des conneries, et personne ne voudra de mes services. Mon avenir dans la photo s'effondrera avant même d'avoir commencé à exister. Et ce sera ta faute.

Je siffle tout bas entre mes dents.

— Tu es vraiment douée pour la culpabilisation toi, dis donc. Sacré talent.

Les lèvres d'Anya frémissent. Et je soupire encore plus fort.

— Est-ce que ça te suffit si je m'engage à réfléchir ? Pour l'instant, c'est tout ce que je peux te promettre.

Anya sourit. Pas son esquisse de demi-sourire habituel, non. Un vrai, un grand, un franc sourire qui la rajeunit et lui donne une jolie bouille adorable, même si elle me haïrait sans doute d'oser penser une chose pareille.

— On va dire que ça suffit. Pour le moment en tout cas.

17

La semaine qui précède la collecte de fonds passe à une vitesse folle. Sybil a inclus mon nom et mon titre dans la liste des sponsors sur ses invitations au gala SuperClebs. Résultat : chaque jour, je reçois un mail ou un appel d'un patient potentiel désireux de se renseigner sur mes conditions et mes tarifs. A mon grand soulagement, mon carnet de rendez-vous se remplit petit à petit pour le mois qui vient.

Et si ce petit cabinet avait du potentiel, tout compte fait ?

Tous les matins, avant mon premier rendez-vous, je me rends à pied à l'appartement de Grant et Chip pour prendre Seymour et lui faire faire une balade de désensibilisation. Parfois j'inclus Giselle à notre promenade, parfois, non. J'ai même commencé à m'accorder une halte en terrasse, sur Cole Street, pour prendre un café et un croissant. Il arrive que mes petits symptômes habituels se manifestent, mais je fais avec. Mieux, même : je prends plaisir à déambuler dans les rues joyeuses de la ville. Je redeviens enfin moi-même. Pourtant, la sensation est moins familière qu'on ne pourrait l'imaginer. C'est comme si j'étais sortie d'un long sommeil pour m'apercevoir que je suis bien celle que j'ai toujours été, mais que ma vie entière a changé dans l'intervalle. Je vis seule, sans Toby, à San Francisco, une ville qui m'est encore largement étrangère. Le temps est venu de me créer un cercle d'amis, de me construire une nouvelle existence.

Henry s'en va. Qui reste ?

Lourdes, Anya, Sybil.

La donne étant ce qu'elle est, je décide que je leur dois bien, ainsi qu'à moi-même, d'assister à la soirée SuperClebs. Si ça tourne mal — si je sens que finalement c'est encore un peu prématuré —, j'appellerai un taxi et je rentrerai à la maison. Simple comme bonjour.

Quelques jours avant le gala, j'appelle Henry pour lui proposer de venir avec moi. Je sais qu'il doit partir pour L.A. juste après, ce serait sympa de sortir tous les deux de façon officielle avant qu'il quitte San Francisco.

Il accepte aussitôt.

— Avec plaisir, oui. Mais j'ai quelques rendez-vous téléphoniques qui risquent de me retarder. Ça ne te dérange pas si je te retrouve sur place ?

Je lui assure que ce n'est pas un problème, mais je suis quand même un peu déçue. Je comptais sur sa compagnie pour faire diversion lorsque je devrai traverser la ville jusqu'à Sea Cliff. Ce sera la première fois que je m'aventurerai aussi loin de mon appartement depuis la mort de Toby. Mais finalement ce n'est peut-être pas si mal que je trace ma route toute seule. Ce test me permettra de mesurer mes progrès. Sachant que la promesse de voir Henry peu après mon arrivée devrait être un excellent stimulus positif reconditionnant.

L'après-midi qui précède le gala, je passe chez Lourdes pour faire une descente dans ses placards. Portia et Gabby, installées sur la première marche de l'escalier intérieur, m'attendent de pied ferme. Il semble que leur mère leur ait promis un défilé de mode avec mon humble personne en star du podium. Lorsque je me penche pour les embrasser, Lourdes pousse un cri.

— Attends ! Non !

Je me redresse en sursaut.

— Portia a chopé un truc, me met-elle en garde. Y a du virus dans l'air.

Portia lève vers moi un visage un peu pâlot, effectivement. Mon estomac se contracte. A quand remonte ma dernière prise de vitamines ? A plusieurs jours. Peut-être même à des semaines. Oh, et puis zut. Je me force à bisouiller Portia quand même. Lourdes me regarde avec de grands yeux.

Je hausse les épaules.

— C'est bon. Je survivrai.

A l'étage, Lourdes me tend une sélection de robes à essayer. Je me replie dans la salle de bains, et la conversation se poursuit d'une pièce à l'autre.

— Je serais bien venue avec toi ce soir, Maggie ! C'est pas une vie d'avoir un môme malade sur le dos.

Je crie en réponse, ma voix étouffée par le vêtement que je passe sur ma tête :

— Ne t'angoisse pas pour moi. Je ne serai pas seule. Je retrouve mon rencard sur place.

Je sors de la salle de bains vêtue d'une robe de cocktail argentée à manches courtes, resserrée à la taille par une fine ceinture noire.

Portia et Gabby ouvrent des yeux ronds comme des soucoupes.

— Trop beau…, soupire Portia.

Gabby acquiesce d'un signe de tête. Assises par terre, elles piochent dans un bol rempli de biscuits apéritifs. Giselle broute avec bonheur les miettes qui tombent sur le tapis, et sa queue à frisettes mouline à une vitesse supersonique.

Lourdes observe ses filles, lève les yeux au plafond puis caresse le dos de Giselle.

— Comme je t'aime, ma chienne. Si tu n'étais pas là, je passerais ma vie à passer l'aspirateur.

Elle penche la tête, examine la robe argentée.

— Mmm… Oui. Pourquoi pas ? Essaies-en une autre, pour voir.

— Hé ! s'exclame soudain Gabby. Moi, j'ai quelque chose de *très, très* beau pour toi, Mags !

Elle quitte la pièce en courant.

Lorsque je ressors dans une robe noire un peu trop moulante à mon goût, Gabby dépose à mes pieds un tutu jaune, un costume de chat rose bonbon et une paire d'ailes de fée violettes à paillettes.

Lourdes a un sourire sardonique.

— Pas mal. Tu ne les enfiles pas, Maggie ?

— Oh ! Gabby… C'est vrai que c'est très beau, ce que tu m'apportes.

Je prends le tutu et le pose contre ma poitrine.

— J'ai juste un peu peur de ne pas rentrer dedans, tu vois.

Le front de Gabby se plisse. Elle baisse les yeux sur l'assortiment scintillant de costumes, puis lève de nouveau son regard vers moi. Elle plante alors les poings sur ses hanches fluettes, et sa voix de lutin se fait sévère.

— C'est comme ça et pas autrement, Mags. Tu prends ce qu'il y a et tu nous fais pas ta crise.

Quelques heures plus tard, alors que le crépuscule réinvente le ciel en longues traînées bleu ardoise, je prends place à l'arrière d'un taxi vêtue d'une robe fourreau marine, à la fois jolie et confortable. La voiture s'élève et redescend, négociant les collines de San Francisco pour filer en direction de Sea Cliff, alignant les kilomètres qui me séparent de mon appartement. Je pose la main sur la petite réplique de la Sutro Tower qui ne quitte pas mon sac, mais je ne la regarde pas. Je veux voir défiler la ville par la vitre du taxi, me remplir les yeux de mon nouvel environnement. Le paysage urbain qui se déploie devant moi est d'une beauté à couper le souffle. J'avais oublié que San

Francisco la nuit pouvait ressembler à un ciel tête en bas, avec ses milliers de lumières scintillant comme autant d'étoiles.

Comme quelque chose d'éternel en quoi on peut croire. Quelque chose qui pourrait même m'inciter à faire un vœu.

La maison est très grande et très contemporaine, toute de verre, acier et stucs pastel, avec deux énormes globes lumineux suspendus de chaque côté de l'entrée. Je frappe à la porte laquée rouge aux dimensions imposantes. Presque dans la seconde qui suit, une toute petite femme au large sourire énergique m'ouvre en grand, comme si elle n'attendait que moi.

— Waouh ! Attends voir ! Tu es Maggie ?

— C'est bien moi.

Je reconnais la voix enthousiaste dès la première syllabe. Pourtant, je peine à me convaincre qu'il s'agit bien de Sybil Gainsbury. La femme que j'avais toujours imaginée plutôt longiligne, avec un look hippie sur le retour et de longs cheveux gris… se révèle être une version black de la pulpeuse icône country, Dolly Parton !

— Sybil ?

Mais déjà elle prend mes deux mains dans les siennes. Sa chevelure noire lustrée est ramassée en un chignon d'une hauteur vertigineuse, et sa silhouette tout en courbes voluptueuses est moulée dans une robe longue couleur mandarine dont le décolleté généreux est souligné d'un joyeux débordement de strass. Malgré la hauteur combinée de sa coiffure et de ses talons (incrustés de strass eux aussi), elle ne doit guère dépasser le mètre soixante. Sa vue justifie à elle seule les efforts auxquels j'ai dû consentir pour venir. Regarder Sybil procure une joie similaire à celle que donne la vue d'un jeune chiot. Il y a chez elle une merveilleuse effervescence, une spontanéité extravertie qui rend heureux et réchauffe le cœur.

Elle glisse son bras sous le mien.

— Viens que je te fasse visiter.

A l'intérieur, je découvre de longues perspectives composées de magnifiques parquets et de murs blancs dépouillés. De délicates odeurs de cuisine se mêlent aux fragrances plus discrètes des fleurs fraîches. Avant que Sybil ne me guide dans la direction opposée, j'entrevois un immense séjour où s'active un bataillon de serveurs et de traiteurs en pleine effervescence pré-opérationnelle. La villa, construite sur les hauteurs du littoral, donne à pic sur l'océan. Le soleil a fait sa sortie de scène, mais le ciel au loin retient quelques derniers rubans de couleur — fins liserés saumon, turquoise et or. Je prends une inspiration prudente.

Génial. Deux déclencheurs de panique pour le prix d'un : une fête au sommet d'une falaise.

— Incroyable, cette maison, non ? s'exclame Sybil. Ce n'est pas pour rien que ce quartier s'appelle Sea Cliff.

C'est rien de le dire, en effet. J'émets un rire faiblard et m'abstiens de tout commentaire.

— En tout cas, les Jacobsen, nos hôtes, sont des amours. Chaque année, ils mettent généreusement leur maison à notre disposition. Et attends de faire connaissance avec leurs deux chiens, Angie et Max, de superbes croisés bergers avec un tempérament d'ange ! Des anciens de SuperClebs, évidemment.

Elle pointe un doigt vers le haut de la maison alors que nous passons à côté d'un de ces escaliers modernes qui semblent flotter dans les airs.

— Les chiens sont quelque part là-haut, à l'étage… Avec leur nurse attitrée ! ajoute-t-elle après un petit silence théâtral.

Elle part d'un grand rire heureux qui ne contient même pas une once de dérision. *Chacun fait comme il le sent,* semble dire son haussement d'épaules qui fait s'entrechoquer les innombrables petites perles sur sa robe.

Lorsque nous entrons dans une cuisine grouillante d'activité,

Sybil fait signe à un homme en smoking debout devant un comptoir où s'alignent les bouteilles d'alcool.

— Hé là, beau gosse, tu ne nous verserais pas deux coupes de champagne, s'il te plaît ? Je dois un coup à boire à cette charmante jeune femme. Que dis-je ? Je lui en dois dix !

Elle m'adresse un clin d'œil.

— Un petit désaltérant préfestif me paraît indiqué, qu'est-ce que tu en dis ?

— Je souscris totalement.

J'en suis déjà au stade où je pourrais acquiescer à n'importe quelle suggestion de Sybil, tant cette femme est le charme incarné. Rien d'étonnant qu'elle ait réussi à placer des chiens perdus par centaines dans des foyers d'un bout à l'autre de la baie. Qui pourrait lui dire non ? Champagne en main, nous trinquons à notre rencontre.

Ensuite, Sybil me reprend le bras, et nous repartons direction le salon.

— *Maggie, Maggie, Maggie…* Tu ne peux pas savoir comme je suis heureuse de te voir enfin « pour de vrai » ! Je ne sais pas pourquoi, mais j'avais une espèce de vague impression que tu risquais de ne jamais te matérialiser en chair et en os ! C'est idiot, hein ? Comme si je pouvais avoir inventé de toutes pièces l'extraordinaire amatrice de chiens, si organisée, compétente et dynamique qui a fait une irruption remarquée dans ma vie il y a cinq mois. Une vraie amie des animaux qui a eu la générosité de me soulager d'une bonne partie du fardeau de ce projet-passion qui me tient tant à cœur… A croire que j'ai parfois un peu trop d'imagination, ajoute-t-elle en souriant.

— Toi aussi, tu m'as été d'une grande aide, Sybil. Tu n'imagines sans doute pas à quel point.

Elle hausse des sourcils parfaitement dessinés en signe de protestation.

— Sérieux, Sybil. Je ne connaissais que deux personnes en tout et pour tout en arrivant ici. Et ton accueil a été fabuleux.

Dès le premier jour où je me suis adressée à toi, tu m'as donné le sentiment que je faisais partie de la grande communauté cynophile de San Francisco. C'est grâce à toi que j'ai pu démarrer mon cabinet. S'il y en a une qui doit quelque chose à l'autre, c'est bien moi.

Sybil fait tinter son verre contre le mien.

— Qu'est-ce que je peux répondre ? La seule chose qui touche mes cordes sensibles autant qu'un chien errant, c'est un humain à la dérive.

Je ris.

— Fini l'errance, pour moi. J'ai trouvé mon port d'attache. Je ne bougerai plus de San Francisco.

Je suis surprise de m'entendre l'affirmer. Mais c'est une certitude.

Regardant autour de moi, j'admire tout sauf la vue. L'immense pièce à vivre occupe toute la largeur de la maison. Deux vastes cheminées jumelles la bordent de chaque côté, à la manière d'une paire de serre-livres géants. Sur des tables de cocktail drapées de nappes s'épanouissent d'audacieux arrangements floraux échevelés déclinant des teintes rouge et bordeaux. Un trio de jazz répète en sourdine dans un coin de la salle. Je repère une petite scène avec un podium dressée devant les fenêtres. C'est là, je suppose, que Sybil prévoit de conduire ses enchères.

Sybil m'observe pendant que j'examine les lieux.

— Tu n'as pas encore vu la pièce maîtresse. Regarde derrière toi.

Je me retourne. Sur le mur du fond ont été affichées les sept photos agrandies des chiens choisis pour la mise aux enchères.

— Il est extraordinaire, le talent de cette Anya, non ? Je ne sais pas où tu l'as dénichée, mais ce qui est sûr, c'est que tu as eu la main heureuse.

Je suis sous le choc de la puissance, de la beauté et de l'humour qui émanent de ces portraits. En chacun d'eux, on sent quasiment vibrer la personnalité du modèle. Joie, dévouement, tendresse, malice, confiance, dignité, humour irradient en proportions variées dans tous ces regards canins. Sous chaque photo, Sybil a affiché une version agrandie de mes descriptions du candidat à l'adoption. Le nom de l'animal, juste à côté de celui de son sosie célèbre entre parenthèses, figure en grosses lettres au-dessus de chacune des biographies. Je déambule le long de la rangée de photos, et mon sourire s'élargit à chaque pas. Je retrouve Vivien Leigh (une chienne schipperke à la fourrure noire lustrée et au joli minois insolent), Charlie Chaplin (le terrier de Boston noir et blanc à l'expression tragi-comique) et Marcia Gay Harden (la golden retriever qui... très franchement, présente une *vraie* ressemblance avec Marcia Gay Harden).

Je ralentis devant le portrait de Seymour. Giselle, à ses côtés, apparaît comme une vague silhouette frisottante en contrepoint, ce qui met en valeur le rendu très net de Seymour. Ses grandes oreilles en mouvement encadrent son visage de la manière la plus désarmante qui soit ; les petites touffes de poils drus qui se dressent à la verticale autour de son museau semblent vous mettre au défi d'oser ne pas sourire. Je me dis qu'il sera adopté ce soir, quoi qu'il arrive, et je sens un petit pincement au cœur. Une longue desserte a été placée sous les photos, avec des feuilles de papier vierges sur lesquelles les futurs adoptants pourront inscrire leurs mises.

Sybil passe un bras autour de mes épaules, les serre affectueusement et reste un instant silencieuse à contempler les portraits.

— Ça te prend direct aux tripes, hein ?

Je hoche la tête.

— Demain à la même heure, chacun de ces chiens en stand-by sera occupé à trouver ses marques dans son nouveau foyer. Et leurs futurs compagnons humains ne le savent peut-être pas encore, mais ils recevront largement autant qu'ils auront donné.

— Oui, ce soir, quelques chiens... et quelques humains... verront le vent tourner du bon côté... Y compris notre pauvre grand angoissé Owen Wilson, ajoute Sybil en désignant la photo de Seymour.

Elle me presse une dernière fois l'épaule puis me libère pour frapper dans ses mains.

— Bon allez, fin du quart d'heure sentimental. Au boulot, maintenant, Maggie !

Anya et Huan arrivent avec la première vague d'invités, et je découvre Anya sous un jour inattendu. Elle arbore un genre de smoking argenté, très masculin, sur un T-shirt blanc. Le pantalon de smoking est rentré dans ses éternels boots lacés d'allure militaire, mais ses godillots ont tout de même été cirés pour la circonstance. Pour la première fois depuis que je connais Anya, ses cheveux ont l'air propres. Elle les a relevés en une queue-de-cheval haute, et ils forment une belle cascade auburn qui lui tombe dans le dos. L'effet d'ensemble, on ne sait trop par quel miracle, réussit à faire remarquablement fashion. Lorsqu'elle se tourne pour examiner l'installation de ses photographies, je vois ce qui ressemble à un petit bouquet de roses thé passé dans l'élastique qui retient ses cheveux. Anya surprend mon regard étonné et y porte la main d'un air gêné.

— C'est un bouquet-bracelet à porter au poignet, chuchote-t-elle. Je ne sais pas ce qui lui a pris, à Huan. Il se croit peut-être au bal de promo ou un truc comme ça. Il fallait bien que je le mette quelque part, son bidule. Je ne porte jamais de bracelet.

— Dans tes cheveux, il rend pas mal. Ça passe même plutôt très bien.

Anya lève les yeux au ciel. Son piercing au nez — une simple petite boule en argent — scintille à la lumière.

— Quelles sont les nouvelles de Rosie ?

— Elle va mieux !

Anya ne parvient pas à contenir un sourire soulagé.

— L'autre fois, nous avons déjeuné ensemble, juste elle et moi, et elle était… *elle-même*. Drôle, ironique. Elle m'a dit que je sentais les petits oignons au vinaigre et que je ferais mieux de me méfier avant que quelqu'un ne me plonge dans un cocktail Martini Gibson.

Je pouffe, et Anya joint son rire au mien.

— Je ne sais pas… Je ferais peut-être mieux de ne rien dire pour ne pas lui porter la poisse, mais j'ai l'impression qu'on pourra la garder avec nous encore quelque temps.

Je souris.

— Je ne vois pas pourquoi l'espoir porterait malheur. Au contraire, même.

La maison se remplit rapidement d'invités. Je tire sur ma robe dans l'espoir de glaner un peu d'air frais à même la peau.

Anya note mon geste d'un œil inquiet.

— Ça va ? Tu préfères qu'on se mette dans un coin où il y a moins de monde ?

Mais Sybil, apparue comme par magie, ne me laisse pas le temps de jauger mon niveau d'anxiété et encore moins de réfléchir à ma réponse. Elle pousse un petit cri ravi lorsque je lui présente Anya. S'ensuit un flot exubérant de remerciements enthousiastes pour tout le magnifique travail qu'Anya a accompli. Je m'abstrais un instant de la conversation, le temps de me concentrer sur mes respirations, mais je constate avec plaisir que j'ai tout simplement trop chaud et que mes angoisses se tiennent à carreau.

— Tu penses qu'une seule enceinte suffira dans une pièce aussi grande ? me demande Sybil d'un air inquiet en scrutant l'assistance qui ne cesse de grandir. Le gars chargé de la sono en a une autre dans son camion, mais il me soutient que ce ne sera pas nécessaire. Je jurerais qu'on en avait deux l'année dernière. Si personne ne m'entend proposer les lots, nous n'aurons pas d'enchères !

Je suis persuadée que le timbre vigoureux de Sybil pourrait

couvrir n'importe quelle nuisance sonore, corne de brume comprise. Mais je vois bien qu'elle est inquiète : je m'engage à trouver le technicien en question et lui promets d'insister pour qu'il apporte la seconde enceinte. Je passe les vingt minutes suivantes à lui donner un coup de main, puis survient un problème avec les crudités proposées aux invités. Un peu plus tard, une odeur caractéristique venue du premier étage témoigne d'un petit souci digestif chez un des bergers des Jacobsen (par chance, la nurse répare les dégâts avec une remarquable rapidité). Lorsque je finis par regagner le salon, la fête bat son plein. Je déambule au milieu de la foule, cherchant Henry des yeux et ne le trouvant pas. J'ai trop chaud, mais pas de malaise en vue.

Je flâne en jetant un coup d'œil sur chaque visage que je croise. Certains sourient, d'autres rient ; je vois des gens en duo et d'autres en petits groupes, des qui racontent des histoires et des qui les écoutent. Une femme fronce les sourcils en scrutant le fond de son verre, et un homme, les yeux rivés sur la fenêtre, semble fasciné par la vue. Des bribes de conversation et le rythme de la musique composent un tableau sonore haché et trépidant. La salle entière est mouvement : bras qui gesticulent ou qui enlacent, lèvres qui articulent, yeux qui se plissent, gorges qui déglutissent, mains qui jouent avec des cravates ou se perdent dans des chevelures. Je pourrais être chez moi, tranquille, pelotonnée sur mon canapé, un bon livre dans une main et un verre de vin dans l'autre. Ou ici, au cœur de la vie.

Les cœurs qui battent, a dit Rosie à Anya. « Au hit-parade de tes affections, mets toujours les cœurs qui battent en haut de ta liste. » Il y a beaucoup de cœurs battants dans cette pièce.

A l'un des bars, Anya est en grande conversation avec Huan. Ils ont l'air de se trouver plutôt bien, tous les deux. Le rose aux joues, ils parlent, leurs deux têtes très proches l'une de l'autre. Au moment où je me dirige vers eux, Huan se penche très légèrement en avant et embrasse Anya. Surprise, je m'immobilise. Je m'attends plus ou moins à ce qu'elle ait un mouvement de recul avant de lui coller un direct du droit, mais pas du tout. Elle place les mains sur ses épaules et se prête au baiser. Lorsqu'ils se détachent, leurs visages expriment un même vertige. Anya regarde autour d'elle en rougissant et découvre ma présence. Elle se couvre les yeux d'une main et secoue la tête, embarrassée mais rieuse, et me fait signe avec l'autre bras.

— Maggie ! Amène-toi par ici.

Huan rafle un troisième verre de champagne sur le bar et me le tend.

— Je vous interromps. Je suis désolée.

— Comment ça, tu nous interromps ? proteste Anya. Nous sommes là pour nous protéger mutuellement de l'horreur des fêtes, souviens-toi. On reste solidaires à fond.

— Ouais. A fond ! reprend Huan en écho avec un enthousiasme inattendu. Les fêtes, c'est trop plombant !

Je suis prête à parier qu'Huan est en train de vivre la plus belle soirée de sa vie. Il paraît même un peu ivre. Lorsqu'il glisse un bras autour de la taille d'Anya, elle ne le repousse pas. Elle s'abandonne, au contraire, et ploie joliment sous son étreinte.

Je lui demande si elle a déjà des séances photo programmées.

— Non, rien. Mais je n'ai pas arrêté de rajouter des cartes de visite sur les tables. Elles disparaissent les unes après les autres.

— C'est bon signe.

— *Super* bon signe, renchérit Huan.

Anya fixe le parquet qu'elle tapote de la pointe d'une de ses grosses chaussures. Je savoure mon champagne en écoutant la musique et note qu'Huan et Anya se tiennent de plus en plus près l'un de l'autre.

Je m'éclaircis la voix.

— Henry ne devrait pas tarder à arriver, je pense.

Je le dis seulement pour les tranquilliser sur le fait que je n'ai pas l'intention de leur imposer ma présence pour le restant de la soirée. Mais le visage d'Anya s'assombrit.

— Oh ! merde, Maggie…

— Quoi ?

— Je pensais que tu étais au courant. Il ne t'a pas appelée ?

Un tiraillement désagréable se fait sentir dans ma poitrine, côté cœur.

— Je ne sais pas. C'est possible. Je n'ai pas regardé mon téléphone de la soirée. Pourquoi ?

Anya et Huan échangent un regard.

— Il y a eu un changement de programme à son boulot. Tout leur planning a été bousculé, et il a fallu qu'il parte tout de suite pour L.A. Je n'arrive pas à croire qu'il ne t'en ait pas parlé.

Mon ventre se noue douloureusement.

— Il a déjà pris son avion ?

— Je pense que oui. Il m'a dit qu'il avait trouvé une place sur le dernier vol, aujourd'hui.

— Ah, OK.

Je me mords l'intérieur de la joue.

— Mais il va revenir, c'est ça ? Dans quelques jours ? La semaine prochaine ?

Je n'arrive tout simplement pas à concevoir l'idée qu'Henry ait pu quitter San Francisco pour de bon sans même un au revoir. *Il n'aurait jamais agi de cette façon.*

A moins que ?

— Je ne sais pas, Maggie. Je ne suis pas sûre.

Anya paraît sceptique. Elle secoue la tête, et sa queue-de-cheval lui fouette les épaules.

— C'est trop con, hein ? Je suis désolée, Maggie.

18

Une demi-heure plus tard, lorsque Sybil se fraie un chemin jusqu'au podium pour démarrer les enchères, le brouillard dans ma tête ne s'est toujours pas dissipé. Malgré tous mes efforts, je n'arrive pas à penser à autre chose : Henry est parti pour Los Angeles sans me prévenir. J'ai vérifié ma boîte vocale : zéro message. Bon…

Je savais depuis le début que notre relation serait plutôt trajet éclair que traversée au long cours. *Mais quand même…* De là à disparaître de la circulation sans même un petit coup de klaxon d'avertissement ! Je suppose que la rêveuse incurable en moi pensait que nous contournerions les obstacles à notre façon, Henry et moi. Que nous filerions à une belle vitesse de croisière et trouverions un itinéraire bis à travers champs avant de buter sur l'éternelle « voie sans issue ». Bref, j'avais espéré que nous redessinerions une nouvelle carte routière à notre façon.

Sur le podium, Sybil remercie les Jacobsen d'avoir mis leur maison à la disposition de SuperClebs pour le gala.

— Merci aussi à vous tous ici, pour le soutien constant que vous apportez à l'association !

Sa voix claire et tonique retient l'attention, exactement comme je l'avais prévu — avec ou sans enceinte supplémentaire.

— Grâce à vous, nous avons trouvé de nouvelles familles à seize chiens déjà cette année. Et plus de trois cents d'entre eux ont bénéficié d'une adoption définitive depuis sept ans que l'association existe. Plus de *trois cents* chiens !

Même de là où je me trouve, dans les derniers rangs de l'assistance, je vois que les yeux de Sybil sont humides. Son grand rire énergique vacille un peu.

— Et voilà, ça y est. Je vous fais déjà le coup des larmes. Il m'a fallu combien de temps pour en arriver à la séquence émotion ? Vingt secondes ? Trente ? Encore un record battu !

De la salle monte l'agréable clameur produite par un groupe de deux cents personnes unies pour une même cause. Un flux de tendresse parcourt la foule.

— On vous adore, Sybil ! crie quelqu'un.

Un autre s'enhardit à lancer un « Bravo » retentissant. Près du podium, une femme tend un mouchoir en papier à l'oratrice. Sybil l'accepte avec un petit sourire plein d'autodérision, le porte à ses yeux et fait mine de l'essorer. De nouveau, les rires fusent.

— Revenons-en à mes statistiques. Il est facile de balancer des chiffres sans réfléchir, mais j'espère que vous prendrez le temps d'examiner celui-ci sous tous ses angles : *trois cents chiens.* Trois cents familles, adultes et enfants, dont la vie s'est enrichie en amour parce qu'elles ont accueilli chez elles un chien laissé pour compte. Et tout cela grâce à *vous.* Les sommes que nous levons ici ce soir et durant le reste de l'année servent à financer la nourriture que les familles d'accueil temporaires donnent aux chiens qu'elles ont en garde. Cet argent nous permet aussi de financer des actes de soins préventifs, comme les stérilisations, de payer les notes de vétérinaires pour les chiens malades ou âgés et naturellement de faire vacciner tous les adorables bouts de chiots sur lesquels je parviens à mettre la main. Quiconque a eu l'occasion d'assister à la première rencontre entre un chien adopté et son humain-pour-la-vie comprendra le sens profond de ce travail. Quiconque a regardé un chien dans les yeux et senti dans son cœur le déclic d'un amour qui s'allume et ne fléchira jamais partagera notre émotion ce soir.

Sybil prend le temps d'une respiration avant de poursuivre.

— Maintenant, j'admets volontiers que ces chiens ne sont pas des anges. Certains d'entre eux ont un faible pour les pieds de chaise. D'autres repèrent le facteur à deux cents mètres et aboient sans discontinuer jusqu'à ce que le malheureux, ou la malheureuse, ait disparu au coin de la rue. On a aussi ceux qui monopolisent tout le lit et ronflent si fort qu'ils nous réveillent en sursaut, persuadés d'être au milieu d'un tremblement de terre. Quoique...

Sybil hausse un sourcil.

— En ce qui concerne ce dernier type de chien, en fait il s'agissait peut-être plutôt de mon ex-mari.

Elle a son public dans la poche. Tous s'esclaffent, moi-même y compris.

— Ces chiens, donc, ne sont pas parfaits, mais il se trouve mes amis que... nous ne le sommes pas non plus !

Elle a baissé la voix, comme si elle dévoilait un grand secret, avant de reprendre sur un ton normal :

— Et ils nous aiment quand même, avec tous nos défauts. Qui, à part nos chiens, nous regarde comme si nous étions les plus extraordinaires créatures de la terre ? Donc *nous* les aidons bien sûr, mais quiconque a déjà recueilli un animal sait que c'est une goutte dans l'océan comparé à ce que *eux* font pour nous. Cela étant dit, je vous suis profondément reconnaissante à tous d'ouvrir vos cœurs, vos maisons et — vous saviez que ça allait arriver, n'est-ce pas ? — vos portefeuilles pour les chiens méritants de SuperClebs. Voyons...

Elle fait mine de consulter un bout de papier, comme si elle vérifiait une liste point par point :

— Bon, j'ai ri, j'ai pleuré, j'ai parlé des chiens. Il semble que l'heure soit venue de passer... aux enchères !

La main en visière, elle scrute l'assistance.

— Maggie Brennan ! Maggie, où es-tu ? Peux-tu lever la main, s'il te plaît, qu'on te voie !

Je m'exécute à contrecœur.

— Ah, la voilà… Alors écoutez-moi bien, tous, car cette vente caritative exceptionnelle n'aurait pas pris une telle ampleur si Maggie n'avait pas mis aussi énergiquement la main à la pâte. Maggie est psychothérapeute spécialisée dans le deuil animalier, elle a son propre cabinet, vous pouvez consulter son site sur Internet. Malgré son emploi du temps chargé, elle a trouvé le temps de négocier ferme pour obtenir les lots formidables qui vous seront proposés ce soir. Il s'agit sans l'ombre d'un doute de la plus impressionnante collection de prix que nous ayons jamais réussi à rassembler. Merci, merci, chère Maggie.

Des applaudissements polis crépitent, quelques visages souriants se tournent vers moi. Les joues en feu, j'adresse un petit signe de la main à l'assistance.

Les talents de commissaire-priseur de Sybil sont remarquables, et je me délecte à la voir s'agiter sur le podium : elle pointe du doigt, crie, débite des séries de chiffres à une vitesse vertigineuse qui fait monter l'excitation dans la salle et met tout le monde de bonne humeur. Chaque fois qu'une enchère monte, les yeux de Sybil semblent briller un peu plus fort ; mais je n'exclus pas que ce soit juste le reflet des lumières renvoyé par le strass dont elle est couverte.

— Et maintenant préparez-vous à miser sur un lot d'exception : un shooting, un vrai, avec la talentueuse photographe Anya Ravenhurst. Comme certains le savent déjà, Anya a eu la gentillesse de mettre son temps et ses hautes qualités artistiques au service de SuperClebs. Au cours des deux dernières semaines, elle a couru d'un bout à l'autre de la ville pour photographier les sept chiens qui seront proposés à l'adoption ce soir. Le résultat, c'est cette magistrale série de photos qui décorent notre espace.

Elle indique le mur à l'opposé du podium, et toutes les têtes se tournent d'un même mouvement. Une clameur admirative s'élève.

— Bon, bon, pas de panique ! Je vais ouvrir les enchères silencieuses pour ces jolis toutous dès que nous aurons terminé cette première phase. Mais, en attendant, ne croyez-vous pas que nous devrions tous remercier Anya pour son travail remarquable ?

Les applaudissements explosent. A côté de moi, Anya a croisé les bras sur la poitrine et se dandine, le visage impassible. Mais je la connais assez pour voir que la réaction du public lui fait plaisir.

Sybil lance les enchères pour la séance photo d'Anya, et les mises montent rapidement, passant de cent à cinq cents, puis neuf cents, pour culminer à mille dollars. Sybil abat son marteau (incrusté de strass), et Huan et moi poussons un même cri d'excitation. Anya, les bras toujours croisés, n'a pas bougé, mais on dirait qu'elle tient la tête un peu plus haut tandis que Sybil passe au lot suivant. Huan la couve d'un regard admiratif pendant un moment. Puis, d'un coup, comme s'il ne pouvait plus se contenir, il lui prend la main et la porte à ses lèvres. Elle sourit, hausse les épaules, et le rouge lui monte aux joues.

Je sens quelque chose de dur se resserrer autour de ma gorge, et mon cœur s'accélère. Je tourne la tête pour vérifier que la voie vers la porte est dégagée au cas où j'aurais besoin de sortir en courant. Mais mon rythme respiratoire est parfaitement normal. Je n'ai pas l'impression que je vais mourir, devenir folle ou tomber dans les pommes. C'est juste qu'Henry me manque. C'est juste que j'aurais voulu qu'il soit là, lui aussi. J'aurais aimé voir son visage s'éclairer d'un sourire de fierté en assistant à la consécration d'Anya. J'aurais voulu que les choses n'en restent pas là entre nous.

Mon cœur bat parce qu'Henry me manque.

— Le lot suivant, annonce Sybil, est un superbe bracelet tennis en diamants…

Il me semble entendre une voix d'homme m'appeler tout bas dans mon dos. Je me retourne, mais ce sont toujours les mêmes personnes qui se tiennent derrière moi depuis le début des enchères. De nouveau, je concentre mon attention sur Sybil.

— … diamants certifiés d'origine non conflictuelle sertis dans du platine…

— Maggie.

Je pivote sur moi-même. Henry est là. Avant que ma réserve naturelle n'ait eu le temps de prendre le dessus, je me jette à son cou.

— Anya disait que tu étais parti !

Il secoue la tête.

— Sans te dire au revoir ? Je n'aurais jamais fait un truc pareil. Il y a eu un changement de programme, et je pensais que j'allais devoir partir aujourd'hui mais…

Il se tait, prend mes deux mains dans les siennes et son sourire est presque timide.

— Tu es vraiment très belle ce soir, Maggie.

Anya s'aperçoit alors de la présence de son frère et ouvre de grands yeux.

— Mais… Tu n'es pas parti ?

Lorsque le regard d'Henry se pose sur sa sœur, son expression se modifie de manière indéchiffrable.

— Anya, je veux que tu m'accompagnes dehors tout de suite. Venez tous les trois, d'ailleurs.

Sans apporter plus de précisions, il se détourne et se dirige vers la porte. Nous échangeons un regard étonné, Huan, Anya et moi, puis nous nous frayons à notre tour un chemin dans la foule.

En rejoignant Henry, je lui demande à voix basse :

— Qu'est-ce qui se passe ?

— Cet après-midi, j'ai voulu aller chez toi, pour t'annoncer de vive voix que je devais partir pour Los Angeles dès ce soir. Mais j'ai décidé de faire d'abord une halte chez Clive et chez Terrence pour les questionner au sujet de Billy. Je t'avais promis de le faire et je ne voulais pas partir sans avoir tenu mes engagements.

Nous sortons de la maison, et Henry se tait brusquement.

Sur le trottoir devant chez les Jacobsen, je me retrouve nez à nez avec Clive et Terrence. Si le visage de Clive est éclairé par un large sourire, Terrence semble à peine tenir debout. Ses yeux sont injectés de sang, et il a le teint jaunâtre. Au bout d'une laisse, Terrence retient non sans mal un petit chien blanc grassouillet, à l'air fougueux — genre petit David prêt à s'attaquer à n'importe quel grand Goliath.

— Billy ! crie Anya.

Le chien bondit comme une fusée, et Terrence, surpris, lâche prise. Mais peu importe. Déjà, Anya et Billy piquent un sprint l'un vers l'autre et entrent en collision lorsque Anya tombe à genoux pour accueillir son chien dans ses bras. Billy se tortille joyeusement dans son étreinte et lui lèche le cou et le visage. Vu son léger surpoids et son air heureux, le chien semble avoir plutôt passé deux mois à faire une cure de *buona pasta* en Italie que d'avoir erré dans les rues de San Francisco. Il se relève, se redresse et pose les pattes avant sur les épaules d'Anya. Elle retombe en riant sur le dos.

J'assiste à leurs exubérantes retrouvailles avec un mélange de ravissement, de surprise et aussi, je dois bien l'avouer, une pointe d'envie. Les larmes me montent aux yeux. Henry passe un bras autour de ma taille et m'attire contre sa poitrine. Je lève la tête pour murmurer tout contre son oreille :

— Je ne comprends pas. Ils étaient liés à la disparition de Billy, alors ?

Avant qu'il ne puisse répondre, Anya se relève. Terrence a les mains enfoncées dans ses poches de pantalon. Des larmes roulent sur ses joues rebondies.

— Anya…

Sa voix tendue vacille. Les yeux d'Anya s'arrondissent alors qu'elle scrute les traits de son frère.

— J'hallucine ! C'est *toi* qui as volé Billy ?

Terrence bafouille.

— Je… je…

Sa lèvre tremble. Il fixe le sol à ses pieds et fait oui de la tête. Anya serre les poings.

— C'est quoi, ce merdier, Terrence ? Pourquoi tu m'as fait ce coup de vache ? C'est dégueulasse !

Il se tord les mains, regarde dans toutes les directions sans affronter le regard de sa sœur.

— C'est… c'est compliqué. Mes affaires ne marchent plus du tout, en fait. Je vais être obligé de fermer mes magasins à East Bay. Peut-être aussi celui de San Francisco. Si je ne trouve pas une solution très vite, il ne me restera plus qu'à déposer le bilan. Je perdrai la maison, je ne pourrai plus payer l'école des filles. Et que deviendra Laura si…

Sa voix retombe. Il réprime à demi un sanglot.

— Il va falloir faire mieux que ça Terrence, le reprend Henry d'un ton sévère. Raconte toute l'histoire à Anya.

Terrence hoche la tête. Essuyant ses larmes du revers de la main, il respire à fond.

— Tu es l'héritière de Rosie, Anya. C'est à toi qu'ira la maison après son décès.

Il hésite avant de poursuivre dans un murmure :

— Et la maison vaut des millions.

Anya s'accroupit à la hauteur de son chien et passe les bras autour de lui.

— C'est quoi le rapport avec Billy ?

— Eh bien, tu sais que cela fait quelques années qu'Henry, Clive et moi, on s'occupe de toi et de Rosie. Financièrement, je veux dire. Et je l'ai toujours fait de bon cœur. Normal puisque tu es ma sœur ! Et que Rosie est ma grand-mère, bien sûr. Mais depuis quelque temps… mes affaires périclitent. Et tout le reste se casse la figure avec. Alors j'ai commencé à me poser des questions… Comment Anya pourra-t-elle financer l'entretien de la maison après le départ de Rosie ? Tu n'es même pas capable de subvenir à tes propres besoins. Et d'ailleurs que ferais-tu de cette grande baraque délabrée, une fois seule ?

Je suis étonnée qu'Anya ne cherche pas à protester ou à le contredire ; c'est presque comme si elle ne l'écoutait que d'une oreille. Et plus elle semble gagnée par le calme et le silence, plus la nervosité de Terrence augmente.

— Mais cela ne viendrait pas pour autant à l'esprit de Rosie de modifier son testament. C'est à toi que reviendra l'héritage.

Une grosse larme roule sur sa joue. Il se laisse tomber lourdement à genoux, grimace de l'inconfort de sa position, et s'empare de la main libre de sa sœur.

— Je ne suis pas fier de ce que j'ai fait, Anya. Tout ce que je peux dire pour ma défense, c'est que j'étais au bout du rouleau, malade d'inquiétude à l'idée de ce qui arriverait à ma famille en cas de faillite. Mon sentiment d'impuissance me mettait en colère, de plus en plus en colère, chaque fois que je pensais à cette maison gigantesque et coûteuse qui est là, à tomber en ruine, sans que personne s'en préoccupe pendant que ma petite famille risque de tout perdre.

Terrence déglutit.

— Alors j'ai pris Billy. Je savais ce qu'il représentait pour toi et je l'ai fait quand même. Parce que j'étais désespéré, que j'avais peur, que je n'étais plus capable de raisonner clairement. Je savais que tu le chercherais partout comme une folle. Et je pensais que c'était le seul moyen de faire comprendre à Rosie que tu ne serais pas en état de t'occuper de la propriété correctement. J'imaginais qu'elle finirait par revoir son testament. Si elle m'avait choisi comme légataire, j'aurais pu vendre la maison et me sortir de l'ornière.

Anya arrache sa main à celle de Terrence et le regarde droit dans les yeux.

— C'était donc un plan en deux étapes : d'abord, je rends ma petite sœur barjo, ensuite, Rosie crève ?

La tête de Terrence tombe sur sa poitrine. Des sanglots lui secouent les épaules.

— Non, marmonne-t-il. Elle ne meurt pas. Elle va en maison médicalisée.

— Ah, ouf !

La voix d'Anya vibre de sarcasme.

— Tu me rassures, là. J'ai bien cru un instant que tu étais devenu à la fois un gros salaud et un sale connard, Terrence.

Il gémit.

— Je ne sais pas ce qui m'a pris ! Enfin, je veux dire si, je sais… je pensais à moi, à Laura, aux enfants. Mais j'aurais dû penser à toi aussi. Je suis vraiment désolé. Je sais que ça ne suffira pas à me racheter à tes yeux, mais je t'aurais rendu Billy dès le moment où Rosie aurait modifié son testament. Je comptais t'expliquer que je l'avais retrouvé.

Clive émet un ricanement dégoûté.

— Waouh… Le héros.

Anya tourne la tête en sursaut pour regarder son autre frère.

— Et toi ? C'est quoi ton rôle, dans l'histoire ?

— Celui du frère qui n'était au courant de rien et qui découvre comme toi ce qui se passe.

Le regard de Clive tombe sur Terrence.

— Et maintenant celui du frère en colère. J'ai déjà annoncé à Terrence qu'il serait de corvée de petit déjeuner et de vaisselle pour la décennie à venir.

— Je ne comprends pas. Qu'est-ce que tu fiches ici si tu n'as rien à voir avec cette magouille ?

Clive accuse le coup.

— Je suis ici par affection pour toi, Anya… Tu ne le sais

peut-être pas, mais tu peux, et tu pourras, toujours compter sur moi, ajoute-t-il avec un haussement d'épaules.

Anya lui adresse un imperceptible sourire d'une fraction de seconde que Clive lui retourne. Terrence suit cet échange avec ses yeux rougis et émet un nouveau gémissement de détresse. Anya le regarde et lève les yeux au ciel. Glissant une main dans la poche de sa veste de smoking, elle en sort un fin mouchoir en batiste.

— Il est à Rosie, précise-t-elle en le tendant à Terrence. Je ne sais pas si ta conscience t'autorisera à l'utiliser.

Terrence accepte le mouchoir mais ne semble pas savoir quoi en faire. Il le contemple, indécis, en clignant ses yeux globuleux. Quelques larmes tremblent, accrochées en équilibre précaire à sa grosse moustache de morse. Avec un soupir d'impatience, Anya lui prend le mouchoir des mains et le passe avec brusquerie sous ses yeux et le long de sa moustache. Terrence ne bronche pas, comme s'il s'attendait à tout instant à encaisser le coup qu'il mérite. Anya fourre le tissu mouillé dans sa poche.

— Tu es un idiot, Terrence, tu le sais ? Pourquoi ne pas avoir demandé, tout bêtement ?

— C... comment ça ?

— Qu'est-ce que tu veux que j'en fasse, moi, de cette immense baraque ? Je ne pense pas que je pourrais y vivre une fois que Rosie sera partie. D'ailleurs, je serais bien trop occupée entre le boulot à la boutique d'encadrement, mon activité de photographe professionnelle, les cours que je veux reprendre et le bénévolat pour SuperClebs. Je ne vois pas où je trouverais le temps d'entretenir une maison qui tombe en ruine. Si tu m'avais expliqué ton problème, je te l'aurais donnée, tout simplement.

Terrence pâlit. Il s'accroupit de nouveau tant bien que mal face à sa sœur.

— Sérieusement ?

Anya hausse les épaules.

— Rosie aurait accepté aussi, si tu lui avais dit les choses franco. Quand tu es avec Rosie, tu es toujours à tourner autour du pot et à faire des ronds-de-jambe. Mais tu es son petit-fils. Elle t'aurait aidé.

Ce sont les cœurs qui battent, me dis-je.

Anya donne deux petites tapes sur le flanc de Billy qui roule direct sur le dos et se trémousse pendant qu'elle lui gratte le ventre. Elle sourit jusqu'aux oreilles. C'est comme si la trahison de son frère lui était déjà sortie de la tête ; son chien monopolise toute son attention.

— Comment tu t'es arrangé pour l'engraisser comme ça, Terrence ?

— Ce sont les enfants, explique son frère d'un air contrit.

Il tend le bras pour caresser Billy puis se ravise, les joues en feu, et laisse retomber la main sur ses genoux.

— Il dort sur le lit de Mason, et Sophie le bourre de friandises toutes les cinq minutes. Elles ont toujours voulu avoir un chien. J'ai honte de le dire, mais elles ont été aux anges pendant deux mois. Je les grondais parce qu'elles lui donnaient trop à manger, mais elles avaient tellement envie de lui faire plaisir. C'est pour ça que je ne viens plus vous voir avec les enfants, ces derniers temps — j'avais peur qu'elles parlent de Billy. Je leur ai expliqué, et à Laura aussi, que tu m'avais demandé de le garder pour quelque temps.

— Et qu'est-ce que tu aurais inventé comme explication ensuite ? questionne Henry sourcils froncés. Une fois que les filles auraient revu Anya ou l'un d'entre nous, elles auraient forcément parlé du séjour de Billy chez vous.

Terrence cligne des yeux.

— Je… je ne sais pas trop comment j'aurais fait, admet-il.

Et son visage écarlate rougit un peu plus encore.

— Tu parles d'un génie du mal, marmonne Anya.

Il me semble percevoir une touche de pitié dans sa voix. Elle attrape le collier de Billy et l'examine. Sur un fond turquoise, une ronde de cœurs rose fluo scintille dans la lumière qui tombe des fenêtres de la maison des Jacobsen.

— C'est quoi, cette atrocité ?

— Un cadeau de Sophie. Elle a dépensé tout son argent de poche dans l'animalerie à côté de chez nous. Elle a préféré consacrer toute la somme qu'elle avait mise de côté pour s'acheter une nouvelle poupée à un « beau collier » pour Billy.

Les lèvres d'Anya frémissent.

— C'est pas une enfoirée comme son père, alors.

— Je pense que pour ce qui est d'être foireux, j'ai absorbé les réserves de la famille. Il n'en reste plus pour les autres.

— Même pas pour Clive ? demande Anya en relevant la tête.

— Clive a eu sa part à la naissance.

Clive secoue la tête.

— Même moi, je respecte certaines limites, mon cher frère.

De nouveau, Terrence rentre la tête dans les épaules, et des larmes de honte lui remontent aux yeux. Lorsque Anya se lève, Billy roule sur lui-même et bondit pour s'ébrouer. Terrence accepte la main qu'Anya lui tend pour l'aider à se remettre, pesamment, sur ses pieds.

— Je parlerai à Rosie, dit Anya. Peut-être qu'on peut vendre la maison et juste garder le nécessaire pour couvrir ses frais médicaux et le salaire de l'infirmière. La vie de bohème, ça nous va bien, à Rosie et moi. Nous n'avons pas besoin de grand-chose pour vivre.

Terrence secoue la tête.

— Je... je ne sais pas quoi dire, Anya. Je veillerai à toujours prendre soin de toi.

Anya émet un rire tranchant.

— Merci mais ça ira, Terrence. Je trouve tes instincts protecteurs de grand frère plutôt... douteux, pour ne pas dire pire. De toute façon, je peux subvenir à mes besoins toute seule.

Elle lève le menton d'un air hautain.

— J'aurai peut-être bientôt ma propre agence de photographe. Mes séances de photo partent à mille dollars pièce. Je devrais pouvoir m'en sortir.

Elle attrape la laisse de Billy, même s'il est clair qu'il resterait collé à elle avec ou sans attache. Anya avait raison bien sûr ; difficile d'imaginer qu'un chien comme Billy puisse avoir la moindre velléité de fuite. Ses yeux noirs sont braqués avec adoration sur le visage de son humaine de compagnie ; je ne crois pas que ces deux-là se quitteront de nouveau de vue.

Anya se tourne vers moi.

— Maggie, je te présente Billy.

Dans son ton, le « je te l'avais bien dit » est perceptible, mais à peine. Je me penche pour caresser la tête de Billy, sa fourrure est rêche sous ma paume. Avec ses yeux noirs brillants d'intelligence et sa masse de poils blancs, sa ressemblance avec Einstein est vraiment remarquable.

— Bienvenue, Billy. Tu es enfin de retour auprès des tiens.

— Je crois qu'on va y aller, nous deux, annonce Anya. Sauf si tu penses que Sybil a encore besoin de moi, Maggie ?

Je secoue la tête.

— Non, non. Profitez de vos retrouvailles, Billy et toi. S'il y en a bien une qui peut comprendre, c'est Sybil.

Anya se tourne vers Huan qui fait aussitôt un pas en avant.

— Je vais chercher la voiture, si tu veux ?

Mais il reste sur place sans bouger. J'ai l'impression qu'il a besoin de s'assurer qu'Anya n'a pas l'intention de l'abandonner à présent qu'elle a retrouvé Billy.

— Tu n'es pas mon chauffeur, Huan. On vient avec toi, Billy et moi.

Le sourire d'Huan s'étire jusqu'aux oreilles.

— Donc… on peut dire que tout est réglé entre nous, Anya ? bafouille Terrence.

Elle scrute un instant les traits de son frère. Plisse les yeux. Se tapote la lèvre de la pointe de l'index.

— Sophie et Mason aiment vraiment les chiens, tu dis ?

Terrence acquiesce d'un petit signe rapide de la tête comme s'il craignait qu'une réponse verbale puisse l'entraîner dans un piège.

— Bon. Je ne peux pas leur laisser Billy, c'est évident. Mais elles vont être terriblement tristes de le perdre, pas vrai ?

De nouveau, Terrence opine à contrecœur.

— Je pense que ça ne ferait qu'aggraver les choses pour elles si elles apprenaient que leur père est un voleur de chien ? Un rebus de l'humanité psychopathe déterminé à prouver à leur arrière-grand-mère que leur tante est une foutraque bonne à enfermer ?

Une grimace douloureuse tord le visage de Terrence.

— Anya...

— Laisse-moi terminer, lui intime-t-elle sèchement. SuperClebs, l'association dont nous faisons partie Maggie et moi, dispose d'un vaste choix de chiens adoptables. Des chiens qui auraient besoin d'un foyer définitif sympa, avec deux gamines qui les adorent.

Terrence respire un grand coup en se passant la main sur le visage.

— Ah... OK. Oui. Dès que possible, nous choisirons un chien pour les filles.

Anya lui adresse un sourire suave.

— Par « dès que possible », je suppose que tu veux dire que vous prendrez un chien demain ?

Terrence se racle la gorge et jette un regard interrogateur à Henry qui hoche la tête d'un air sévère.

— C'est d'accord, bien sûr, promet Terrence dans un murmure. Nous adopterons un chien demain. Les filles seront folles de joie.

— Oui, bon, n'espère pas non plus obtenir la médaille

du mérite pour tes hauts faits, lui assène froidement Anya. D'ailleurs, ce ne sera pas que pour tes enfants. Tu as l'air d'être dans un sale état de stress, mon vieux. La présence d'un chien chez toi pourrait t'aider à retrouver un peu de calme.

Elle me jette un regard en coin.

— Une amie pleine de sagesse m'a dit que pour certaines personnes… et ça vaut sans doute aussi pour un décalqué du bocal comme toi, Terrence… la présence d'un chien peut être aussi efficace que de se shooter au Prozac.

Clive émet un rire narquois.

Anya se tourne vers Henry.

— Merci d'avoir retrouvé Billy pour moi.

— C'est toi qui avais raison. Depuis le début. Comme maman… Espère le soleil.

Des larmes montent aux yeux d'Anya. Elle lève la main gauche — pas celle où est tatoué l'appareil photo, l'autre — et passe le doigt sur sa peau.

— Je vais peut-être faire graver la formule ici. « Espère le soleil. »

Alors qu'Henry bredouille quelque chose, clairement perturbé par cette idée, Clive intervient.

— Je pense qu'il serait plus logique de tatouer ça sur le front de Terrence.

Ce dernier pâlit et recule d'un pas. Anya secoue la tête avec un petit rire ironique.

— En tout cas, merci, Henry. Si tu n'étais pas sur le départ, je te ferais un petit déjeuner à ma façon demain matin. Une bonne assiette d'œufs brûlés comme tu les adores.

Henry sourit.

— On reparlera de tout ça un peu plus tard, OK ? J'ai deux ou trois choses à t'annoncer. Mais en attendant je veux que tu saches que c'est Maggie qui a insisté pour que je parle à Terrence. C'est elle qui mérite ta reconnaissance.

— Merci, Maggie. Vraiment. Pour tout.

— Merci à *toi*.

Elle hoche la tête, se détourne et commence à s'éloigner sur le trottoir. Au bout de quelques pas, elle fait soudain demi-tour et revient en courant vers moi, Billy bondissant à son côté. Avant que j'aie le temps de comprendre ce qui m'arrive, ses bras fins m'enserrent avec une force surprenante.

— On continuera à explorer les parcs ensemble le matin, OK ? Il faut que je fasse faire de l'exercice à Billy pour qu'il perde sa graisse. On dirait un boudin sur pattes.

Juste avant de me lâcher, elle me murmure à l'oreille :

— Et n'oublie pas ce que je t'ai dit au sujet du chien et du gilet de sauvetage.

— Je n'oublie pas.

L'émotion me prend à la gorge, et ma voix s'étrangle. Déjà, elle est repartie en courant rejoindre son copain. Le trio — Anya, Huan et Billy — se remet en marche.

Lorsque Henry m'enlace en souriant, je m'essuie les yeux et ris un peu à travers mes larmes. Terrence, lui, paraît plus défait que jamais.

— Bon... ben, il ne me reste plus qu'à appeler un taxi. Je pense qu'il me faudra la soirée pour parcourir le site Internet de SuperClebs.

Mes pensées vont aussitôt à la gentille chienne blanche aux oreilles comme des cornettes et aux babines souriantes.

— Regarde à « Sally ». Sa famille d'accueil m'assure qu'elle est formidable avec les enfants.

Terrence ouvre son téléphone.

— OK. Merci du conseil.

— Il me semble qu'il serait plus raisonnable de prendre le bus, fait remarquer Clive à son frère. Cela te reviendrait bien moins cher que le taxi.

Les épaules de Terrence se voûtent, et Clive éclate de rire en lui tapant dans le dos.

— Ne fais pas cette tête. Je vais te raccompagner, pauvre minable. Ma voiture est juste au coin de la rue.

Nous les suivons un instant des yeux sans rien dire, puis Henry m'interroge du regard.

— Il faut que tu retournes assister à la fin des enchères ?

Je fais oui de la tête.

— Je pense que cela devrait bientôt se terminer. Et j'ai promis à Sybil de l'aider à ranger quand tout le monde sera parti.

Avant de poser la question qui fait mal, je me tourne vers la maison, incapable de soutenir le regard d'Henry.

— Tu files direct à l'aéroport, je suppose ?

— Non. J'ai changé mon billet pour le premier vol demain matin.

— Ah, OK.

Henry paraît surpris par la tiédeur de ma réaction, mais j'ai un peu de mal à me réjouir, à ce stade. Ça nous fait quoi ? Neuf heures, dix heures de gagnées avant la séparation définitive ? Pas vraiment de quoi sauter au plafond.

— Bon, dit-il lentement. La journée a été longue. Je boirais bien un verre.

D'un signe de la main, je désigne la maison des Jacobsen dans mon dos.

— Le bar est ouvert. Le ticket est à cent dollars.

— Cent dollars pour un cocktail ?

Henry lève les sourcils en souriant.

— Ma foi… Les chiens valent tous les sacrifices, je suppose.

Dès l'instant où nous passons la porte, Sybil attire mon attention en m'adressant de grands signes paniqués. Je glisse à l'oreille d'Henry :

— C'est elle, Sybil, la présidente de SuperClebs. Je vais voir ce qui se passe. Tu sauras te distraire seul un moment ?

— Prends ton temps. Quand tu auras un instant de libre, tu me retrouveras au bar.

Sybil stresse à fond. Plusieurs lots ont disparu, et nous devons les retrouver fissa avant que les gagnants ne les réclament. Je lui promets d'essayer de résoudre le mystère et me mets à la recherche des autres bénévoles de SuperClebs. Très vite, j'apprends que l'un d'eux a rangé un carton plein de lots dans un petit bureau-bibliothèque au premier étage.

Alors que je soulève le carton, je revois les temps forts de la soirée : mon trajet solitaire à travers la ville noyée de lumière, la disparition miraculeuse de mes angoisses, même au cœur de la foule, les belles retrouvailles d'Anya et de Billy, les derniers mots qu'Anya m'a adressés avant de s'éloigner au côté d'Huan. Je pense à Seymour qui quittera l'appartement de Grant et Chip demain, pour faire son entrée, à sa façon inquiète et hésitante, dans une nouvelle famille où il ne connaîtra personne. Il se pourrait — et c'est même fort probable — que je ne le revoie jamais. Ma gorge se noue.

Je dévale l'escalier pour retrouver Sybil et lui colle le carton dans les bras. Un sourire incontrôlable éclate sur mon visage.

— Je vais placer une enchère sur Seymour !

Sybil ouvre de grands yeux désolés.

— Oh non, Maggie ! Pourquoi tu ne me l'as pas dit plus tôt ? Je viens de clore les enchères. Tous les chiens ont été adoptés !

— Merde.

Je me précipite vers la photo de Seymour. Juste au-dessous, sur la desserte, se trouve une liste de noms et de montants en dollars. Mon regard se porte sur le bas de la feuille où Sybil a encerclé l'enchère gagnante.

Henry Ravenhurst.

Mes pensées s'emmêlent. *Henry ?*

Je me retourne, et il est là, à se racler nerveusement la gorge.

— Je ne comprends pas... Tu veux adopter Seymour ?

Il glisse la main dans la poche de sa veste et en tire une photo. C'est une de celles qu'Anya a prises de Seymour, la première fois que nous nous sommes promenés ensemble, juste avant qu'il ne se débarrasse de son collier. Seymour et moi figurons sur le cliché ensemble. Je me souviens d'avoir été dévorée par l'angoisse pendant cette balade, pourtant je suis souriante sur la photo. J'ai l'air heureuse. Seymour me regarde, de l'amour canin plein les yeux.

La beauté de cette prise de vue me prend aux tripes. On dirait un chien avec *sa* personne à lui, deux êtres qui auraient décidé de passer autant de temps ensemble que la vie voudra bien leur en accorder.

— C'est Anya qui me l'a donnée. Elle considère que vous êtes faits l'un pour l'autre, Seymour et toi, et je dois dire que je suis assez de son avis, surtout quand je vois cette photo. J'ai pensé que je pouvais garder Seymour jusqu'à ce que tu sois prête à le prendre.

J'ouvre la bouche pour répondre, mais Henry poursuit sans m'en laisser l'occasion :

— Je comprends que ce soit douloureux d'ouvrir de nouveau son cœur… il est presque impossible de ne pas penser à la façon dont ça va se terminer. Parfois, on a le sentiment qu'il y a tant à perdre qu'il devient compliqué de se souvenir de tout ce qu'il y a à gagner.

Des larmes me piquent les yeux lorsque je lève mon visage vers lui.

— Mais tu vas partir…

— Oui et non. C'est ce que je voulais te dire cet après-midi. Lorsque j'ai reçu l'appel qui m'informait du changement de programme, j'ai compris au moment critique que ce n'était pas possible… que je ne pouvais pas déménager à L.A. En tout cas, pas à plein temps. J'irai du lundi au vendredi pour superviser l'essai clinique, mais je garde mon appart ici et je reviendrai tous les week-ends. Ça me fera beaucoup d'allers et retours, mais j'ai envie que ça marche. C'est juste une situation temporaire, de toute façon. L'essai ne durera pas plus d'un an.

Il pose la main sur ma joue.

— Je viens de te trouver, Maggie. Ce truc, là, « aloha », ça ne fonctionne pas pour moi. Je ne peux pas dire bonjour, adieu et je t'aime en même temps. Hello et je t'aime, oui, ça c'est possible. Mais adieu... Non, adieu, ça ne passe pas.

Il me donne un baiser. Je lui en donne un. Et nous nous embrassons encore et encore. Pas le moindre panneau « voie sans issue » en vue.

Cette nuit, pour la première fois depuis sa mort, je rêve de Toby. Sous mes mains, il est comme une bouffée de douce fourrure. L'espace d'un instant, je le sens présent à mes côtés et puis, trop vite, il s'élance, bondit, s'éloigne. Je le vois courir comme il a si longtemps couru, libéré de l'âge et de la douleur, un beau galop robuste, plein de joie, d'élan, d'élégance.

Dans mon rêve, je lui crie : « Aloha ! »

Le mot est encore sur mes lèvres lorsque je me réveille et que je soulève ma tête du torse d'Henry. Ses bras sont autour de moi, et je reste blottie dans la bonne chaleur de son étreinte. Seymour dort du sommeil du juste au pied du lit. Nous l'avons récupéré directement en sortant du gala, certains que Grant et Chip n'y verraient pas d'inconvénient. Il respire profondément à présent, ses grosses pattes agitées de petits tressautements alors qu'il est pris dans ses rêves. Je repose la tête et compte ses respirations lentes et tranquilles, ajustant mon souffle au sien jusqu'à ce que le sommeil me rattrape.

Une.

Deux.

Trois...

19

— C'est ici ? demande Henry en ralentissant.

— Oui. Je reconnais l'endroit.

Cela fait plus d'une heure que nous roulons en longeant la côte. De temps en temps, Henry prend ma main dans la sienne, mais rien à faire… Chaque fois, Seymour, assis à l'arrière de la voiture, la tête oscillant entre nous, glisse son museau sous nos doigts entrelacés. Tant et si bien que nous lâchons prise et finissons par le caresser. Systématiquement, nous lui cédons.

Je lui ai pourtant juré qu'on allait dans un endroit sympa, à Seymour. Et nous lui avons laissé la vitre arrière entrouverte pour qu'il puisse se faire plaisir à flairer le vaste monde. Mais le pauvre chien a haleté d'anxiété pendant toute la durée du trajet. Nous sommes encore en phase de découverte réciproque, lui et moi, alors de quel droit puis-je lui promettre que notre destination sera à son goût ? S'il n'aime pas la voiture, rien ne dit qu'il sera fana de la plage. Les chiens, comme les humains, ont parfois leurs bizarreries.

Je renverse la tête contre mon dossier et repense à ma conversation téléphonique avec ma mère, ce matin. J'ai perçu son émotion quand je lui ai annoncé que Toby était mort, puis je l'ai comme sentie sourire lorsque je lui ai appris que Seymour était entré dans ma vie. Entre ces deux nouvelles, je lui ai tout raconté : les cent jours passés à la maison, les petites anxiétés que j'avais laissées s'accumuler au fil des ans sans en parler à personne, et comment Giselle, Seymour et mes amis m'avaient aidée à surmonter mes phobies.

— Oh, Maggie... Pourquoi ne nous as-tu rien dit ?

— C'est que... Je ne voulais pas que tu te fasses du souci.

— C'est le genre de phrase qu'une mère est censée dire à sa fille ! Pas qu'une fille dit à sa mère ! Ce n'est pas à toi de me protéger, Maggie.

J'ai senti qu'elle luttait pour ne pas me révéler à quel point elle se sentait blessée par mon silence.

— Mais tu vas tout à fait bien maintenant, n'est-ce pas ? Tu sors de chez toi ? Tous les jours ?

— Oui. Tous les jours. Juré.

— Bien.

Sa voix s'est brisée sur ce mot. Elle est restée silencieuse un moment puis s'est éclairci la gorge.

— Et tes patients ? Tu as quand même du monde à ton cabinet ?

— Ma patientèle ne s'accroît pas aussi vite que je l'avais escompté. Mais je réfléchis à d'autres possibilités pour développer mon activité. J'ai parlé à la présidente de SuperClebs et je pourrais peut-être dresser certains des chiens recueillis par l'association pour en faire des chiens de thérapie. Tant de gens souffrent de phobies et d'anxiété... Grâce aux animaux, leurs symptômes seraient soulagés. Et les chiens seraient gagnants aussi puisqu'ils trouveraient un foyer et quelqu'un à protéger. Je travaillerais à la fois avec les humains et avec les chiens. Il me faudra juste le temps de me former à la thérapie assistée par l'animal. Je suis en train de me renseigner.

— Ça paraît être une bonne idée, en effet, a admis ma mère. La relation chien-humain peut être tellement réparatrice.

— Et pourquoi n'essaierais-tu pas, toi aussi ? Lorsque j'aurai terminé ma formation, je viendrai vous rendre visite à Philadelphie et je verrai si je trouve un chien adapté. Nous pourrions faire du bon boulot, tous les trois.

Ma mère est restée un long moment silencieuse. Je connais l'oiseau noir de la panique qui a ouvert ses ailes dans sa poitrine ; j'ai vécu assez longtemps avec le mien pour ne pas l'avoir oublié.

— Maman... Tu n'as pas besoin de me donner ta réponse tout de suite. Promets-moi juste d'y réfléchir, d'accord ?

— D'accord, a-t-elle dit finalement. Je te le promets.

Je crois qu'elle va le faire.

Henry trouve une place de stationnement sur le petit parking. Au nord comme au sud s'étirent de hautes falaises surplombant une série de petites criques sablonneuses. Même d'en haut, depuis la voiture, on entend le rugissement de la houle qui s'élève et s'effondre. Nous sommes au cœur de la nature sauvage, avec des chemins escarpés et incommodes et des vagues puissantes. Je respire un grand coup, ouvre ma portière et accroche mon sac en bandoulière.

Seymour sort de la voiture d'un bond et renifle avec curiosité autour de lui. Il a l'air plus excité qu'anxieux, à présent. Sa queue remue, et ses yeux brillent. Il repère le chemin qui descend vers la plage, tire sur sa laisse et commence à se tortiller de la tête aux pieds, ce qui veut dire qu'il est content, je le sais à présent. La pointe de sa queue tremble.

« On y va ? implore-t-il des yeux. Qu'est-ce qu'on attend ? »

De petits galets roulent sous mes pieds alors que nous dévalons le sentier irrégulier. Derrière moi, Henry glisse et atterrit lourdement par terre. Je me retourne et lui tends la main, mais au lieu de me laisser le relever il m'attire vers le sol. M'enlaçant, il m'embrasse — enfin, deux secondes, parce que c'est le temps que nous laisse Seymour avant de nous grimper dessus pour nous papouiller et fourrer le museau dans le creux de nos cous. Henry ébouriffe sa fourrure en riant.

Une fois en bas, sur la plage, Henry me prend la main, la serre un instant dans la sienne puis part avec Seymour pour explorer des rochers à l'autre bout de la crique. Je marche jusqu'au bord de l'eau blanche d'écume, me débarrasse de mes chaussures et m'assois en enfonçant les pieds dans le sable mouillé. Puis je sors de mon sac la boîte contenant les cendres de Toby. C'est l'endroit exact où il est venu s'allonger le jour où nous nous sommes baladés ici, il y a quelques mois. C'est sur cette même plage qu'il est resté immobile, à contempler l'océan, avec un calme qui ne lui ressemblait guère. Je tiens l'urne sur mes genoux, chaude encore d'être restée par terre dans la voiture. Les reflets sur l'eau sont aveuglants, mais je ne sors pas mes lunettes de soleil. Je tiens à tout voir, tout sentir — j'ai compris une chose : à force de vouloir se protéger de tout, en permanence, on court le risque de passer à côté de la beauté.

La beauté du monde.

La beauté des êtres.

Chaque fois qu'une vague se retire et que l'océan fait silence, j'entends Henry en grande communication avec Seymour. Il lui parle et l'encourage à faire des découvertes. Ma théorie a l'air de se vérifier : on trouve toujours le bon chien au bon moment — celui qui correspond à telle ou telle phase de notre vie.

Peut-être qu'avec un peu de chance on trouve aussi le bon mec ?

Le regard rivé sur l'océan, je laisse déferler en moi le sentiment de manque provoqué par l'absence de Toby. Il a été un chien merveilleux, il a transformé ma vie et m'a aidée à devenir celle que je suis. Le perdre, c'est un peu être privée d'une part de moi-même. Mais il est temps de me remettre en mouvement. Bouger, explorer, aller de l'avant, c'est ce que Toby aimait le plus. Et il m'a appris à faire comme lui.

Je ne vais pas disperser ses cendres dans l'océan comme j'avais prévu de le faire. Je n'en ai pas la force. Je suis venue ici pour montrer à Henry et à Seymour la plage que Toby et moi avons aimée. Et je suis venue pour commémorer sa mort sous la forme d'une calme célébration intérieure. Une cérémonie intime à ma façon. Pas parce que ce sera la dernière fois que je pense à lui. Parce que je l'aime, tout simplement.

Je garde une image si nette de lui... Tel qu'il était ce jour-là sur la plage. C'est presque comme si je l'avais encore là, allongé près de moi, à regarder le déferlement de l'océan, en pensant à... qui sait quoi ? A la beauté et à la paix de la nature ? Au déroulement complet de sa vie qui l'a mené à cet instant précis où il s'est retrouvé sur cette plage d'une beauté à couper le souffle, quelque part en Californie ? A cette première et mystérieuse année de vie sans moi, avec ses joies et ses peines que je n'ai pas connues ? Au temps désormais compté qu'il avait devant lui ? Au poisson qu'il avalerait si seulement il parvenait à mettre la patte dessus ?

Je souris, laisse remonter les histoires heureuses, et m'accorde le temps du souvenir.

Sur le trajet du retour vers San Francisco, la voiture épouse les contours sinueux de la côte. Henry et moi baissons nos vitres pour laisser entrer de grandes bouffées d'air iodé qui nous fouettent le visage. Seymour, enfin vaincu par la fatigue, dort roulé en boule sur le siège arrière. De temps en temps, je me retourne et tends le bras pour flatter son flanc tiède.

Nous empruntons le pont du Golden Gate et coupons à travers la ville. Mais, lorsque nous atteignons Cole Valley, au lieu de s'arrêter à l'appartement, Henry poursuit sa route. Je tourne la tête vers lui.

— Mais… On va où ?

— Tu verras.

Nous montons en zigzag vers le sommet de Twin Peaks, et la ville s'étire de plus en plus loin autour de nous, tandis que ses immeubles et ses rues rétrécissent. A chaque tournant, la Sutro Tower apparaît plus grande, plus impressionnante. En haut de la colline, Henry se gare. Seymour bondit en haletant.

Par la vitre, je scrute l'immense tour-antenne et sors la réplique de mon sac.

— Ça m'ennuie de te dire ça, Henry, mais l'original vu de près fait paraître l'imitation un peu… bas de gamme.

Henry fait mine de s'offusquer.

— Je te ferais remarquer que c'est la meilleure reproduction que l'on trouve sur le marché.

Une fois hors de la voiture, et alors que nous approchons du bord de l'esplanade, je sens que mon estomac se rebelle. Henry me prend le bras.

— Ça va aller ? C'est normal de ressentir une pointe de vertige, ici. Je crois que ça fait ça à tout le monde.

Je hoche la tête.

— Ça tangue un peu, mais ça devrait aller.

Henry me désigne Market Street, la grande artère qui divise la ville à nos pieds.

— Et, ça, là-bas, c'est Mission District, poursuit-il en me montrant où regarder. On y trouve un restaurant génial qui projette de vieux films sur le mur d'une cour intérieure.

Il m'indique à présent le quartier de Nob Hill et me raconte que, lorsqu'il a besoin de s'éclaircir les idées, il va parcourir le labyrinthe en plein air de la cathédrale de Grace. Et la petite tache noire là-bas, au loin sur la baie, précise-t-il, c'est le ferry pour Tiburon, une petite ville où on peut aller boire des bières sur le quai et manger des *fish and chips* dans un troquet appelé Sam's.

— En règle générale, le soleil est au rendez-vous, à Tiburon.

Comme quoi il y a moyen d'échapper au brouillard d'été à San Francisco.

A mesure que j'écoute Henry, je sens mon estomac se calmer. Je tends la main pour caresser Seymour. *Voilà, c'est ça la vie,* me dis-je. Et mes dernières angoisses s'évanouissent. Il suffit d'espérer que l'excitation des projets à venir — de tout ce que l'on veut, que l'on *peut* vivre — saura adoucir l'aiguillon de nos peurs.

Nous regagnons la voiture et redescendons lentement par la rue abrupte qui nous ramène vers la ville.

— Et maintenant ? On va où ? demande Henry.

J'ai toujours pensé que Toby aurait posé cette question s'il avait eu le don de la parole. C'est d'ailleurs probablement la question que poseraient la plupart des chiens, s'ils le pouvaient, avec leur joie débordante, communicative et pleine de sagesse. *Et maintenant ? On va où ?*

Je regarde Henry en pensant à tous les lieux possibles qui s'ouvrent à nous.

— A la maison ? suggère-t-il.

— Non, pas à la maison.

Je sens le museau humide de Seymour fureter dans mon cou, et la sensation me fait rire.

— En tout cas, pas tout de suite. Je te laisse choisir. Surprends-moi.

Puis j'ouvre ma vitre en grand, me cale contre le dossier, cheveux au vent. Je souris, prête pour l'aventure.

Remerciements

C'est de tout mon cœur que je remercie :

Mon éditrice, Emily Krump, pour l'aide généreuse et attentionnée qu'elle m'a apportée tout au long de cette aventure, et pour m'avoir poussée à faire grandir mon histoire, à la rendre plus solide chaque fois que c'était nécessaire. Emily, ce livre est bien meilleur grâce à toi et je t'en suis reconnaissante.

La formidable équipe des éditions William Morrow (la liste n'est pas limitative) : Liate Stehlik, Jennifer Hart, Kaitlyn Kennedy, Molly Birckhead, Carolyn Bodkin, Serena Wang, Martin Karlow, Emin Mancheril, et Diahann Sturge.

Mon merveilleux agent, Elisabeth Weed, qui me prodigue ses conseils ingénieux et rit à mes plaisanteries.

Ma chère amie Jeanette Perez, qui n'arrive pas à se débarrasser de moi, et dont les suggestions sont toujours pertinentes. Merci du fond du cœur également à Issabella Shields Grantham, Alison Heller, Meg Kasdan, Carol Mager, et Phil Preuss dont les idées et le soutien ont rendu ce livre plus fort.

Tara Cronin pour avoir répondu à mes questions concernant les psychologues spécialisés dans le deuil des animaux domestiques et pour m'avoir fait découvrir *The Grief Recovery Handbook* de John W. James et Russell Friedman, un livre qui m'a été très utile. Merci également à Caroline Schram pour avoir répondu à mes nombreuses questions concernant les soins vétérinaires. Les judicieux avis de spécialistes que j'ai ainsi reçus n'ont en rien entravé ma liberté d'auteur dans l'écriture de ce livre.

Mes parents, mes amis et les nombreux membres des familles Donohue, Mager and Preuss, dont les encouragements valent tout l'or du monde.

Phil, mon roc, le soleil de mes jours, et mon meilleur ami — en d'autres mots mon véritable et éternel grand amour. Et Finley, Avelyn et Hayden, pour bondir dans nos vies avec l'énergie folle de petits chiots.

Mes chiens ! Je vous ai tous aimés. Cole, je ne pouvais pas rêver d'un meilleur compagnon à la douce fourrure durant ces années bien remplies où j'ai fondé une famille et contruit ma carrière d'auteur. Un des grands bonheurs d'une vie, c'est d'écrire à côté d'un chien qui ronfle tranquillement près de vous.

King Oberon, mon bon chien, toujours à mes pieds.

Ce livre est pour toi.

CHEZ MOSAÏC

Par ordre alphabétique d'auteur

...*/*...

CHEZ MOSAÏC

Par ordre alphabétique d'auteur

../...

CHEZ MOSAÏC

Par ordre alphabétique d'auteur

La plupart de ces titres sont disponibles en numérique.

Composé et édité par HARLEQUIN

Achevé d'imprimer en Allemagne
par GGP Media GmbH, Pößneck
en octobre 2015
Dépôt légal en novembre 2015

Pour l'éditeur, le principe est d'utiliser des papiers
composés de fibres naturelles, renouvelables, recyclables,
et fabriquées à partir de bois issus de forêts qui adoptent
un système d'aménagement durable. En outre, l'éditeur attend
de ses fournisseurs de papier qu'ils s'inscrivent dans
une démarche de certification environnementale reconnue.